## AYDİLGE SARP

1979, Kütahya doğumlu. Ortaokul ve liseyi TED Ankara Koleji'nde tamamladı. Başkent Üniversitesi Amerikan Kültürü ve Edebiyatı Bölümü'nde dört yıl burslu okudu. 2001 yılında tüm üniversite genelinde birincilikle mezun oldu. Halen, İstanbul Üniversitesi İletişim Fakültesi'nde Radyo-TV Sinema alanında yüksek lisans yapmaktadır. 1997'de ilk öykü kitabı *Kalemimin Ucundaki Düşler*, Ekim 2002'de ise ilk romanı *Bulimia Sokağı* yayımlandı. En büyük iki tutkusu edebiyat ve müzik olan Sarp, ayrıca kendi şiirlerini de besteliyor.

AYDİLGE SARP

# Altın Aşk Vuruşu

§

Türkçe Edebiyat **55**

**Altın Aşk Vuruşu**

Aydilge Sarp

Kapak tasarım: Utku Lomlu

Dizgi: Çiğdem Dilbaz



1. Basım: Mayıs 2004

ISBN: 975 - 289 - 147 - 0

Baskı ve Cilt: Melisa Matbaacılık

Tel: (212) 674 97 23

Fax: (212) 674 97 29

EVEREST YAYINLARI
Ticarethane Sokak No: 53 Cağaloğlu/İSTANBUL
Tel: (212) 513 34 20-21 Faks: (212) 512 33 76
Genel Dağıtım: Alfa, Tel: (212) 511 53 03 Faks: (212) 519 33 00
e-posta: everest@alfakitap.com
www.everestyayinlari.com

Everest, Alfa Yayınları'nın tescilli markasıdır.

# ALTIN AŞK VURUŞU

# 1

*Gözlerinin mavisini üzerime örterek*
*uykuya dalsam, kalbine kıvrılıp*
*uzansam, beni gerçeklikten saklar mıydın?*

"Ne olur şimdi öpme beni! Öpme..." demiştim ona, çünkü en sevdiğim şey elleriyle yüzümü okşamasıydı. Parmaklarının ucunu yavaş yavaş dudaklarıma değdirmesi... Yüzünün sıcaklığını biraz daha hissetmek isterdim. O yüzden hep, "Ne olur şimdi öpme beni!" derdim. "Avuçlarının ateşini biraz daha emsin yanaklarım. Dudaklarından önce yüzünle öp yüzümü..."

Gözlerim buğulanır, yanaklarımda yangın çıkardı beni öptüğünde. Serinlemem için yüzüme nefesini üfleyip gülümsemesi de yetmezdi. Gülüşü öyle sıcaktı ki, ağzımın kilidini eritirdi. Dudaklarımın arasından akan yakıcı soluğu yüreğime indiğinde...

Beni ilk öptüğünde, dudaklarımla birlikte kalbimi de emmişti. Boşalan göğüs kafesime lav akıtmıştı dili. Ağzımda dağılan mayhoş tadına daha doyamamışken aniden iğrenç, tuzlu bir sıvı değmişti dilime. Burnu kanıyordu... Neden? Kendini sertçe geriye çekmişti. Hemen elleriyle örtmeye çalışmıştı yüzünü. Bense parmaklarımı dudaklarıma sürmüştüm. Kanı geçmişti üzerlerine. Acaba aşkının şiddetinden dudaklarım mı patladı diye düşünmüştüm bir an. Elimle dokunmak istemiştim yüzüne, öpersem belki geçer diye. Ama o, "Yaklaşma!" diyerek iyice geriye çekmişti kendini. Sırtını duvara vurup, eline bulaşan kana dalıp gitmişti. Titriyordu; benim kalbimden bile fazla. O yüzden, "Lütfen gelme!" demesine rağmen, yanına yaklaşıp tutuvermiştim ellerini. Yüzüme bakamıyordu. Neden bu kadar utandığını anlayamıyordum. Alt tarafı bir burun kanamasıydı işte. İlk öpüşme açısından pek romantik sayılmazdı ama...

Susuyordum; çünkü hâlâ bakmıyordu yüzüme. Erkekliği mi incinmişti? Bir kızı öpmeyi bile beceremediğini düşünüp utanmış mıydı kendinden? Ellerimi iterek banyoya koşmuştu. Arkasından gitmemek için zor tutmuştum kendimi. Ne tepki vereceğinden korkmuştum. Acaba yanına gitmemi mi bekliyordu? Ona şefkat ve ilgi göstermemi mi? Gelmiyorum diye bencil mi buluyordu beni? Sorunları olduğu zaman ondan kaçacağımı, onunla ilgilenmeyeceğimi mi düşünüyordu? Arkasından gittiğim takdirde beni istememesinden korkuyordum. İlginle beni boğuyorsun, demesinden... İki dakika rahat ver, diye söylenmesinden... Oysa o, gerçekten de yanında istiyordu beni.

Gözlerini aynaya dikmiş bakıyordu Ozan. Musluğu açmıştı ama kan lekelerini yıkamamıştı. Gözleri nasıl boş bakıyorsa su da aynen öyle akıyordu. Boşluğu doldurmak adına, yüzünü yıkamamız gerektiğini söylemiştim ona. Tıpkı küçük bir çocuk gibi uslu uslu sözümü dinlemişti. Başını eğip, suyla yüzünü okşamama izin vermişti. Bense yüreğindeki kandan habersiz, yüzündekini silebildiğime sevinmiştim. Kollarımın arasına yığılmıştı sonra. Gözleri yere odaklanmıştı. Bütün gece hiç durmadan saçlarını okşamıştım...

"Ozan, lütfen böyle bırakma kendini. Bunda bu kadar üzülecek bir şey yok. İnan, ben unuttum bile. Ne var yani, hava çok sıcak olunca benim de burnum kanar..."

Başı omzuma düşmüştü. Yüzünü iyi kurulayamamıştım, su damlacıkları tenime dokunuyordu. Kalbinin hızlı hızlı vurduğunu duyuyordum. Sakinleşemiyordu bir türlü. "Konuşmak ister misin?" diye sormuştum. Susmuştu. Her zamanki gibi susmuştu. Sözcüklere güveni yoktu. Araları iyi değildi, biliyordum. O yüzden zorlamazdım onu hiç. İstediği zaman konuşurdu nasılsa. Belki de hata ediyordum onu bir şeylere zorlamamakla. Israr ederek onu boğmamı, son anda da ipini çözüp hayatını kurtarmamı mı istiyordu yoksa? Bilmiyorum. Tek bildiğim, başı kıpırdadıkça boynumu öpen saçlarıydı. Nefesi kalbime yağıyordu. Gözleri, cama çarpan yağmur damlacıklarına takılıyordu.

"Yağmur damlaları durup durup kendi hallerine ağlarlar," demişti bana. "Varoluşları ağlamak üzerine kuruludur zaten. Önce her damla, öteki damlaların ıslattığı cama tutunmaya çalışır ve sesleri ağlayışın ağlarına dolanır. En sonunda daha fazla dayanamayıp aniden aşağı bırakıverirler bir damlacık bedenlerini. Bazıları iyice yapışıp kalırlar cama, düşmemek için direnirler ve sonlarının orada kuruyup gitmek olduğunu bilmezden gelirler. Ben camdan aşağı kalbimi bırakmış kayarken, aniden yanıma sen düştün Sade. Artık tutunmak için bir nedenim var. İyi ki geldin su perisi..."

Su perisi! Bana adımdan başka bir isimle seslenen ilk kişiydi Ozan. Birdenbire onun su perisi olup çıkmıştım işte. Gözlerini dikip saatlerce bana bakardı. O öyle baktıkça çekemezdim gözlerimi. Su olup dudaklarından ruhuna akmamı istediği için bana su perisi dediğini söylerdi. Zaten tenime her dokunduğunda, oluk oluk kalbimi içerdi.

Ona âşık olmaya başladığımı hissettiğim ilk gece, evine bir sürü arkadaşı doluşmuştu. Pek azını tanıyordum. Ama o, hiç ayrılmıyordu yanımdan. Yalnızlık çekmeyeyim diye benimle oturmak zorunda kalmasına üzülüyordum. Bana âşık olduğu için yanımda kaldığı hiç aklıma gelmiyordu. Ne iyi çocuk diyordum, geçireceği hoş saatleri sırf ben yalnız kalmayayım diye feda ediyor...

Yerdeki minderlere oturmuştuk. Şarap rengi iki minder... O hep bana bakıyordu, bense köşedeki piyanosuna. Korkuyordum ona bakmaktan. Daha doğrusu, âşık olursam sarf edeceğim sevginin şiddetinden... Birdenbire, "Fareyi bilir misin?" diye sormuştu bana. Ben de bu durumda verilebilecek en normal karşılığı vermiştim tabii:

"Ne faresi?"

"Bilim adamının labirente kapattığı fare."

"Öyle çok hikâye duydum ama, sen yine de anlatsana."

"Tamam, dinle o zaman. Bir varmış bir yokmuş... Bilim adamının biri, zekâ geliştirmeye yarayan formülü icat etmeye karar vermiş. Asıl amacı, bütün dünyaya ne kadar akıllı bir adam olduğunu kanıtlamakmış. Böylece herkes ona hayran kalacakmış..."

Masalcı nineler gibi karşıma oturmuş neler anlatıyordu bana öyle! Yüzüm yüzüne böylesine yakınken, o kadar zordu ki sözlerine kulak vermek. Aslında bir aşk hikâyesi anlatmasını yeğlerdim ama mecburen fareyle idare edecektim artık. Hem öylesine tatlı anlatıyordu ki, onu dinlemeye mecbur hissediyordum kendimi. Sanki konu çok ilgimi çekmiş gibi, arada bir yorum bile yapıyordum:

"Tabii, formülü denemek için bir fare gerek."

"Evet, aynen öyle Sadeciğim. Biliyor musun, ismini çok seviyorum. Gerçekten de seni yansıtıyor. Saf ve katıksız... Neyse, konumuza geri dönelim..."

"Yaa, dönmeyelim!" diyememiştim tabii. "Seviyorum" kısmında kalsaydık aslında çok daha iyi olurdu ama, o öyle bir hevesle devam ediyordu ki anlatmaya...

"Öncelikle, son derece karmaşık, devasa bir labirent inşa etmiş adam. Normal insan zekâsının bile çözemeyeceği karmaşıklıkta bir labirent... Sonra başlamış fareye hormonlar yüklemeye, iğneler yapmaya... Ardından da labirente bırakmış hayvanı. Ödülü de peynir tabii. Fare peynire giden doğru yolu bulabilirse, formülün işe yaradığı ortaya çıkacakmış. Ama fare bir türlü bulamıyormuş peyniri. Her seferinde eli boş dönüyormuş. Bir daha, bir daha deniyormuş, yok! Sonuç hep başarısızmış. Bilim adamı bu işe acayip sinirlenmiş tabii. Fareye türlü türlü eziyetler yapmaya başlamış. Arada sırada da, başkaldırmasın diye bir parça mutluluk hormonu veriyormuş ona. Bunca acıya dayanamayan fare ise en sonunda ölmüş."

Ne romantik bir hikâyeydi bu böyle! Üstelik zavallı fare de ölmüştü.

"Madem o kadar zekiymiş bu fare, niye bulamamış o zaman peyniri?" diye çıkışmıştım tabii.

"Çünkü bilim adamı labirente peynir koymayı unutmuş."

"Ne?"

"Evet, doğru duydun. Hikâyenin kilit noktası da bu zaten. Adam kendi egosunu tatmin etmek için öyle çok hırslanmış ki, sonunda gözü hiçbir şey görmez olmuş. Peyniri koymayı bile unutmuş işte! Kendini son derece üstün gördüğünden, hatanın kendisinde olabileceği aklına bile gelmemiş... Bunu niye anlattım biliyor musun Sade?"

"Açıkçası, ben de tam bunu soruyordum kendime!"

"Anlattım çünkü aslında tanrıyla insanların hikâyesi bu. O farenin peyniri araması gibi, biz de hayat labirentinde deli gibi dolanıp bir parça anlam arıyoruz. Arada bir de, pes etmeyelim diye mutluluk pompalanıyor yüreğimize. Ama belki de bulunabilecek hiçbir anlam yoktur, çünkü tanrı hayatın anlamını koymayı unutmuştur... Bak, kafiye de oldu, şiir gibi!"

Yüzüme bakıyordu, bir şeyler söylemem için... Ne diyebilirdim ki? Öykünün kendisinden çok, onun neden böyle bir öykü anlattığını anlamaya çalışırken, ne diyebilirdim? Aslında öykünün sonu gerçekten hoşuma gitmişti. Ama neden bu öyküyü seçmişti? İnsanlara ne kadar kültürlü olduğunu göstermek için olur olmaz yerlerde felsefi laflar eden tiplerden olmadığını biliyordum. Gözlerindeki masumiyetten, sesindeki çocuksu heyecandan belliydi bu. Belki de beni sıradan bir kız olarak görmediğini, bana değer verdiğini göstermekti amacı.

"Madem tanrı peyniri koymayı unuttu, biz de kendi peynirimizi kendimiz yaratırız o zaman," demiştim ona. Bunun üzerine yüzünde beliren o kocaman gülümsemeyi keşke o da görebilseydi! Aslında, benzer bir gülümsemeyi iki gün sonra benim yüzümde görmüştü. O gün ellerimden tutup minik bir koltuğa oturtmuştu beni. Sonra da gözlerimin içine bakıp, "Ben peynirimi buldum Sade," demişti. "Söyle lütfen, hayatımın peyniri olur musun?"

Özgür'ün evindeki partide söylemişti bunları bana. İnsanlar sevgililerine aşkım, bebeğim, gülüm, birtanem diye seslenirken, ben onun su perisiydim işte. Daha da önemlisi peyniriydim. Ne diyebilirdim ki, tarifsiz bir mutluluktu bu. Özgür de konuştuklarımıza kulak misafiri, daha doğrusu davetsiz misafir olup, bir tabak dolusu peynirle gelmişti yanımıza. "Al oğlum," demişti. "Çok acıktıysan bunları ye de Sade'yi bana bırak!"

Sevgili Özgür... Ne çok severdim onu... Ozan'la birleşmemizde, fare hikâyesinin yanı sıra onun payı da az değildir hani! On dokuz yaşımda tanışmıştım Özgür'le. Konservatuvarda müzik öğrencisi olmasına rağmen, bendeki "anormal" müzik tutkusuna akıl sır erdiremezdi. Onun için dersten ibaretti müzik. Benim içinse her şey... Ondaki isteksizliğe de ben hayret ederdim. Keman çalabilen bir insanın bundan zevk almayışını anlamam mümkün değildi. Oysa Özgür'ün canı sürekli sıkılır, eğlenmek için keman çalmak aklının ucundan bile geçmezdi. Kemandan ve klasik müzikten zevk almayışını da Rock müziğinden hoşlanmasına bağlardı. Sanki her ikisinden de hoşlanılamazmış gibi... Oysa ben hem Rock'tan hem de klasik müzikten farklı zevkler alırdım. Özgür gibi her gece Beyoğlu'ndaki barlara gidip kafayı çekmezdim ama Rock dinlerken ondan daha mutlu olduğum kesindi.

Bir konserde tanışmıştık onunla. Anlattığına göre, herkes zıplayıp tepinirken benim sakin bir mutlulukla sahnedeki grubu dinliyor olmam dikkatini çekmişti. Özellikle de yüzümdeki gülümsemeye takılmıştı aklı. Uzun süre beni izledikten sonra yanıma gelip, nasıl bu kadar büyük bir hazla gülümseyebildiğimi sormuştu. Şaşırmıştım. Aniden yanıma birinin gelip böyle sorular sorması alışık olduğum bir şey değildi tabii. Daha da çok gülümseyerek, "Müzikten..." demiştim. "Keşke dinlemenin yanı sıra sahnedekiler kadar iyi çalabilseydim de!" Bunun üzerine Özgür, "O zaman ben sana müzik öğreteyim, sen de bana mutlu olmayı öğret, anlaştık mı?" diye sormuştu. İşte böyle başlamıştı dostluğumuz. Ama ne ben keman çalmasını öğrenebildim ne de o mutlu olmasını...

Sık sık görüşürdük Özgür'le. O her ne kadar müziğe tutkun bir keman âşığı olmasa da ben onu dinlemekten büyük keyif alırdım. Önce epey bir nazlanır, sonra da sıkıcı bir görevi yerine getirircesine kemanını çalmaya başlardı. "Sırf senin hatırın için," derdi. "Yoksa bıktım artık bu işten. Sekiz yaşından beri çalıyorum, bir düşünsene! Bugünlerde tek dinlediğim müzik de senin şarkıların!"

Benden önce sesimle tanışmıştı Ozan. Özgür, şarkılarımı kaydettiğim CD'yi ona da dinletmişti. İki üç hafta boyunca, Ozan'ın benimle çok tanışmak istediğini söyleyip durmuştu. Ama bir türlü işlerimi ayarlayıp gidememiştim. Reklam Çözümlemeleri dersim için hazırlamam gereken bir proje vardı. Sabahlara kadar oturup saçma sapan reklamların altında yatan gizli ve açık mesajları, insanları etkilemek için hangi yöntemlerin kullanıldığını, görsel ve işitsel unsurları, kısacası sıkıntıdan nasıl patlanılacağını iyiden iyiye bellemiştim. Zaten Özgür'ün de iyi kalpliliğinden ve bana moral olsun diye, şarkılarımı çok sevdiğini söylediğine inanıyordum. Yeteneğini ballandıra ballandıra anlatıp neredeyse bir müzik kahramanı haline getirdiği o Ozan denen arkadaşının da (tabii o zamanlar Ozan'ı sadece bu şekilde tanımlıyordum) şarkılarımdan çok keyif aldığına inanmam biraz zordu doğrusu; çünkü Özgür'ün anlattığına göre büyük bir yetenekti Ozan. Okuldaki hocaların hem gözbebeği hem de baş belasıydı. Piyanoyu mükemmel çaldığı için öğrencilerden çok hocalar tarafından kıskanıldığını anlatırdı Özgür. "Çünkü öğrenciler onunla kıyaslanamayacaklarının bilincindeler," derdi:

"Bazı hocalar onun dünya çapında büyük bir piyanist olacağını düşünüyorlar. Bazıları da onun kural tanımaz, dik başlı ve geleneğe saygısız olduğunu, bu yüzden de asla iyi bir yere gelemeyeceğini söylüyorlar. Ve ne yazık ki, ikinci görüşte olanlar, yani onu bir piyano anarşisti olarak görenler birinciye göre daha fazla."

Özgür, Ozan'ın son günlerde okuldan iyice koptuğunu da anlatmıştı bana. "Çocukta acayip bir yetenek var. Hiçbir kurala da boyun eğmiyor," demişti. "Hocalar ondan daha kötü çalınca, Ozan da onları pek ciddiye almıyor tabii. Kafasının dikine gidiyor. Köprüyü geçene kadar ayıya dayı diyeceksin oğlum, diyorum. Bizimkisi, 'O ne demek ya?' diye soruyor. Amerika'dan döneli dokuz sene oldu, hâlâ öğrenemedi bazı şeyleri. Bizdeki eğitim sistemine de alışamıyor mudur nedir? Yok abi burada işler senin sandığın gibi yürümez, diyorum. Salla başını al maaşını, diyorum, bizimkisi yine başlıyor yüzüme aval aval bakmaya. Bunun annesi Amerikalı, tamam mı; on üç yaşına kadar orada yaşamış. Sonra annesiyle babası boşanınca, babasının peşine takılıp gelmiş buraya. Bunları öğrenince, 'Oğlum amma da kerizmişsin ya,' demiştim. Millet Amerika'ya kaçmaya çalışıyor, bu da orayı bırakıp Türkiye'ye geliyor. Geriye dönmeyi de düşünmüyor ha! Haydi başta küçüktü, Türkiye'yi bilmiyordu, burada yaşamanın ne çekilmez olduğunun farkında değildi diyeceğim ama, adam hâlâ burada yahu! Okulu da sevmiyor. Bilmiyorum vallahi. Burada harcanıp gidecek. Amerika'da kalsaydı şimdiye çok ünlü bir piyanist olmuştu. Onlar, böyle yetenekleri harcamazlar. Aman bize ne ya! Ben zaten batmışım, ondaki yetenek de yok bende. Oturmuş bir de ona üzülüyorum. Ne hali varsa görsün! Sanki burada bir geleceğimiz varmış gibi. Ne olacak bizim halimiz? Türkiye'de kaç tane klasik müzik orkestrası var ki, içlerinde çalma şansı bulalım? Ayrıca bulsak ne olacak, sanki çok matah bir işmiş gibi! Üstelik burada her şey torpille yürüyor. Aman be, bak yine canım sıkıldı! Nereden açtık bu konuyu? Of ya, özel ders vermeye kalksam... Öyle de hayat mı geçer be! Aptal aptal bebelere otur en baştan kemanı tutmayı öğret, nota öğret, onu öğret, bunu öğret... Çoğumuz midemiz bulana bulana mecburiyetten okulda kalıp hoca olmayı özel ders vermeye tercih edeceğiz ve sonunda o kıl olduğumuz içi geçmiş hocalara benzeyip çıkacağız. Bu böyle sürüp gidecek. Allahım çıldıracağım şimdi! Ya, konuyu değiştirelim lütfen Sade! Bak, Ozan'dan bahsederken nerelere geldik..."

"Tamam Özgürcüğüm, kapatalım bu konuyu," demiştim ama onun susmaya pek niyeti yoktu. Bir iki saniye durduktan sonra yeniden başlamıştı arkadaşına verip veriştirmeye:

"Ozan'a neden sinirleniyorum, biliyor musun? Onda, bu düzeni en azından kendi adına yıkabilecek tanrı vergisi bir yetenek var. İstese bunu çok iyi kullanıp, o hocaların hepsini parmağında oynatabilir. Ama nerede... Bizimkisi okulu bırakmayı kafasına koymuş. Hem de son senesi adamın! Çalışmamız için verilen parçaları tamamen değiştirip kendine göre yorumluyor. Hocanın bile çalamayacağı kadar mükemmel işler becerse de, verilen ödevi yapmadığı için sonuçta "F" alıp oturuyor aşağı. Deli oluyorum bu huyuna. Yahu, çal gitsin işte. Ne olacak yani! İlla sisteme kafa tutacak ya... Tutsun bakalım. Bizde tutacak kafa da yok!"

Özgür, böyle dolduğu zamanlarda hiç durmadan konuşurdu. Ben de epey çenesi düşük biri olmama rağmen, deli deliyi görünce değneğini saklar misali, onu görünce sessiz sakin bir hal alırdım. Ama bu seferki suskunluğumun nedeni, Ozan'la ilgili anlattığı şeylerin gerçekten de dikkatimi çekmesiydi. Ayrıca, bu kadar övdüğü birinin benim şarkılarımı sevip dinlemesi çok gururumu okşamıştı. Özgür onun yeteneğini övdükçe, sanki ben övülüyormuşum gibi seviniyordum. "Vallahi sürekli senin şarkılarını dinliyor," diyordu Özgür. "Sen hâlâ tanışma bakalım onunla, Bayan Koşturmaca!"

Büyük bir hevesle, Ozan'ın şarkılarımı piyanoyla çalıp çalmadığını sormuştum Özgür'e. "Tabii kızım, onun için çocuk oyuncağı!" demişti. Aslında şarkılarımı çocuk oyuncağı olarak tanımlaması pek hoşuma gitmemişti ama, ben yine de çok sevinmiştim. Daha önce gitar dışında hiç, bir enstrüman eşliğinde çalınırken duymamıştım şarkılarımı. Bazen Özgür birkaç bölümü kemanıyla çalardı ama, şarkılarımı çok sevdiğini defalarca söylemesine rağmen, bir kez olsun herhangi bir şarkımı baştan sona çalmamıştı. Üstelik bunun beni çok mutlu edeceğini bal gibi biliyordu. Neyse ki, artık başkasının parmaklarından akarken duyabilecektim şarkılarımı. Hele piyano gibi asil bir enstrümanla...

Ozan'ın evine gitmek üzere Özgür'le sözleştiğimden, ertesi gün Reklam Çözümlemeleri dersinden nasıl apar topar çıktığımı bir ben bilirim bir de hocam! Zaten pek hoşlanmıyorduk birbirimizden. İki üç tane kozmetik reklamını analiz ettiğimiz bir gün, o kadar sinirim bozulmuştu ki, "Reklamcıların yaptığı tek iş yalan söylemek ve insanların zayıf noktalarını yakalayıp, onlara ürünü kakalamaya çalışmak!" diye bağırmıştım dersin ortasında. Hoca da benim sırf kendini göstermek için arada bir celallenen tiplerden olduğumu sanarak, duygularımın samimiyetini anlamamıştı. Oysa ben gerçekten de okuduğum bölüme artık katlanamaz olmuştum. Hocaların deyimiyle, insanları daha mutlu bir hayata kavuşturan ürünlerin tanıtımını yaparak, onları olabilecekleri en mükemmel insan haline dönüştürme konusunda önemli bir hizmet veren, ekonomiye 'renk' ve 'dinamizm' katan bireyler olarak yetiştiriliyorduk. Oysa asıl amacın bu değil, yalnızca ürünün kâr etmesi ve para kazandırması olduğunu hepimiz biliyorduk.

Hocanın verdiği proje için herkes bir kozmetik ürünü reklamı hazırlayacaktı. Ruj, parfüm, deodorant, saç jölesi, krem... Kısacası, ürün çeşidinin seçimi bize bırakılmıştı. Aman ne özgürlük! Hepsi aynı kapıya çıkmıyor muydu zaten? Başarı ve mutluluğa ulaşabilmek için mutlaka şu ya da bu üründen alınması gerektiği, ya da ince ve güzel görünebilmek için hangi ürünlerin kullanılmasının şart olduğu konusunda mesajlar veren reklamlardan yüzlercesi yapılmamış mıydı şimdiye dek? Biz de aynı yalanları söyleyip duracaktık işte.

Özgür'ün kapısını çalıp içeri girdiğimde, biraz dersin vermiş olduğu gerginlikle, biraz da Ozan'ı görecek olmanın heyecanıyla işte böyle söylenmeye başlamıştım. Bu sefer de o suspus olmuş, beni dinlemeye koyulmuştu. Okuluma, yapmam gereken ödevlerime, hocalara, kısacası aklıma gelen her şeye öfke kusuyordum:

"Oturup müzik yapmak varken, aptal gibi bir kozmetik ürününün reklamını hazırlayacağım. İnsanları güzelleştirmeyi vaat eden o palavra ürünlerden biri daha... Tabii önce potansiyel tüketicinin kendini çirkin hissetmesini sağlamak lazım. Özgür, öyle boş boş bakma lütfen! Haydi sorsana, neden öyle hissetmelerini sağlamak lazım, diye sorsana haydi!"

"Ya, ne diye soracağım be!" demişti Özgür gülerek. "Kızım, bıraksana şu muhabbeti şimdi. Başlayacağım reklamına da tüketicine de..."

"Çünkü insanlar çirkin olduklarını düşünmezlerse, güzelleşmeye ihtiyaç duymazlar. Anladın mı şimdi? Normal insanlara benzemeyen, o sözde mükemmel hayata sahip tipleri koyuyorlar reklamın ortasına... Maksat, izleyenler kendilerini eksik ve kusurlu hissetsinler! Bizim işimiz nedir ki zaten? İnsanları mükemmel olarak tanımladığımız kişilere benzemeleri için kışkırtmaktan, onlarda kıskançlık uyandırmaktan, bilmem ne ürününün onları eşsiz bir hayata ulaştıracağı yalanını söylemekten başka ne biliriz ki biz?"

Sanki Özgür'ün bana cevap vermesini bekliyormuşum gibi, bir iki saniye yüzüne bakıp durmuştum. O da yine işi şamataya vurup, "Oh be!" demişti. "Hele şükür sustun. Kızım, ne bu şiddet, bu celal! Amma da dolmuşsun ha..."

Özgür'ün işin gırgırında olduğunu biliyordum. Açıkçası,

ne yaptığı pek umurumda değildi. Ben sadece, içimi dökebileceğim bir nesne arıyordum. Canlı olması cansız olmasından daha iyiydi, o kadar.. O yüzden, öfke boşaltma işlemcimin devam butonuna basarak konuşmamı sürdürmüştüm:

"Hayatımızın, sahip olduğumuz eski çamaşır makinesinden kullandığımız ruja kadar sorun olarak inşa edilmesi, sonra da sorunları çözeceği iddia edilen ürünlerin allanıp pullanıp bizlere satın aldırılması sinirlerimi bozuyor Özgür!"

"Vay namussuz sinir, ne de çabuk bozuluyor öyle!" diye dalga geçmeyi sürdürmüştü Özgür. Sonra askılıktan ceketini kaparak, sanki bir an önce benim çenemden kurtulmak istercesine, "Haydi, bittiyse artık çıkalım. Geç kalacağız Ozan'a!" diye söylenmişti. Ama ona darılmamıştım. Beni ne çok sevdiğini biliyordum. Olur olmaz zamanlarda böyle felsefe yapmaya başlayınca, haklı olarak çocuğun canı sıkılıyordu. Sevildiğimi bilmenin verdiği rahatlıkla, içimde kalan son sözleri de dışarı fırlatıvermiştim:

"Aslında çok doğal şeyler bunlar. Zaten benim dışımda kimsenin kendini potansiyel bir yalancı, bir hayal sömürgeni gibi gördüğü yok. Ama ben görüyorum işte! Elimde değil. Bestelerimi yaparken öylesine içten ve temiz bir ruhla nefes alıyorum ki, ne zaman okula gidip derse girsem kendimi kirlenmiş, öldürücü bir gaz odasına kapatılmış gibi hissediyorum."

Ben ateşli ateşli konuşmamı sürdürürken, Özgür çoktan sokak kapısını açmış, gülerek beni kolumdan çekiştirmeye başlamıştı. "Tamam canım, tamam, bunları Ozan'la bol bol konuşursunuz," diyordu. "Bak, şimdi bütün enerjini bana harcıyorsun, diğer bir deyişle boşa harcıyorsun, sonra onun yanında şey olacaksın... Neydi ya, hani sen bir şey oldum dersin..."

"Duruldum..."

"Hah, işte! Orada durulacaksın, sonra çocuk da seni sessiz sakin biri sanacak!"

Hafif kızmış gibi yaparak, "Aman ne sanırsa sansın, çok umurumda sanki!" diye çıkışmıştım. Aslında kızgın değildim. Piyona eşliğinde kendi bestelerimi dinleme fırsatı bulacağım için çok da mutluydum. Ama heyecanlanınca böyle çeneme vuruyordu işte. Konuştukça deşarj oluyordum. Özgür, bunun farkında olduğu için işi gırgıra vuruyordu. Normal zamanda, ben konuşurken böyle yapsa kalbim kırılırdı tabii. Hafife alınmak kimin hoşuna gider ki! Ama o sırada ben bile kendimi ciddiye almazken Özgür'e nasıl kızabilirdim? Hele yola çıkınca iyiden iyiye keyiflenmiştim. Özgür'ün deli gibi araba kullanması bile beni huzursuz etmeye yetmemişti. Aslında hissettiğim şey, çoğu arkadaşımın gıpta ettiği, her zamanki hayat coşkumdan başka bir şey değildi. Özel bir mutluluk duymuyordum açıkçası. O anda, hayatımın merkezine doğru çekildiğimi bana fark ettirecek hiçbir sezgi yoktu kalbimde. Sadece beraber keyifli birkaç saat geçireceğimi düşündüğüm, bestelerimi seven, hafif çılgın birinin yanına gidiyordum, o kadar...

# 2

Kapıyı açtığında telsiz telefonla konuşuyor, bir yandan da bize gülümseyerek girin, girin dercesine başıyla içeriyi işaret ediyordu. Özgür, "Ne haber dostum?" gibilerinden bir şeyler söyleyip paldır küldür içeri dalmıştı. Bense kapıda kalmıştım. Daha doğrusu, bana gülümseyerek bakan yüzünü bir saniyeliğine seyre dalmıştım. Bir erkeği değil de, doğada nadir bulunan bir güzelliği izler gibi bakıyordum yüzüne. "Haydi, sonra görüşürüz," diyerek alelacele kapatmıştı telefonu. Dudaklarındaki gülümseme biraz daha büyümüştü. Beyaz teni kızarıvermişti hemen. Birden elimi sıkıp, "Gerçekten seninle tanışmayı çok uzun zamandır istiyordum," demişti. "Bestelerini ne çok sevdiğimi söyledi mi Özgür?"

"Biliyorum, sağ ol," diyerek coşkuyla gülümsemiştim.

Hâlâ elimi tutuyordu. İçindeki iyilik avcumun içine akıyordu sanki. İlk görüşte aşk falan değildi bu. Tek hissettiğim, ona hemen kanımın ısındığıydı. Bir güzellik gördüğünde asla susmayı beceremeyen sesim, aniden coşkuya kapılıp dudaklarımın arasından kaçıvermişti.

"Tanrım, senin ne kadar güzel bir yüzün var!"

O ise, şaşkınlıkla sarmalanmış bir sevinçle, "Sa... sağ ol!" diye kekelemişti. "Senin de öyle. Yani senin de yüzün çok güzel."

Pek çokları, benim bu coşkulu hallerimi başlarda garip karşılasalar da, sonradan alışıp sözlerimin içtenliğini anlarlardı. Ama hissetmiştim, o daha en başından okumuştu yüreğimin sadeliğini.

"Haydi be, ne yapıyorsunuz orada kapının önünde? Gelsenize ya, Allah Allah!"

Evet, Özgür bizi çağırıyordu. Ozan'la beraber minik evinin salonuna girdiğimizde, her zamanki oburluğu tutan Özgür, nereden bulduysa ağzına bir avuç kuruyemişi doldurmuş, elinde daha şimdiden yarıladığı bira şişesiyle bizi sırıtarak karşılamıştı. Salon da ev gibi minicikti. Baş köşede duran, hatta salonun neredeyse yarısını kaplayan siyah piyano, tepeden tepeden bana bakıyordu. Koşarak yanına gitmiştim. Sanki kırabilirmişim gibi, o kocaman gövdesine dokunmaya korkmuştum. Elimi bir iki santim yukarıda tutarak, tuşlarını okşamaya başlamıştım. "Dokunsana!" diye arkamdan seslenmişti Ozan. Sonra yanıma gelip o bana dokunmuştu. Omzuma... Beraber sandalyeye oturmuştuk. Hâlâ gülerek bana bakıyordu. Bense iki güzelliğin arasında, bir yanımda piyano, bir yanımda Ozan'la, kalbimin coşkudan patlayacağını hissetmiştim. Ozan'ın yüzüne bakıp, "Çok heyecanlandım," demiştim utanarak. Neyse ki, gözlerinin ılık mavisi, kalbimin çarpıntısının üzerine akıp o arsız coşkumu yumuşatmaya başlamıştı. Morfin gibi okşayarak, çırpınan hücrelerimi gevşeterek akıyordu.

Ve parmakları... Uzun, ince parmakları... Saygıdan önünde titrediğim, dokunmaya kıyamadığım o piyano tuşları, Ozan'ın parmaklarının bir dokunuşuyla baştan çıkıp zevkten inliyorlardı. Avuçlarından tuşlara sihirli bir iksir damlatıyordu. Düşsel bir karakteri vardı müziğinin; bir masalın ruhunu kaçırıp gelen, şimdi gülümserken az sonra hayale dalan, coşkuyla haykıran, ardından utanıp sıkılan... Özgürce dolanıyordu melodileri, başıboşluğa, avareliğe kaçmadan, tüm farklı duyguları kavga gürültü koparmadan kaynaştıran bir uyumla. Benimse içim acıyordu. Müziğin altında eziliyordum. Ozan'la piyanonun arasındaki kutsal bağın çok uzağında, müziğin kenarından yamacından tutunmaya çalışan bir zavallı gibi boşlukta sallanırken, birden o tanıdık melodiler bana doğru koşmaya başlamışlardı. Benim melodilerim, benim notalarım, benim şarkım... Ozan'ın gözleri tekrar bana dönmüştü. İçimdeki sihirli mutluluğu hissetmişti. Şarkıyı söylemem için keyifle beni bekliyordu. Ama ben yapamadım. Sonra bir de baktım ki, gözyaşlarım almış başlarını gidiyorlardı. Koştura koştura yanaklarımdan aşağı iniyorlar... Piyona susmuştu. Ozan, "Ne oldu?" diye gözlerimin içine soruyordu. Sonra da, tuşlara dokunduğu gibi yanağıma dokunmuştu. Böylece bir oluk gözyaşımı daha yerinden etmişti. Özgür de elindeki içkiyi bırakıp yanıma gelmişti. Omzuma dokunmasıyla beraber hemen dönüp sıkıca sarılmıştım Özgür'e. Sanki yeni tanıştığı bir yabancıdan korkup babasına sarılan bir çocuk gibi...

"Yine mi duygulandın, yavru ceylan?" diye gülümsemişti Özgür. Sonra da Ozan'a dönüp, "Bu kadar mutlu etme benim yavrumu!" diye şakadan azarlamıştı onu. Başımı kaldırıp Özgür'e gülümsemek istediğimde, gözlerinin kan çanağı gibi kızarmış olduğunu görmüştüm. Ağzı içki kokuyordu. Son zamanlarda onu devamlı sarhoş görmekten, ikide bir yuttuğu haplarla sahip olduğu mutluluk gölgesinden yorulmaya başlamıştım. O yüzden, gülümsemem yüzümde donup kalmıştı. Ta ki Ozan'ın ılık ve şaşkın sesi, "Şimdi iyi misin? Ağlamana neden olduğum için gerçekten çok özür dilerim," diyene dek. Oysa ben mutluydum, gözyaşlarımın altındaki pırıltıyı göstermiştim ona. Görebildiği için rahatlamıştı. Ardından da tekrar piyanosunu çalmaya başlamıştı.

Özgür ise, "Siz iki deli oturun o zaman, ben bir yüzümü yıkayacağım," diyerek yanımızdan uzaklaşmıştı.

Birkaç dakika sonra, tam ben Ozan'ın çaldığı müziğin koynuna girmek üzereyken, yatak odasından başka bir müziğin sesi gelmeye başlamıştı. Ozan çalmayı kesip ayağa kalkmıştı:

"Özgür, müziği açtı anlaşılan. Aslında Club tarzı müzikleri dinlemez ama bugün ne olduysa... Söyleyelim de kıssın biraz," diyerek salondan çıkmıştı.

Ne kadar çok mum vardı etrafta. Tütsüler, kuru çiçekler... eflatun... Bir de duvardan duvara uzanan, açık mavi ve gül kurusuna boyanmış balıkçı ağları... Bu mistik hava, nedense kiliseleri anımsatıyordu bana. Gözüm ölmek üzere olan İsa'yı kucağına almış bir Meryem resmi ararken, Ozan'la aynı ona benzeyen sarışın bir kadının fotoğrafını görmüştüm. O sırada içeri giren Ozan, endişeyle karışık bir gülümsemeyle, "Özgür içeride çılgın gibi dans ediyor," demişti. "Kafayı iyice bulmuş! Müziği de kıstırtmadı."

Özgür'ün yanına gitmek için ayağa kalkmama rağmen o, "Bırakalım, biraz yalnız kalsın," diyerek durdurmuştu beni. Anladığım kadarıyla, Özgür'ün o delişmen halini pek hoş karşılamayacağımı düşünüyordu. Konuyu değiştirmek adına, "Resme mi bakıyordun?" diye lafa girmişti. "Annemle ben... Geçen sene Amerika'ya tatile gittiğimde çektirmiştik. O Amerikalıdır. Babamsa Türk."

"Biliyorum," demiştim. "Özgür biraz bahsetmişti."

"Öyle mi..." diyerek, hafif bir gülümsemeyle tekrar piyanonun başına oturmuştu. Pek çalmaya niyetli olmadığını görünce, "Kendini daha çok Türk mü hissediyorsun, yoksa Amerikalı mı?" diye sormuştum.

"Biliyor musun, herkes bana bunu sorar," demişti gülümsemeye devam ederek:

"Çocukken, ben de sürekli kendime bunu sorardım. Özellikle de, hem Türk hem de Amerikalı olduğumun bilincine varmaya başladığım ilk zamanlarda... % 50 Türk, % 50 Amerikalı mıyım, yoksa bir tarafım daha mı ağır basıyor, diye düşünüp dururdum. Sol tarafım Amerikalı, sağ tarafım Türk müydü? Ya da tam tersi? Örneğin sol elim Türk eli miydi? Peki, iki gözümden hangisi Türk, hangisi Amerikalıydı? Türkiye'de yaşayanlara Türk deniyorsa, ben Amerika'da yaşamama rağmen niye Türktüm? Acaba, yaz tatillerinde Türkiye'ye geldiğimizde Türk olup, Amerika'ya döndüğümüzde yeniden Amerikalı mı oluyordum?"

Anlattığına göre, annesi tek tek sorularını yanıtlamaya çalışırken babası, "Kafasını karıştırma çocuğun, nasılsa büyüyünce anlayacak!" diye söylenirmiş. Sonra da gizli gizli Ozan'ın odasına gelip, onu kucağına oturtarak anlatmaya başlarmış:

"Bak oğlum, sen önce Türksün, sonra Amerikalısın. Ama önce Türksün, anlaştık mı?"

Babası Türkçe konuştuğu zaman, Ozan onun ne dediğini tam olarak anlayamazmış. Adamcağız da en sonunda, oğlunun boş boş bakan suratından sıkılarak pes edermiş ve sinirli bir şekilde aynı şeyleri İngilizce olarak yeni baştan anlatmaya başlarmış. Ozan bu sefer de, babasının sözlerini net bir şekilde algılamasına rağmen, doğru şekilde anlamlandıramazmış.

"Babamın sözcüklere yüklediği anlamlar benimkilerden

farklıydı. Bana, 'Oğlum sen önce Türksün,' derken dopdolu, ağır, kocaman bir 'Türk' sözcüğü yolluyordu beyninden. Oysa bendeki 'Türk' kavramı daha bebekti, gelişmemişti, cıpcılızdı."

Ozan, konuşurken durmadan gülümsüyor, ikide bir durup, "Sıkıldın mı, bak sıkıldıysan susabilirim," diye soruyordu. Nasıl sıkılabilirdim? Öyle tatlıydı ki... Bir de arkadan Özgür'ün müziğe eşlik eden o komik sesi gelmeseydi!

"Sana meyve getireyim," diye yerinden fırlayıp mutfağa gitmişti Ozan. Döndüğünde elindeki meyve tabağına bakıp gülümsemeye başlamıştı. Niye güldüğünü sorduğumda, babasının meşhur meyve benzetmelerini hatırladığını söylemişti:

"Babam bir gün beni karşısına oturtup, 'Bak oğlum, annenin üzüm olduğunu düşün, ben de şeftaliyim, tamam mı?' diye lafa girmişti. Ben de oyuncaklarımla mı oynuyordum, televizyon mu seyrediyordum, öyle bir şeyler yapıyordum işte, tam hatırlayamıyorum. Babam, şeftaliyi üzümden daha çok sevdiğimi biliyordu tabii. 'Şeftaliyi çantana koyup okula ya da parka götürdüğünde, şeftali hâlâ şeftalidir değil mi? İşte sen de Amerika'da olmana rağmen hâlâ şeftalisin,' demişti bana. 'Peki ya üzüm ne oldu?' diye sorduğumda da biraz bozulur gibi olmuş, şöyle birkaç saniye düşündükten sonra, 'Peki peki, biraz da üzümsün ama daha çok şeftalisin, söyle bakalım, şeftalinin mi yoksa üzümün mü tadı daha güzeldir?' diye sormuştu. Üzüm, deseydim ne yapardı acaba? Bir an için, sırf meraktan üzüm demeyi düşünmüştüm ama sonra vereceği tepkiden korkup vazgeçmiştim."

"Niye, çok mu kızardı sana?"

"Yok yok, korkmuştum derken, bana vuracak ya da cezalandıracak değildi tabii. Zaten hiçbir zaman bana el kaldırmamıştır. Ben sadece onun kırılmasından ve her şeye yeni baştan, bu sefer 'Türkler üzümdür' diyerek başlamasından korkmuştum. Aslına bakarsan, babamın şeftali benzetmesi iyice kafamı karıştırmıştı, çünkü birkaç gün sonra Mrs. Hill derste..."

"Hocanız mı?" diye sormuştum.

"Evet, hocamız. O, hepimizin farklı meyvelerden oluşan müthiş bir salata olduğumuzu söylerdi. Bazılarımız üzüm, bazılarımız muz, bazılarımız da portakaldık, ama asıl önemli olan, tek bir meyve salatasının, yani Amerikan salatasının bir parçası olmamızdı. Kim olursak olalım, biz her şeyden önce Amerikalıydık. Biliyor musun, aslında o anda ben sadece ağlayan bir çocuktum. Çünkü öğretmen, meyveler arasında şeftaliyi saymayı unutmuştu. Anlayacağın, ben salatanın dışında kalmıştım. Mrs. Hill yanıma gelip ne olduğunu sorunca da, utandığımdan ona şeftali olduğumu söyleyememiştim. Yıllar boyu benliğimin parça parça doğrandığını, bir o salataya bir bu salataya konduğunu hissettim. Şimdi istesem de bulamam artık parçalarımı. Acaba hangisi hangi salatada kaldı?"

Gözlerini elindeki meyve tabağına dikip, "Belki bir parçam da buradadır, ne dersin?" diye gülümsemişti. Sanki bende de bir parçasını arıyormuş gibi, birkaç saniye yüzüme baktıktan sonra da konuşmaya devam etmişti:

"Babamla annemin dırdırları yetmezmiş gibi, Türkiye'ye tatile geldiğimde kafam iyice allak bullak olurdu. Babamın ailesi sürekli benim Türk olduğumdan, Türklüğün çok gurur verici bir şey olduğundan, annemin göz ve saç rengini almama rağmen, yine de dikkatli bakıldığında babama benzediğimden söz edip dururlardı. Burada herkes 'Ozan' diye çağırırdı beni, hatta annem bile bazen dalıp 'Ozan' diye seslenirdi. Oysa Amerika'dayken bir kez bile 'Ozan' dememiştir bana. 'Steven' dediğinde ise, babaannemle halamın suratları asılırdı..."

Diğer isminin Steven olduğunu duyunca öyle garibime

gitmişti ki. Sanki içinde gizlediği bir başka kişilik aniden su yüzüne çıkmış, karşıma dikilivermişti. Oysa konuşan oydu işte, hâlâ aynı yumuşacık maviyle bana bakan...

"Steven lafını duyunca acayip sinir oluyorlardı anlayacağın. Bir türlü karar veremezdim, ben Steven mıydım, Ozan mı? Eğer her ikisi de bensem, o zaman niye annem Steven deyince babamın tarafı sinirleniyordu? Demek ki, onlar sadece Ozan'ı seviyorlardı, Steven'ı değil. Bense, Steven'ı mı yoksa Ozan'ı mı sevmem gerektiğine bir türlü karar veremiyordum. Ama sanki herkes benden bir an önce bu kararı vermemi bekliyordu. Aslında, Türkiye'de el üstünde tutuluyor olmak çok hoşuma gidiyordu. Tanımadığım insanlar bile sürekli gelip, 'maşallah maşallah' diye sevip duruyorlardı beni. 'Maşallah'ın ne anlama geldiğini anlamak biraz uzun sürmüştü tabii. Bu arada, 'tütütütü' diye tükürüp durmalarına da çok sinir olurdum. Ama bunca esmer, koyu tenli insan arasında sarışın olmak, farklı görünmek beni hiç rahatsız etmezdi. Farklı olmam, insanların bana daha fazla ilgi göstermesine neden oluyordu. Belki de Amerikalı olmam demeliyim, çünkü her farklılığa olumlu tepki gösteren bir millet olmadığımızı biliyorum. Tabii o zamanlar, bunun Batı'ya karşı duyulan tarihi bir hayranlık olduğu falan gibi sonuçlar çıkaracak durumda değildim. Beğenilmemin nedeninin tamamen benden kaynaklandığını sanıyordum. Oysa Amerika'ya gidince sıradan bir çocuk oluveriyordum. Ama bundan da hiç şikâyetçi değildim; çünkü oradayken en son istediğim şey, diğerlerinden farklı olduğumun, yani bir yanımın şeftali olduğunun anlaşılmasıydı. Öğretmenimiz her ne kadar hepimizin bir bütünün parçaları olduğumuzu söylese de, kara üzümler ile sarı üzümler hep ayrı ayrı dururlardı. Ben de şeftaliliğimi gizleyip sarı üzümlerle dolaşırdım... Biliyor musun, sana bu kadar çok şey anlattığıma inanamıyorum. Aslında ben pek fazla konuşmam. Hatta hep bu yanımdan şikâyet ederler. Ama ne oldu bana, bilmiyorum, devamlı sana bir şeyler anlatasım geliyor!"

Esas bana ne olmuştu? Gerçekten de çok konuşmaktan ötürü bazen çene kaslarının ağrıdığını hisseden ben, Özgür'ün dediği gibi, bütün enerjimi orada harcayıp burada suspus mu kesilmiştim? Aslında enerjimin azalmasından çok, kafamda binlerce düşüncenin dolaşmasından ve Ozan'a bir anda her şeyi anlatmak istediğimden, içlerinden herhangi birini seçip anlatamıyordum. Neyse ki, sonunda biraz olsun aklımı toparlayıp, "Lütfen sen anlatmaya devam et," diyebilmiştim. "Gerçekten sıkılmadan zevkle dinliyorum. Ayrıca çok güzel konuşuyorsun. Çok akıcı, süratli ve düzgün bir Türkçe'yle. Baban seninle gurur duymalı. Kendimi TRT spikerlerini dinliyormuş gibi hissediyorum."

Dünyanın en güzel iltifatını duymuş gibi, sevinçten gözleri pırıl pırıl olmuştu. Sonra da bana bir şeftali uzatıp, "Soymamı ister misin?" diye sormuştu. O kadar hoşuma gitmişti ki bunu sorması... Ama yorulmasın diye, üzümlerden alacağımı söylemiştim. O da, "Anlaşılan sen de üzümcüsün," diyerek gülümsemişti. Ama gülüşünün ardındaki hüznü saklayamamıştı. Aklımda garip bir görüntü oluşmaya başlamıştı. Koca ağızlı bir canavarın iki ayrı çenesi gibi, babasının yukarıdan, annesinin de aşağıdan Ozan'ı dişlediklerini görüyordum. Sonunda, ısıra ısıra kopartıyorlardı onu. O yüzden bir türlü bütünlenemiyordu. Bir yarısı babasının, diğer yarısı da annesinin dişlerinin arasında takılı kalmıştı. Neyse ki, Özgür'ün arka odadan gelen gayet neşeli tepinme sesleriyle beraber hemen silkinip bu korkunç görüntüyü aklımdan silmiş ve tekrar onu dinlemeye koyulmuştum:

"Ben on üç yaşımdayken babaannem öldüğünde anneme karşı bir iki gün garip bir öfke duymuştum. Sanki onunla iyi geçinseydi babaannem ölmezdi gibi gelmişti, çünkü babamın ailesinde garip bir özellik vardır. Annemle ne kadar anlaşamasalar da, yanlarına her gelişimizde, sanki hiçbir şey olmamış gibi annemi kucaklarlar, öperlér, ona altın takılar alırlardı. Şekerpareyi çok seviyor diye ona özel şekerpare yapılırdı. Yani aralarında ölü bir ilişki olmasına rağmen yine de onunla bir bağ kurmaya çalışırlardı."

"Küllerinden tekrar canlanan o efsane kuş gibi..."

"Hangi kuş?"

"Anka kuşu vardır ya... Hani İngilizce'de 'Phoenix' diyorlar..."

"Ha, anladım! Evet, işte o kuş gibi, babaannem öldükten bir iki gün sonra, yine ayağa fırlayıp şekerpare yapacak gibi gelmişti bana. Sırf sevmediği gelinine şekerpare yapmak için mezarından fırlayan bir babaanne kulağa çok saçma geliyor tabii ama, saçma olmasaydı bile babaannem yeniden canlanamazdı zaten, çünkü annem cenazeye gelmemişti. Dolayısıyla da şekerpare yapılacak kimse yoktu. Yine de anneme kızamıyorum; çünkü babaannemlerin sevgisinde bir samimiyetsizlik vardı. 'Bak, sen donyağı gibi olmana rağmen, bizden biri olmamana rağmen, bizi hor görmene rağmen, biz yine de büyüklük yapıp seni dışlamıyoruz,' dercesine bakarlardı annemin yüzüne. Bunu ben bile hissettiğime göre, demek ki annem haydi haydi hissediyordu..."

"Evet, mutlaka hissetmiştir," demiştim. Aslında konuşmaya devam edip kendi ailemdeki benzer olayları anlatmak istiyordum ama, o yine büyük bir heyecanla konuşmaya başlayınca...

"En sevmediğim şey de aralarındaki bu güç kavgasıydı zaten. Örneğin, halam bizi arabaya atıp İstanbul'daki turistik yerleri gezdirdikçe, babam şişindikçe şişinir, 'Bak, Amerika'da bunlar var mı?' diye anneme nispet yapardı. Böyle yaparak kendini komik duruma düşürdüğünü nasıl fark etmiyordu, anlamıyorum. O anneme gösteriş yapacak diye, elli bin tane yer gezerdik ve kafam allak bullak olurdu. Hangi padişah nereyi fethetmiş, camiyi kim dikmiş, Atatürk hangi sarayda ölmüş, tüm bilgiler birbirine girerdi. Ondan sonra da babam beni şu neydi, bu neydi diye sorguya çekerdi. Aklı sıra Türk tarihini öğretiyordu bana! Ama bunu bana zorla dayatarak yaptığından, ağız tadıyla gezemezdim hiçbir yeri. Daha on, on iki yaşlarındaydım. Tarihe ne kadar ilgili duyabilirdim ki zaten? Tepemizde alev alev yanan güneşte deli danalar gibi dolaşmak yerine, denize girmek, arkadaşlarımla beraber eğlenmek isterdim. Babamsa sıkılma nedenimin Türk tarihine karşı ilgisizliğimden kaynaklandığını sanıp, sinirli sinirli, beni halama şikâyet ederdi. 'Bak, görüyor musun, anasının etkisinde nasıl kalıyor! Kafasını çevirip bakmıyor bile etrafına. İşi gücü, otursun piyano çalsın!' derdi."

Son cümlesini söylerken oldukça komik bir yüz ifadesiyle, sesini kalınlaştırarak babasının taklidini yapmıştı. İkimiz birden gülmeye başlamıştık. Aslında bunda o kadar gülünecek bir şey yoktu ama, beraber olmak bizi son derece keyiflendirdiği için, en ufak bir bahanede gülmeye hazırdık galiba. Ama o, bir iki saniye içinde çerçevedeki resme dalıp tekrar ciddileşmişti:

"Annem piyano hocasıdır. Saatlerce çalışırdık onunla. Annelikten çok piyano hocalığı yaptı bana. Belki iyi oldu, belki kötü. Bilmiyorum.. Babamsa mühendistir. Mühendis olmak yerine piyanist olmayı istediğim için kırgındı bana. Ama çevredekiler benim piyano çalışımı övdüklerinde böbürlenmeden durmazdı. 'Türk kanı var o parmaklarda,' diye şişinirdi."

Parmaklarına dokunmak istemiştim bir an. Yapamayacağımı bilmek daha da arttırmıştı arzumu. İçimdeki sesi kısamayınca kendi sesimle üstünü örtmeye çalışmıştım. "Aslında ba-

banın Türk olmak üzerinde bu kadar çok durması Türkiye'den nefret etmene neden olabilirdi," demiştim bir solukta. O da, sanki ben çok önemli bir gerçeğe parmak basmışım gibi coşkuyla, "Evet, çok haklısın!" diye bağırmıştı. Sonra da onu anlayan bir insan bulmuş olmanın sevinciyle anlatmaya devam etmişti:

"Bir ara da, Amerikan Tarihi dersine kafayı takmıştı. Bazen kitabımı eline alır, dalga geçer gibi, 'Bu mu Amerikalıların tarihi, tarihe bak! Eften püften şeyleri bile tarih diye kitaba koymuşlar!' derdi. Aslında çok zor bir dersti tarih. Bir kere, Amerika'ya göç eden her ırkın nasıl, ne sebeple, hangi koşullar altında göç ettiklerini, nasıl yaşam mücadelesi verdiklerini, getirdikleri değişik kültürleri falan, her şeyi öğreniyorduk. Zaten ta Avrupa tarihinden başlamıştık okumaya. O yüzden babam, 'Amerikan milleti diye bir şey yok ki, tarihi olsun!' diye söylendikçe sinir olurdum. Bunca insan gökten zembille mi inmişti yani? Kolay mıydı yoktan bir Amerika var etmek? Bir gün sinirlenip, 'Madem o kadar kötü Amerika, o zaman sen niye terk edip geldin o güzel Türkiye'ni?' diye alaylı alaylı sormuştum babama. Yüzünün yavaşça pembeden mora dönüşüşünü hiç unutamıyorum. Tek kelime de edememişti. Etse zaten yüzüne vuracaktım, 'Sen de aşağılıyorsun Türkleri,' diye. Gerçekten de benden çok kendi eleştirirdi Türkleri. Haberleri seyrederken, 'Yok, bu millet adam olmaz, bu kafayla biz hiçbir yere gelemeyiz,' diye söylenip dururdu. Türkiye'de gezerken, seyyar satıcıları, gariban kılıklı insanları, dilencileri falan gördü mü yüzünü buruşturur, 'Türkiye'nin içine ettiler,' diye homurdanırdı. Hele kara çarşaflılarla türbanlıları gördü mü iyice deliye dönerdi. Onun gençliğinde bu kadar türbanlı ve çarşaflı yokmuş. 'Eskisinden daha yobaz olduk, Batı ilerledikçe biz geriye gidiyoruz,' derdi."

"Sanırım Türkiye'nin durumundan çok, onu asıl üzen, sana ve eşine karşı kendini mahcup hissetmesiymiş."

"Evet, işte aynen öyle Sade! Hatta bir gece, hiç unutmuyorum, uykudan kalkıp su içmek için mutfağa giderken, oturma odasından sesler geldiğini duymuştum. Biraz daha yaklaşınca, babamın ağladığını fark etmiştim. 'Türkiye'yi dinciler basmış, ortalık magandalarla kırolarla dolmuş abla!' diye hıçkırıyordu halamın omzunda. 'Ben bu çocuğa nasıl sevdireceğim Türkiye'yi? Ben bile gelmek istemiyorum artık!' diyordu."

"Senin ülkenle gurur duymanı, hatta ülkeni seversen kendisini de daha çok seveceğini düşünüyordu herhalde."

"Ama bana Türkiye'yi sevdirmesine gerek yoktu ki. Ben zaten seviyordum. Bütün bu curcuna, bu kargaşa, sanki bir çizgi film izliyormuşum gibi geliyordu bana. O yüzden, onlar boşanınca burada yaşamayı tercih ettim."

"Amerika'da nerede yaşıyordun?"

"Küçük bir kasabada. Waterville diye bir yer."

"Hiç duymadım. Hangi eyalet?"

"Onu da duymamışsındır. Maine..."

"Evet, duymadım..."

"Kanada sınırına yakın bir yerde. Çoğu Amerikalı da bilmez Maine'i. Bizim kasaba aslında pek çok kişinin hoşuna gidebilecek bir yerdi. Oldukça soğuktur falan ama doğayla iç içedir. Kocaman bir ormanımız vardı. Bazı geceler tek başıma ormanda dolaşırdım..."

"Korkmaz mıydın?"

"Yok canım, Amerika deyince her yeri öyle filmlerde gördüğün gibi sapıklarla falan dolu sanma. Sessiz sakin bir kasabadır orası. Suç oranı çok düşük. Herkes birbirini tanır zaten. Yoldan iki tane araba geçti mi, trafik var derdik. Ama orada hayat çok sıkıcı. Birbirinin aynı evler, arabalar ve insanlar... Standartika yani. Her yerin temiz ve düzenli olması huzur getirmiyor bana. Sanırım ruhumda karmaşaya tutkun bir yan var."

"Hiç mi ilginç bir şey yoktu yani?"

"Bilmem, yoktu galiba. Ya da görebilecek bir 'ben' yoktu. Genellikle yaşlılardan oluşan bir nüfus... Bir de üniversitesi vardır ama, gençler hep kampüste takıldıkları için, kasabaya canlılık getirdiklerini söyleyemem. Ama galiba ilginç bulabileceğin bir şey var... Stephen King'i tanıyorsun, değil mi? Hani korku roman yazarı..."

"Evet, tabii tanıyorum. Ne olmuş ona?"

"İşte o, bizim kasabaya bir saatlik mesafede oturuyormuş. Gerçi hiç karşılaşmadık onunla ama, kitaplarını yazarken ilham almak için bizim ormanda dolaşırmış geceleri. Çocukken hep onunla karşılaşmayı umardım. Hayranı falan olduğumdan değil. Tek bir kitabını bile okumamıştım. Ama ne bileyim işte, onunla tanışırsam hayatıma bir heyecan gelir diye düşünüyordum herhalde. Ama o heyecan bir türlü gelmedi. O yüzden Türkiye'ye geldim işte. Düşünsene, on üç yaşımdan beri buradayım. Tam dokuz sene olmuş... Ama babam ancak iki sene kalabildi burada."

"Nasıl yani, Amerika'ya mı döndü?"

"Evet... Kalamadı burada. Bazen bir Türk'ün Türkiye'yi kabullenmesi, bir Amerikalı'nın kabullenmesinden daha zor oluyor galiba. Yani Amerikalı derken, yarı Amerikalı yarı Türk demek istemiştim. Kendimi Amerikalı gördüğümü sanma... Aslında ben... Of, tamam, neyse işte, kısacası ben dönmek istemedim. Tam Türkiye'ye alışmaya başlamışken tekrar Amerika'ya dönersem kafayı iyice yerdim herhalde."

"Peki, mutlu musun şimdi?" diye sormuştum. Gözlerini havaya dikip düşünmeye başlamıştı. Ama soruma cevap vermek yerine, "Özür dilerim," demişti. "Hüzünlendirdim seni. Tamam bak, bir daha kötü bir şeylerden bahsetmeyeceğim, söz!"

Gerçekten de içim burkulmuştu. Hem annesi, hem babası hem de onun için... Ama onun bunu fark etmesine şaşırmıştım açıkçası. "Hayır hayır, lütfen anlat!" diye itiraz etmiştim hemen. Üzülmeyeyim diye bir daha bana içini açmayacağından korkmuştum. Gerçekten de susmuştu. Sadece yüzüme bakıyordu. Hiç durmadan yüzüme bakıyordu. Sonunda dayanamayıp, "Niye öyle bakıyorsun?" diye şaşkın şaşkın sormuştum. O ise bana, yüzümün her çizgisini, her gölgesini, her hücresini aklına kazımaya çalıştığını söylemişti. Ben yanında yokken yüzümü hayal edebilmek için...

Bu sözler binlerce kez, başka âşıklar tarafından söylenip, içi boşalmış laflar listesinde ön sıralarda yer almış olsalar da, o anda önemli olan tek şey, Ozan tarafından bana söylenmeleriydi. Binlerce alev topunun kalbimden kasıklarıma doğru kaymaya başlamasının nedeni de buydu zaten. Ta ki bir iki saniye sonra Özgür zıplayarak içeri dalana kadar...

Özgür, hem dans ediyor hem de çılgın gibi konuşuyordu. Yüzü pancar gibiydi. Eli kolu, gözü kaşı, her yeri oynuyordu. Ayarı bozulduğu için normalden çok daha hızlı hareket eden bir robot gibi dolanıyordu odanın içinde. Hop buradaydı, hop orada... Haline gülmemek işten değildi aslında, ama hareketlerindeki anormallik komikliğinin önüne geçiyordu. Bu yüzden, gülmek yerine şaşarak, korkarak izliyorduk onu. "Ya abi, bu DJ deli ediyor beni," diyerek kahkahalara boğuluyordu. Biz de o kahkahaların arasından sözlerini ayıklamaya çalışıyorduk:

"Herif önce yavaş yavaş ritmi arttırmaya başlıyor, biraz daha, biraz daha arttırıyor. Sonra tam müziği tepe noktasına vurduracak derken, sesi birden kısıveriyor, ritmi de tepe taklak ediyor. Anlayacağınız, önce azdırıyor, sonra da pat diye ortada bırakıveriyor insanı. Bundan zevk alıyor adam ya! Sadist midir nedir? Ha ha ha! Abi, aynen şey gibi bir his bu...

Orgazm olmaya uğraşıp bir türlü olamamak, tam olacakken de telefonun çalması falan gibi. Nasıl benzetme ama, müthiş değil mi!"

Konuşurken hâlâ zıplamaya devam ediyordu Özgür. Gerçekten de ne yapacağımızı bilemiyorduk. Ozan bana bakıyordu, ben de Ozan'a. Sanki Özgür ne kadar çok hareket ederse, biz de o kadar küntleşiyorduk.

"Çocuklar, size şu hikâyeyi anlattım mı?" diye tekrar söze başlamıştı Özgür, ama aklını toparlayamadığından bir türlü sözün devamını getirememişti. Bilmem kaçıncı denemeden sonra, "Hangi seneydi ya?" diyerek başka bir cümleye geçmişti:

"Bir mi? İkiydi herhalde, yok yok birdi. Her neyse, solfej hocası beni sözlüye kaldırmıştı, tamam mı. Abi, hiçbir şey bilmiyorum. Sıfır alıp oturacağım! Ama birden aklıma güzel bir fikir geldi. Allaaaah, bir kıvrandım bir kıvrandım ki, sanırsınız nalları dikeceğim! Hoca da korktu tabii. Öyle güzel numara yaptım ki. Bakın, aynen şöyle..."

Özgür, aniden kollarıyla karnını sarıp kendini yere atmıştı. Delirmiş gibi sağa sola yuvarlanıyor, kıvranıp duruyordu. Bir yandan da kahkahalar atarak, "Gördünüz mü, işte aynen böyle, aynen böyle yapıyordum!" diye sayıklıyordu:

"Revire gitme iznini koparıp hemen tüydüm sınıftan. Tabii revire gitmedim. Tuvalete saklandım. Aynanın karşısında saçlarımı falan düzelttim. Tam vınlayacaktım ki, hadememiz Hafize Ana beni gördü. 'N'aber Hafize Ana,' dedim. İyi kadındı. Beni çok severdi. Yani çok olmasa da severdi herhalde. Yoksa çok mu severdi? Dur bakayım, ne diyordum ben? Ha, Hafize Ana bana şey demişti; ben ona n'aber demiştim o da 'Sağ olasıııın' demişti. I'ları hep uzatırdı. Bak böyle: ıııııı. Gördünüz mü bakın, ııııııı. Keşke ı'ları uzatacağına tuvaletin temizliğini uzatsaydı. Ha, ha, ha! Nasıl espri ama? Gülsenize be, ne bakıyorsunuz? Şimdi n'apıyordur acaba? Her ne yapıyorsa temizlik yapmadığı kesin! Ha, ha, ha! Hafize Ana, Hafize Ana, hu huuuuu! Ay, öleceğim gülmekten. Neyse, durun anlatıyorum, ertesi gün müdür beni odasına çapırttı aman çağırdı işte, tamam mı? Ozan, dinliyor musun? Meğerse, solfej hocası nasıl olduğumu öğrenmek için ders bitiminde revire uğramış. Oraya hiç gitmediğimi öğrenince de küplere binmiş. 'Söyle bakalım Özgür, ders bitiminde nereye gittin?' diye dikildi karşıma. Okulu astım, bir güzel yemek yedim, sonra da sinemaya gittim diyemedim tabii. O anda yine aklıma güzel bir fikir geldi. Böyle sıkıştığım anlarda çok güzel sallarım abi! Müdüre, 'Affedersiniz, bağırsaklarım öyle bir bozulmuş ki, hiç tuvaletten çıkamadığım için revire gidemedim,' dedim. Nasıl fikir ama, çok güzel değil mi? 'Utandığım için solfej hocasına bir açıklamada bulunmaktan çekindim,' dedim. İyi dememiş miyim? Demişim demişim! Ağlamaklı halim karşısında keriz müdür de adamakıllı yumuşadı zaten... Ama solfejci, 'Nereden bileyim ben senin doğru söylediğini,' diye bağırdı bana. Ben de şöyle bir üzüntüden titrermiş gibi yaptım. Bakın şöyle, tirrrr tirrrrrrr. 'Doğru söylediğimi ispatlayabilirim,' dedim. 'Hafize Ana saatlerce tuvalette kaldığımı gördü. Ona sorun o söylesin,' dedim. Çağırdılar Hafize'yi, o da beni korudu tabii. Zaten biliyordum öyle yapacağını. Hababam sınıfında bir Hafize Ana vardı, o da hep öğrencileri korurdu. Yoksa Hafize değil de Fatma mıydı bizimkinin adı ya. Ozan, sen biliyor musun bizim hademenin adını?"

Özgür her saniye artan çılgın bir heyecanla hiç durmadan konuşmayı sürdürdükçe, Ozan'ın yüzü daha endişeli bir hal alıyordu. Sonunda ayağa kalkıp onun yanına gitmişti. Susmasını, oturup biraz sakinleşmeye çalışmasını söylemişti. Oysa o, Ozan'a sarılıp yanaklarından öpmeye başlamıştı. Sonra da hiçbir şey olmamış gibi delice konuşmaya devam etmişti:

"Bir gün yine sözlü sınav olacaktık, tamam mı... Ben de her zamanki gibi hiç çalışmamışım. Ne yapsaydım yani? Akşama Leonardo'nun filmi vardı. Bir haftadır bekliyordum bu filmi. İnadına, ertesi güne sınav koymuştu karı! Vallahi ben Leonardo'yu çok beğenirim. Sıkı heriftir. Aslında önceleri çok sinir olurdum. Ulan bacaksıza bak, derdim. Bu yaşta ünlü oldu velet. Bir sürü boş beyinli kız, aman ne yakışıklı çocuk diye ayılıp bayılırlardı. Sanki Leonardo'nun da çok umurunda! Adamın Türkiye'nin adını duyduğundan bile şüpheliyim. Ben öyle herkesin hayranlık duyduğu birine hayran olmam. Ayağa düşer öyleleri. Ben de beğenirsem diğerlerinden ne farkım kalır? O Leonardo delisi kızları kızdırmak çok eğlenceliydi doğrusu. 'Bu herifin neresi yakışıklı, homo kılıklı ya bu!' diye takılırdım. Sonra baktım ki güzel oynuyor kerata. Niye öyle garip garip bakıyorsunuz yüzüme? Olaya Fransız mı kaldınız? Aslında Leonardo'yu sevdiğim kadar Fransız İhtilali'ni de severim. 1789. Bak ne kadar kolay... 7, 8, 9, sırayla gidiyor. Ozan, ne duruyorsun öyle karşımda yahu, otursana! Ah, ne iyi adamsındır sen! Dostum benim, gel sarılacağım sana. Ya ben bir şey anlatıyordum. Ne anlatıyordum ben? Ha, doğru, hocayı nasıl kandırdığımı... Bir kuru soğan aldım yanıma. Sınavdan önce tuvalete girdim. Soğanı doğramaya başladım. Hemen gözlerim yanmaya, sulanmaya başladı. Annem salataya soğan doğra dese doğramam ha! Ama ne yaparsın, mecburduk işte! Kıvranmayı, sürünmeyi falan iyi beceririm de, durup dururken ağlamayı beceremem. Kendimi zorladım, ıkındım olmadı. Aklıma üzüntülü şeyler getirmeye çalıştım, yok yine olmadı. Zaten böyle durumlarda aksi gibi insanın aklına hiçbir bok gelmez. O yüzden soğan lazımdı abi, anladınız mı? 'Ablam çok hastalanmış,' dedim. 'Derhal hastaneye gitmezsem, durumunu öğrenmezsem deliririm,' dedim hocaya. Beni görünce herkes etrafıma üşüştü. Sonra hoca kasıla kasıla içeri girdi. Hocaya, 'Ablam çok hastalanmış,' dedim. Dur, kafam karıştı. Hoca sınıfa girmişti zaten. O zaman kim... Amaan, neyse... Bu kadın her seferinde nota kâğıtlarını gürültüyle masasına atardı, tamam mı? Sonra da pis pis sırıtıp kâğıtları yüzümüze fırlatmaya başlardı. 'Şimdi canınıza okudum işte,' derdi. Ama ben onun en büyük zevkinin içine ettim. Sınıfa girince ona ne dedim, biliyor musunuz? 'Ablam çok hastalanmış hocam,' dedim. 'Gitmezsem meraktan ölürüm,' dedim. Beni görünce, elinden oyuncağı alınmış bir bebek gibi zırlamaya başladı. Yok, zırlamak başka bir şey. Daha çok cırlıyordu. Hem de cırıl cırıl! Cırrrrrrr Cırrrrrrrr. Telefon çalıyor, biriniz bakın. Abi ne güzel dönüyoruz lan! Atlı karınca gibi... Deh! Deh!"

Özgür çılgıncasına dönüp duruyordu, boyun damarları şişmiş, kırmızı yüzünde morluklar belirmeye başlamıştı. Birden, "Tırmanacağım!" diye bağırarak duvara atmıştı kendini. Duvar da onu gerisin geriye fırlatmıştı tabii. Ama o yine de kalkıp tekrar zıplamaya başlamıştı. Kendi kendine bağırarak konuşuyor, birbiriyle alâkasız cümleler kuruyordu. Bir gülme krizinden diğerine atlıyordu. Ardından da, "Ben Superman'im, uçmam lazım, tutmayın beni!" diye balkona doğru koşmaya başlamıştı. Ben korkudan donup kalmıştım. Ozan tüm gücüyle onu tutmaya çalışıyordu. Ama bir türlü beceremiyordu. Anormal bir enerji yüklenmişti Özgür'ün kanına. Bense, kendime gelir gelmez Ozan'a yardıma koşmuştum. Neyse ki, ikimizin gücüyle baş edememişti Superman. Aniden durup ağlama krizine tutulmuştu. Koltuğa götürüp yatırmıştık onu. Bir yandan da Ozan, "Ne içtin sen Özgür?" diye sorup duruyordu. "Oğlum ne içtin sen?" O ise hâlâ 'uçacağım' diye ağlıyordu. Sonrasında kendinden geçip, yattığı yerde sızıp kalmıştı...

O gece kaçarcasına eve dönmüştüm. Özgür'ü öyle görmek çok fazla sinirlerimi bozmuştu. Neyse ki, anahtarla kapıyı açıp içeri girdiğimde annemle babam çoktan uykuya dalmışlardı da, bir de onlara yüzümdeki bunaltıyı açıklamak zorunda kalmamıştım. Gerçi uyanık olsalardı fark ederler miydi, o da ayrı mesele. Sinirimi atmak, acıyı öldürmek için bir yol bulmalıydım. Kendimi unutmak, bilincimden sıyrılmak istiyordum. Yüzüm sürekli gülse de, mutluluk patlamaları yaşasam da, insanlara göstermediğim acı patlamalarının geri gelmesinden korkuyordum. Uzun süredir, yaşama sevincimin aromasının yavaş yavaş bozulduğunu, hatta aslında hep bozuk olduğunu hissetmeye başlamıştım. Hayata karşı grip kapmıştım sanki, hiçbir tat alamıyordum. Ne yaptığım bestelerden bir iş çıkıyor, ne de okuduğum okul zevk veriyordu. Duygularımla baş edemediğim zamanlarda olduğu gibi yeniden kendime zarar vermeye başlarım diye endişeleniyordum. Eskiden beri ip üstündeydi zaten huzurum. Her an uçuruma düşmeye hazır...

Çocukken bazı geceler yalnız yatamazdım. Korkardım hep. Öyle öcüden böcüden değil, adını koyamadığım garip bir iç sıkıntısıydı benimkisi. Karnımın içinde şiddetli ağrılar âlem yapar, midem bulanır, nefesim tıkanırdı. Üstelik yalnız geceleri değil, gündüzleri de... Gece o korku yine gelirse diye sabahtan başlardım düşünmeye.

Anneme hep çok iyi davranmak zorundaydım, çünkü geceleri yanımda yatan oydu. Bazen ona deli gibi kızsam da sinirimi içime atardım. Ona karşı gelirsem yanımda yatmaktan vazgeçmesinden korkardım. Babamsa sürekli anneme söylenirdi, "Kocaman kız oldu, hâlâ yanında yatıyorsun!" diye. Bu yüzden babamın beni fazla sevmediğini sanırdım. Annemi ayartır da yalnız yatmak zorunda kalırsam diye korkardım.

Geceleri babamla beraber televizyon seyretmek isterdim aslında ama, annemin uykusu erken geldiğinden ve ben ona muhtaç olduğumdan, istemeye istemeye arkasından giderdim. O yanımda yatıyor diye rahatladığım da yoktu aslında. Üstelik bu durum çok gücüme giderdi. Annem korkaklığımı yüzüme vuracak hiçbir imada bulunmasa da, incinen gururumdan dolayı ben ona içten içe garip bir öfke duyardım. Birilerine bağımlı olmayı -bu annem bile olsa- yediremezdim kendime. Korkular, sıkıntılar rahat bırakmazlardı beni. Buz gibi terler dökerdim. Beş dakikada bir sorardım, "Anne, uyudun mu?" diye. Ama verdiği cevaplar beni ancak bir iki saniye rahatlatırdı. Sonra aynı soru-cevap döngüsü yeniden başlardı:

"Anne, uyudun mu?"

"Hayır, kızım."

"Benden önce uyuma, olur mu anne?"

"Olur kızım."

"Anne..."

"Tamam kızım, senden önce uyumam."

Annemle babam bazen gece gezmesine gider, eve çok geç dönerlerdi. Belki yavaş yavaş alışırım diye, gideceklerini on, on beş gün öncesinden söylerdi annem. Ben de o andan itibaren başlardım korkmaya, cehennemin kıyısında sürünen, düşmemek için direnen bir sefil gibi. Gidecekleri an geldiğinde cehennemin ortasına düşeceğim ânın da geldiğini anlar ve hiçbir zaman kime ait olduğunu bilemediğim o kara elin beni aşağıya itmesini beklerdim. Bir gün olsun itmediği de olmamıştır zaten. Sanki ateşin içine hızla düşüşümü ve acıdan cayır cayır yanışımı seyredip kahkahalarla arkamdan gülen biri vardı. Bu andan sonra hatırlayabildiklerim, annemin huzursuz huzursuz beni öpüşü, babamın, "Haydi yahu, geç kalıyoruz!" deyişi, annemin ayaklarını sürüye sürüye gidişi ve suratıma kapanan kapı... Bilirdim, annemin aklı hep bende olacaktı ve hiç eğlenemeyecekti. Annem huzursuz olduğu için babam sinirlenecekti. Annem, "Gidelim artık, çocuk korkar," dedikçe babam daha bir kuduracaktı ve benim yüzümden birbirlerine gireceklerdi.

Onlar böyle güzel bir gece yaşayadursunlar, ben yataklarına yatıp onları beklerdim. Saatlerce... Sanki seneler geçerdi de gelmezlerdi. Uykusuzluktan gözlerim şişmeye başlardı. Gerçi korkmayayım diye yanıma anneannemi bırakırlardı ama, masallardaki kötü kalpli üvey anneye benzetirdim ben onu. Bana baktığı için böbürlendikçe böbürlenir, "Şöyle yapma giderim ha, böyle yapma uyurum ha!" diye tehditler savururdu. En sonunda da horul horul uyurdu zaten. Bense, evdeki sessizlikten ve yalnızlığımdan faydalanarak korkunç sesler çıkartan iç sıkıntımı duymamak için televizyonu açardım. O zamanlar yalnızca TRT1 vardı ve hiç tanımadığım adamlar hiç anlamadığım konulardan bahsettikleri sıkıcı programlar yaparlardı. Gözlerim anlamsızca onlara bakar, kulaklarımsa merdivenleri dinlerdi. Aklım kapıda, korkularımın ıslattığı yatağın içinde annemle babamı beklerdim. Birkaç ayak sesi duydum mu, hemen ümide kapılır, ayağa fırlardım. Ama onlar hep başkalarının ayak sesleri olurdu. Neyse ki en sonunda anahtar kapının kilidinde şırak diye dönerdi de biraz olsun rahatlardım (ama fazla değil!). Bu, anahtarın bana verdiği işaretti. Artık eve döndüklerinin işareti...

Sonuçta annemle babam ayrı yatmak zorunda kalırlar, babam iki kişilik yatakta tek kişilik uykusunu uyur, annem de benim odamdaki yarım kişilik kanepeye büzülürdü.

"Benden önce uyuma, olur mu anne?"

"Olur kızım."

"Anne, uyumadın değil mi?"

"Uyumadım kızım."

"Anne..."

"Tamam kızım, senden önce uyumam..."

Bunları hatırladıkça iyice geriliyor, bir yandan da Özgür'ün uçacağım diye kendini balkondan aşağı atmaya kalkıştığı ânı düşünüp duruyordum. Bir tek içkiyle olacak iş değildi bu. Mutlaka yine o haplardan kullanmaya başlamıştı. Solfej hocasından başka anlatacak bir şey de yokmuş gibi... Kim bilir neden o olaylara takılmıştı aklı. Aslında onu anlayabiliyordum. İlkokuldaki hocamın üzerimde yaptığı tahribatı ne zaman düşünsem ben de çıldıracak gibi olurdum. Özgür'ün anlattıkları, kendi ilkokul öğretmenimi hatırlatmıştı bana...

Bana öğrettiği tek şey, öğretmenlerden nasıl nefret edileceği olmuştu. Anneme çok bağlı bir çocuk olduğumu düşündüğünden, sertlikle eğitilmem gerektiğine karar vermişti herhalde. Okulda sık sık karın ağrısı çekmemin gerçek bir nedeni olmadığını savunur, benim kapris yaptığıma inanır ve anneme haber vermemek için elinden geleni yapardı. Oysa benim kum dökme rahatsızlığım vardı. Ağrıdan ezile büzüle, bir insan ezmesi haline gelirdim. Bazen, o cadının beni ekmeğine kaşık kaşık sürüp fıstık ezmesi niyetine yalayıp yuttuğunu görürdüm kâbuslarımda. Ağrıdan ölecek duruma gelmemi bekler, ancak öyle çağırırdı annemi. Zavallı annem, içi yana yana işyerinden fırlar, pamuk prensesini kötü kalpli cadının elinden kurtarmaya gelirdi. Kötü kalpli cadı ise, beni bir sınıf dolusu üvey kardeşimin önünde rezil eder, "Koskoca kızsın, hâlâ anneni okula çağırıyorsun!" diye bağırırdı. Tabii ki, sınıfta hiç kimsenin saygısı kalmamıştı bana. Kimse de benimle oynamak istemezdi. Ben de tek başıma bahçeye çıkıp deli gibi oradan oraya koşar, "Neredesiniz, nereye saklandınız?" diye yüksek sesle boşluğa konuşurdum. Aradığım kimse yoktu aslında. Sadece, çevredekilerin beni birileriyle oynuyorum sanmasını ve aslında yapayalnız olduğumu anlamamalarını isterdim. Belki de hâlâ aynı oyunu oynuyordum ama değişik bir versiyonunu, çünkü artık gerçekten de etrafımda pek çok arkadaşım vardı. Değişmeyen tek şeyse, benim yine yapayalnız oluşumdu...

Geçmişi düşünerek içimi bunaltmayı sürdürürken, aniden Ozan'ın gözleri gelmişti aklıma. Yüzünün hayali, sıcak çikolata gibi kalbime akmaya başlamıştı. Erimiştim. Sabah uyandığımda bile tadı hâlâ damağımdaydı. Sonra da kulağımda... Çünkü sabahın köründe çalan telefonumdaki ses onunkiydi. Özgür'ün başına bir şey gelmiş olmasından korkarak, hemen Özgür'ün sağlık durumunu sormuştum. Ama o, Özgür'ü sormama biraz bozulmuştu ve cevap vermeden önce duraksamıştı. Neyse ki, bir şeyciği kalmamıştı Özgür'ün. Ama o, beni başka bir şey için aramıştı. Benimle beraber müzik yapmak istiyordu. Bir grup kurup bir yerlerde çıkmaya başlayabiliriz, diyordu. Tabii, işe öncelikle başkalarının şarkılarını çalarak başlayacaktık, ama sonrasında kendi müziğimizi yapma özgürlüğünü elde edince... Evet, harika bir fikirdi bu! Hayatımda aldığım en güzel teklifti. Bir piyanistle beraber çalışmaktan daha olağanüstü ne olabilirdi ki? Tek bir şey, o da Ozan'la çalışmak...

Her gün buluşup müzik yapmaya başlamıştık. Tanışalı daha iki üç hafta olmamasına rağmen, gözleri çoktan canıma okumuştu. Yine de ona âşık olduğumdan emin olamıyordum. Zaten, bütün o gizli sıkıntılarıma rağmen hayata karşı öyle büyük bir tutku vardı ki içimde, tek bir insana karşı duyacağım sevginin, diğer insanlara karşı duyduğumun üzerine çıkabilmesi çok zordu.

Bizim eve müzik çalışma bahanesiyle geldiğinde, ona duyduğum ilgiyi annemle babama belli etmemek için özel bir çaba göstermiştim. Aslında bunu yapmama hiç gerek yoktu. Annemler karışmazdı böyle şeylere. Zaten ben onlardan değil, başka birinden saklıyordum aşkımı. Kendimden... Hem de son derece beceriksizce yapıyordum bunu. Benim heyecanım yetmezmiş gibi, Ozan da görücüye çıkan kızlar gibi gerilmişti o gün. Elini ayağını nereye koyacağını bilemiyordu. Oysa sıradan bir tanışmaydı işte:

"Anne bak, bu Ozan. Beraber son parçalara bakacağız. Dün söylemiştim ya sana..."

Ardından da merhabalar, hoş geldinler, nasılsınlardan ibaret birkaç laf uçuşmuştu havada. O gittikten sonra da, hakkında fazla bir şey konuşmamıştık. Uzun saçlı, üstüne başına fazla dikkat etmeyen arkadaşlarımdan biriydi onlar için Ozan. Yoksa değil miydi? Çünkü annem bir ara odamın kapısını şöyle bir aralayıp, "Ne kadar güzel yüzü var o arkadaşının, yabancılara benziyor!" diyerek imalı imalı gülümsemişti. Sonra da lafını söyleyip kaçan haylaz bir çocuk gibi kapıyı yeniden örtüvermişti.

Ama en komiği, Ozan'ın anneannemle tanıştığı gündü. Yine bize gittiğimiz günlerden birinde, kapıyı anneannem açmıştı ve şaşkın şaşkın Ozan'ın yüzüne bakmaya başlamıştı. Fazla bir şey belli etmemeye çalışsa da, bir ara beni kenara çekip, "Bu çocuk, duvarına astığın o kocaman resimlerdeki gitarlı adama benziyor," demişti. "Tipi de gâvurlarınki gibi. Türk mü bu?"

Anneannem odamdaki posterlerden hep çok korkardı zaten. "Bu adamların hepsi tepeden tepeden bana bakıyorlar," deyip kaçardı odamdan. Hatta evin misafirlerle dolup taştığı bir gün, namazını kılacak boş bir oda bulamadığı için benim odama gelmek zorunda kalmıştı da, sonrasında dayanamayıp bana bütün duvarı battaniyelerle örttürmüştü. Misafirler gider gitmez de annemle babamı azarlayıp, "Bu kız hep sizin yüzünüzden böyle oldu zaten!" diye bağırmıştı. "Ne namaz kılıyorsunuz, ne oruç tutuyorsunuz. Kız da size benzedi tabii! Gâvurların, hem de erkek gâvurların resimlerini asıyor duvarlara!"

"Gâvur..." Ne acayip bir kelimeydi bu böyle. Anneannem

kendi kızının, damadının ve torununun da Müslüman olmadığının farkındaydı aslında. Nüfus kâğıtlarımız her ne kadar kendi kendilerine bizi Müslüman ilan etmiş olsalar da, bizim dinlere inancımız yoktu. Yaratıcı bir gücün varlığını reddetme cesareti gösteremezken dinsel saçmalıklara boyun eğmeyi kendine yediremeyen milyonlarca insan gibi alacakaranlık bir inanç içindeydik. Ozan da anne ve babasının tek ortak noktasının din olduğunu söylemişti bana. Başta şaşırmıştım tabii, çünkü annesinin Hıristiyan, babasının Müslüman olduğunu düşünmüştüm. Oysa onları yakınlaştıran bu dinsizlikmiş aslında. İkisi de tanrıyı birbirlerinde bulduklarına inanmışlar. Ama evli kaldıkları süre içerisinde, onu minik parçalar halinde yeniden kaybetmişler. "Boşandıkları gün, ikisinin de birbirlerinin gözüne bakamayıp sürekli gökyüzüne dalıp gitmeleri bundanıdı," demişti Ozan. "Herhalde onu yeniden aramaya başlamışlardı."

# 3

Ozan'la beraber son sürat çalışıyorduk. Bir yandan da, nasıl bir yerde sahne alacağımızı düşünüyorduk. Şöyle orta yaşlı entellerin takıldığı, politika, sanat vs. üzerine kupkuru beylik lafların içkiyle ıslatılıp ancak o şekilde hazmedildiği bir yerde mi, yoksa daha çok gençlerin takıldığı barlardan birinde mi? Ne çok kereler gitmiştim o barlara değişimi tatmak, düşünceden kurtulmak için. İnsan teriyle örülü karanlık, dapdar mekânlarda, kulağımın duyum eşiğiyle düello yapan, yüksek desibeller kuşanmış o müzikle yıldızımız bir türlü barışmazdı. Dinlemekten zevk aldığım birkaç grup vardı tabii, ama onun dışında genellikle insanları izleyerek oyalanırdım ben. Kimileri yalnızca müzik dinlemeye gelip, kurdukları amatör gruplarıyla karşılaştırırlardı sahnedekileri. Birer müzik otoritesi kılığına bürünüp, çalan grubu kastederek, "Rezil ettiler şarkıyı," derlerdi. "Biz olsak, bin kat daha güzel çalardık." Bazı gruplar içinse tam tersi yorumlarda bulunurlardı. "Adamlar hakikaten iyi çalıyor ya!" diyerek, ne kadar adil ve objektif olduklarını kanıtlarlardı birbirlerine. İçlerinden bazıları da gözlerine kestirdikleri avları baştan aşağı süzmeye başlarlardı. Önemli olan, o gecelik sarabilecekleri bir bel bulmak, biraz cinsel arzularını tatmin edebilmekti. Karanlıkta yüzleri seçmek zordu zaten, sesleri duymak, konuşmak hemen hemen imkânsızdı. Onun için ne akıl ne de yüz güzelliğine bakılırdı. Dedim ya, yalnızca kavranılacak bir beldi aranan. Sonrası Allah kerim... Gerçi aydınlıkta kolay mıydı sanki, yüzleri görmek ya da kelimelerin altında kalan haykırışları, sitemleri, arzuları, acıları, yardım çağrısını duymak... Belki daha zordu...

Bazıları da aradıkları aşka rastlamak umuduyla gelirlerdi bu küçük, basık ve karanlık sığınağa. Ama her seferinde başka bir hayal kırıklığıyla çıkarlar ve her geri dönüşte biraz daha az umut taşırlardı. Bir daha gitmeyeceğim, sıkılıyorum, derlerdi ama yine giderlerdi. Umut işte, her zaman böyle süründürür insanı. Yapmayacağı işler yaptırır. Olmadık işler uğruna heyecanlandırır, sonra da yolun ortasında sap gibi bırakır. Bir daha kanmayacağım ona, dersin ama sonunda yine kanarsın. Başka çaren var mıdır sanki?

Ozan'la beraber çalacağımız şarkıların notalarını internetten indirdiğimiz akşam, bunları düşünmüştüm işte. Ne kadar da hızlı inmişti şarkılar. "Kısa bir süre önce format attırdım bilgisayara, ondandır," demişti Ozan. Keşke ben de kendi beynimi formatlayıp, bütün bilgilerden kurtularak, tertemiz bir hafızaya kavuşabilseydim. Aslında ne fark edecekti ki? Yaşadığım sürece, devamlı yeni bilgilerle, kalıplarla ve programlarla doldurulmaya mahkûmdum sonuçta. Çalacağımız şarkıları seçmekte bile özgür değildik. Herkesin bildiği, popüler olmuş Rock parçalarından seçiyorduk ki, çoğunluğa hitap edelim. Başkalarının şarkılarını başkaları için çalarken, biz ne olacaktık peki? Kendi bestelerimizi çalsak, bu sefer de dinleyici bulamazdık. Kulakların hazır almaya alıştığı, duyguları hiç zahmetsizce harekete geçiren melodi kalıpları varken, kim uğraşırdı ki yeni bir şarkıyı duyumsamaya çalışmakla? Yenilenmek, farklı duygular tatmak... Zor işti bunlar, dünyanın üşengeç ve korkak insanları için.

Ozan'a dönüp, "Biliyor musun, insan midesi iki haftada bir iç zarını yenilemek zorundaymış," demiştim aniden. "Yoksa, ürettiği asidin içinde kendini sindirirmiş. Sanırım biz de kendimizi bu yüzden yenilemek zorundayız. Asidimizin içinde eriyip yok olmamak için."

Ozan gözlerimi bakışlarıyla öperken ben ona insan midesinin gizeminden bahsediyordum! Şaşırmıştı çocuk tabii...

"Sana anlattığım fare hikâyesinin öcünü mü alıyorsun yoksa?" diye gülümsemişti bana...

Ne zaman böyle gülümsese kendimi ona sarılmamak için zor tutardım. Âşık olmamak adına verdiğim çaba görülmeye değerdi doğrusu. Başkalarına korkak dememe rağmen, asıl korkak bendim demek ki. "Duygularınızı dibine kadar yaşayın, baskılara tutsak olmayın," diye millete akıl vermek kolaydı. Ama iş kendimi özgür bırakmaya gelince, öyle korkuyordum ki sevdiğim kadar sevilememekten. Ona duyduğum aşkın içinde kaybolmaktan... Bir türlü doymak bilmeyen dev bir sevgi açlığı vardı içimde. Nedenini bilemiyordum. Öyle aşırı sevgisiz ortamlarda, soğuk ve ilgisiz bir anne-babayla büyümüş de değildim. Sanırım hayata karşı duyduğum ve şiddetini dizginleyemediğim o yoğun sevginin, kendini tatmin edecek bir dengini bulamayışındandı açlığım. Ama belki de Ozan kurtarabilirdi beni...

O kırılgan, narin, incecik ruhunu, korkularımın üzerine sermek istiyordum. En çok da, duygusal yanını saklamayışını, erkeklik söylemlerinin etkisi altında kalmayıp, kendini kırılmaz ve güçlü gösterme çabasına girmeyişini seviyordum. Ama bütün bu olumlu hislerime ve yanındayken yaşadığım derin mutluluğa rağmen, aşkımı ne ona ne de kendime itiraf edemiyordum; çünkü âşık olmaktan çok âşık olunmaya, ilgi görmeye ihtiyacım vardı. Sık sık yaşadığım duyguların yoğunluğundan yorgun düşüyordum ve beni kucağına alıp taşıyacak birine muhtaçtım. Duygusallığı "kadınlık"la, acizlikle, zayıflıkla özdeşleştirip kendi duygusallığının görülmesinden korkan, zayıf olarak algılanmaktan utanan biri değildi o. Bunu bilmek çok mutlu ediyordu beni. Ama bir yandan da acı veriyordu, çünkü bana âşık olsaydı söylerdi diyordum. Söylemediğine göre de...

19 yaşındaydım ve ilk defa âşık oluyordum. Bir sürü erkek arkadaşım vardı ama kızlardan farksızlardı benim için. Âşık olmadığım için fazla kimseyle çıkmamıştım daha önce. Yalnızca iki kişiyle. Birisiyle bir hafta, diğeriyle de üç gün. Daha fazlasına dayanamamıştım. Laf olsun ya da sırf yanımda birileri dolaşsın, egomu tatmin etsin diye erkeklerle çıkmama yüreğim razı olmuyordu. Birincisiyle, öpüşmenin nasıl bir şey olduğunu çok fazla merak ettiğim için öpüşmüştüm. Herhalde çok beceriksizlik etmiştim ki, çocuk beni öptükten sonra, romantik bir şeyler söyleyeceğine, "İlk defa mı öpüşüyorsun?" diye sormuştu. Zaten ben de hiçbir zevk almamıştım. Ondan sonra da, bir gün boyunca, sevmediğim biriyle nasıl öpüştüm diye midem bulanıp durmuştu.

İkinci çıktığım çocuğa gelince, ondan gerçekten hoşlandığımı sanmıştım. Ozan'ı tanımadan bir sene önce, üniversiteye başladığım ilk yıl tanışmıştım onunla. Bütün kızlar âşık bakışlarla etrafında dolaşırlardı. Herkes öyle çok abartırdı ki yakışıklılığını, ilk başta fazla dikkatimi çekmemesine rağmen, sonradan bana da yakışıklı gelmeye başlamıştı. Hele benimle ilgilendiğini anlayınca, epey bir gururum okşanmıştı. Arkadaşlarım üzerime düşüp, "Sen deli misin, nasıl reddedersin onu, bu çocuk kaçırılır mı!" gibilerinden saçma sapan tepkiler göstermeye, sanki onu reddedersem hayatımın en büyük hatasını yapmış olurmuşum gibi imalarda bulunmaya başlayınca, çocuğun teklifini kabul etmiştim. Ama dediğim gibi, ona da ancak bir hafta dayanabilmiştim. Ve en sonunda şu kararı almıştım:

"Müzisyen olmayan biriyle asla beraber olamam ben!"

Ve Ozan... Ona âşık olmak ödümü koparıyordu, daha doğrusu reddedilmek... Çünkü insanın, ilk aşkı tarafından reddedilmesinin ileride büyük duygusal yaralar açabileceğine inanıyordum. Kendi kendime böyle psikolojik çıkarımlarda bulunmasam olmazdı sanki! Korkuyordum işte, hepsi bu. İşin ilginç tarafi, Ozan'ı tanıyana kadar, reddedilme korkumun bu kadar şiddetli olduğunun farkında bile değildim.

O yüzden, bana "Farenin peyniri araması gibi, ben de hep seni arayıp durdum," dediği gün ona âşık olduğumu kendime ancak itiraf edebilmiştim. İlk öpüşmemiz sırasında aldığım zevk de (her ne kadar burnunun kanaması hoş bir deneyim olmasa da) aşkımın kesin kanıtı olmuştu. Artık her gün ona doya doya aşkımı veriyordum. Onda asla benden bıkmayan kocaman bir yürek vardı. Kalbim huzura ermişti. Tek şikâyetim, bazen içkiyi biraz fazla kaçırmasıydı. Özellikle müzik yapmadan önce mutlaka bir şeyler alıyordu. Böylece, onun aslında duygularını pek de rahat açıklayabilen biri olmadığını, bunun için içkiden yardım aldığını anlamıştım. Ama çok da önemli değildi benim için. Sonuçta alkolik değildi ya! Bazen henüz benim uykum gelmeden sızıp kalması, söylediklerime dikkatini veremeyişi ya da saatlerce içine kapanıp tek kelime konuşmayışı canımı sıkıyordu ama, kendimle ilgili gariplikler ve sırlar o kadar fazlaydı ki, onunkileri normal karşılamam gerektiğini düşünüyordum. Tabii, onu her haliyle kabullendim diye, çevremdeki acayiplikleri de aynı şekilde hazmedecek değildim. Örneğin, beraberliğimizin ilk haftalarında başımızdan kötü bir olay geçmişti. Bir arkadaşının partisine gitmiştik. O çok neşeliydi ama benim içimde nedenini bilemediğim ekşimiş, bozuk bir tat vardı. Eve girdiğimiz andan itibaren, kötü bir şeyler olacağını hissetmiştim. Yorgun ve yaşlı adamlar gibi, oldukları yere çökmüştü koltuklar. Soluk benizli duvarlar çırılçıplaktı. Anlaşılan hiçbir resim, bu hasta yüzlü duvarları süslemeye tenezzül etmiyordu. Ama intihar etmek isteselerdi, eminim kendilerini oraya asarlardı.

Herkes iyiden iyiye kafayı bulmuştu. Yemekte biz de fazlasıyla içmiş olmamıza rağmen, onlara göre ayık sayılırdık. İnsanların yüzleri ya alev alev yanıyordu ya da renkleri atmıştı. Zar zor ayakta duranlar, oturup kalkamadan yerlere yığılanlar, alkol ve dumandan oraya buraya savrulmuş bedenler... Midem bulanmıştı. Çölün içinde bir vaha bulmuşçasına sarılmıştım Ozan'a. O bütün bedeniyle bana sarılmasına rağmen, ben ona bir türlü odaklanamıyordum, çünkü önümde iğrenç bir manzara vardı ve arkası dönük olduğu için o bunu görmüyordu. Çocuğun biri, muhtemelen fazla tanımadığı bir kızın içine girmek için ter döküyor, onu bozuk bir kola makinesi gibi ileri geri sarsıyor, istediğini vermeyince de kızarıp bozarıyordu. Aslında bu tarz makineler genellikle jeton yutarlar ama, (iyice kafayı bulmuş olan çocuk farkında olmasa da) kız makine değildi ve jetonu yutmak yerine sürekli dışarı atıyordu. Ama halinden pek bir şikâyeti de yoktu kızın. Ne bağırıp kurtulmaya çalışıyor, ne de zevk alıyormuş gibi görünüyordu. Sadece, duvara odaklanmış gözleriyle boş boş bakıyordu.

Yoksa gerçekten de makine miydi kız? Hayır, öyle olmadığını birkaç saniye içinde çocuğun çığlıkları sayesinde anlamıştık zaten. Kız titreme nöbetine girmiş, sanki buzdan bir dünyaya gitmişti. Çocuk, tüm vücudu ani çekilmelerle kasılan kızın üzerinden kalkıp korkuyla ayağa fırlamıştı. Derin dondurucuya atılmış gibi kalakalmıştık hepimiz. İnandırıcılığı olmayan o aptal reality şovlarını izler gibi izliyorduk kızı. Çocuğun dehşet kusan çığlıkları kulağımı patlatıp etimi çözmeye başladığında ise, tek yapabildiğim şey Ozan'a sarılmak olmuştu. Mümkün olsa, onun içine girip saklanacaktım. Birkaç kişi kızı hemen hastaneye götürmeyi önermişti ama çocuk, kızın kokain aldığını ve hastanede bunun anlaşılması durumunda başının belaya gireceğini söylemişti. Olanlara inanamıyordum. Yani ben şimdi kokain bulunan bir ortamda mıydım? Aşırı derecede korkmaya başlamıştım ama bir yandan da Ozan'a belli etmemeye çalışıyordum. Ya ben de farkında olmadan kokain alsaydım, ya polis gelseydi, ya kız ölseydi?

Ben bu sorularla boğuşurken, neyse ki kız sakinleşip yavaş yavaş kendine gelmeye başlamıştı. Ama ben gelemiyordum. Ozan beni sakinleştirmeye çalışıyordu. Niye bu kadar etkilendiğimi sorduğunda, başımdan buna benzer bir olayın geçtiğini söylemiştim ona. Aslında bu konuyu onunla paylaşmak istiyordum ama işin içinde, onun hiç sevmediği hatta görüşmemi bile istemediği, Bora diye bir arkadaşım olduğundan, olayı anlatıp anlatmamak arasında gidip geliyordum. İçimdeki sevgiden bir parça olsun başka birine vermeme dayanamıyordu. Sanki kalbimde sınırlı miktarda sevgi taşıyormuşum gibi, tükenip bitmesinden korkuyordu. Hele Bora'yla ilgili tek söz etmeme bile tahammülü yoktu. Beni ondan uzaklaştırmak için elinden geleni yapıyordu. Kaç kez konuşmuştum Ozan'la bu konuyu. "Ne olur, onu kıskandığını söyleme bana," diye yalvarır olmuştum artık.

"Aramızda hiçbir şey geçmedi, bin kere söyledim sana! Aslında Bora'yla pek samimi sayılmayız bile. Hem okulu da bıraktı. Beni bazen arayıp sormasında ne kötülük olabilir? Durup dururken çocuğun kalbini kırıp, beni bir daha arama, gibi saçma sapan bir tepki göstermeye ne gerek var? Okula geldiği zamanlarda bile fazla görüşmezdik biz. Bazen kantinde rastlaşırdık o kadar. Etrafında sürekli insanlar dolanırdı. Hep grup halinde gezerlerdi. Peşindeki 'hayranlarından' kaçabildiği zamanlarda da gelip benimle sohbet ederdi. Doğrusu, ne zaman üzgün dursam, yüzümdeki gülüşlerin eksildiğini fark ettiğini söylemesi, bir sorun olup olmadığını sorması hoşuma gidiyordu ama bunun altında farklı şeyler arama. Sadece birilerine yaslanmak istiyordum. Onun kolları da her zaman için hazırdı. Ama bir şey olmadı aramızda, sadece konuşurduk. Tiyatro salonunun boş olduğu saatlerde (her nasılsa ele geçirdiği anahtarla) salonun kapısını açıp, gizli gizli içeri girerdik. O soğuk boşluk ve yankı içimi rahatlatırdı. Sahneye oturup sohbet etmeye başladık mı, Bora yanımda olmasına rağmen, evrende yalnızca ben kalmışım gibi hissederdim. Bu da bana korku yerine garip bir huzur verirdi. Ayrıca hiçbir şekilde bana kur yaptığını söyleyemem. Ona karşı aşk duymayacağımı garip bir şekilde hissediyordu ve en başından itibaren bunu kabullenmiş bir hali vardı. Hayır, onu savunmaya çalışmıyorum. Yalnızca olanları anlatıyorum sana. Beraber ne mi konuşurduk? Genellikle o konuşurdu, ben dinlerdim. Öyle şaşkın şaşkın bakma lütfen. Çenemin ne kadar düşük olduğunu ben de biliyorum. Ama ona söyleyecek fazla bir şeyim yoktu demek ki. O da zaten senin sandığın gibi, aşktan meşkten bahsetmezdi. Çoğu zaman evrenle, doğayla, insan sevgisiyle ilgili hikâyeler anlatırdı bana. Kendini iyice kaptırınca da, bambaşka bir boyuta ait olan tanrısal bir dille konuşurdu. Hali komiğime gitmiyor değildi hani. Hele Dostluk Kulübü dediği o garip şeyden ne zaman söz etmeye başlasa aniden ayağa fırlar, Shakespeare'in oyunlarındaki trajedi kahramanları gibi abartılı el kol hareketleriyle hiç durmadan konuşurdu:

"Dostluk Kulübü'müze katılman gerek Sade. İçindeki sevgi açlığını başka hiçbir şekilde doyuramazsın. Gözlerini kapat ve hayal et... Sürekli tekrar eden bir ritimle transa geçmiş yüzlerce genç düşün. Hepimiz kutsal bir ayindeymişçesine dans ediyoruz. Öze ulaşmak için aynı ritimle, aynı şekilde dönerek kendimizden geçip aşka geliyoruz. Müzik ayrı noktaları birleştiren bir iksir olup içimize akıyor, bizi birbirimize bağlıyor. Tepemizde dönüp duran fosforik yıldızlar rengârenk parladıkça, hepimiz tek bir vücut halinde, balımsı bir girdabın içinde esriyoruz. Yüzeysel egolarımız eriyip gidiyor; birliğimizin içinde herkes birbirine gülümsüyor. Aynı yörünge etrafında gizli bir çekim gücüyle beraber yolculuk eden gezegenler gibi farklı görünsek de, aslında aynı yıldız kümesine ait olduğumuzu biliyoruz. Ne yazık ki gece bittiğinde, kutsal bir ateşten geriye kalan küller gibi savrulup gidiyoruz gerçek dünyanın apayrı noktalarına. İşte beni üzen tek şey bu."

Ne güzel şeyler anlatırdı... Ah, bir de inanabilseydim sözlerine! Sonsuz mutluluk, sonsuz birlik...

"Bize katılırsan, müzikte titreşen ses hareketleri, altın ışıkla beraber içsel bir galaksinin kapılarını açacak sana. Sonsuz ve şekilsiz bir hayat potansiyeli zamanın sınırlarını eritecek. Kişisel niyetlerinden bağımsız olarak, boyutlar arasına taşıyacak seni. Uzayda dilediğince dolaşacaksın. Bu mistik deneyim, hayat ve ölümün gerçek anlam ve doğası üzerine mutlak bir kavrayış kazandıracak sana. Sonsuz ışığı algılamanı engelleyen yüzeysel egonun oluşturduğu sisi temizleyecek."

"Peki, neden bu iyiliği bana yapmak istiyorsun Bora?"

"Bizler küresel ailemizi güçlendirip saf ve koşulsuz aşk

boyutuna yeni insanlar kazandırmak istiyoruz. Ortak öz ve sonumuzun bilincinde olarak farklılıklarımıza saygı duyuyoruz. Gerçek benliğimizin bir parçası olarak tüm yaşam formlarını kabul ediyoruz. Birbirimizin ışığıyız ve yansıtma yöntemiyle ruhumuzu besleyen ışık ve aşka doğru nasıl büyüyüp gelişeceğimizi öğreniyoruz, öğretiyoruz. Eski ruhlarımız birlik için, kabileler halinde, daireler çizerek dans ederlerdi. Biz de aynısını yapıyoruz şimdi."

O sırada tek düşündüğüm, Bora'nın, anlattığı bu saçma şeylere gerçekten inanıp inanmadığıydı. Öylesine büyük bir coşku ve tutkuyla konuşuyordu ki, gülmemek için kendimi zor tutuyordum. Bir yandan da acıyordum haline. Acaba sırf çaresizlikten, bir şeylere inanma ihtiyacından mı kabullenmişti bu saçmalıkları, yoksa uyuşturucularla yata kalka en sonunda kafayı mı yemişti?

"Bak, şu hapı görüyor musun Sade?"

Avcunun içinde bana doğru uzattığı hapın ne olduğunu bal gibi biliyordum. Türk filmlerinde içkisine ilaç karıştırılan saf kızlar çok gerilerde kalmıştı artık.

"Ecstasy nedir bilir misin? İngilizce'de bu kelime, kendinden geçmek, kendi dışına çıkmak anlamına gelir. Yani, rasyonel kontrolü kaybedip kendini taşkın bir duygu seline terk etmek... İşte sen de esrimeye başladığın anda, bireysel bilincinden çıkıp, grup bilincine doğru genişleyeceksin."

Bora konuşmaya devam ettikçe, gitgide daha çok acıyordum ona. Galiba gerçekten inanıyordu söylediklerine. O anda, gariban bir insana doğru yolu gösteren bir bilge gibi görüyordu kendini. Sanki evrenin sırlarını açıklıyormuş gibi, gözleri gurur ve hevesle parlıyordu.

"Benimle beraber Kulüp'e gelecek misin?"

"Tamam, neden olmasın?" demiştim hemen. Zaten hayatımdaki monotonluk beni son sürat öldürüyordu. Farklı bir şeyler görmek, denemek, yaşamak zorundaydım. Yoksa, yine başlayacaktım kendime işkence etmeye. Bir de inanabilseydim anlattıklarına...

"İçeri girdiğinde, Ecstasy tanrısı Dionysos'la tanışacaksın. Zeus'un oğlu, Apollo'nun delişmen kardeşi, şarap, müzik ve coşkunun simgesi... Eski zamanlarda tüm kadınlar ve erkekler ona âşıktı. Etrafında döne döne dans ederler, şarap içip kendilerinden geçerlerdi... Elinde küçük bir davul, bazen de bir tefle taşkın, coşkulu müzikler çalardı Dionysos. Uyuşuk liriyle mırıl mırıl dolanan Apollo, ölçülülüğün, ussal dengenin, mantığın sembolüyken; O, duygusal aşırılıkların, id'in ve içgüdüsel hayat gücünün tanrısıydı. İşte bu akşam Dionysos'u sen de göreceksin. Bu küçük hap, onunla birleşmeni kolaylaştıracak."

"Eski Yunan tanrılarına ilgi duyduğunu bilirdim de, biraz abartmıyor musun Bora?" diye çıkışmıştım, kalbini fazla kırmamaya çalışarak. Ama o, beklediğimin aksine, bu sorum karşısında daha da keyiflenerek, "Aşk olsun Sade!" demişti. "Gerçekten de Dionysos'a tapındığımı falan sanmadın herhalde değil mi? Dostluk Kulübü'ndekiler hiçbir tanrıya tapınmaz. Bütün tanrılar insanların yaratısıdır. Korkularını dindirmek, yaşamlarını anlamlandırmak için kendi ihtiyaçlarına uyan tanrılar yaratır insanlar. Dionysos ise korkulardan, endişelerden, baskılardan değil, tamamen içgüdüsel arzulardan ötürü tasarlanmış olduğu için, Dostluk Kulübü'müz onu bir simge olarak kullanıyor. Akıldışılığın, kural tanımazlığın, evrensel enerjinin bir simgesi o... Neyse, acele etme. Kulüp'e takılmaya başladıkça, ne demek istediğimi daha iyi anlayacaksın. Aramıza hoş geldin!"

Aynı gece, beni elektronik müzik çalan bir kulübe götürmüştü Bora. Bahsettiği Dostluk Kulübü'nün orası olduğunu sanıp büyük hayal kırıklığına uğramıştım tabii. Oysa ben *Dö-*

*vüş Kulübü* filmindeki gibi tarikatımsı bir şeyler beklemiştim... Üstelik elektronik müzikten de hiç hoşlanmazdım. Melodi kıtlığı çeken, sadece ritim üzerine kurulu acayip bir müzik gibi gelirdi o tür bana. Ama kulüpten içeri girdiğim anda etkilenmediğimi söyleyemem doğrusu. Bilindik geometrik şekillerden hiçbirine benzemeyen, çok garip bir şekli vardı kulübün. Alttaki ucu normalden daha uzun olan çok kollu bir haçı andırıyordu. Bora'ya sorduğumda, bunun vücuttaki yedi enerji noktasını yani çakraları temsil ettiğini söylemişti. En fazla ilgimi çeken şeyse, Ecstasy tanrısı Dionysos'un koca duvarı boydan boya kaplayan resmi olmuştu. Kafasında asma yaprakları, bukle bukle saçları, sol elinde koca bir şarap kupası, sağ elinde asası ve son derece kaslı yarı çıplak vücuduyla tam bir Yunan tanrısıydı Dionysos. Elinde tuttuğu kupanın aynısından bir kupa da ben alıp, içime oluk oluk içki akıtmaya başlamıştım. Sarhoş olmayı aklıma koymuştum bir kere. Loş ışıkta parlayan yıldızlar, büyülü resimler, duvarlarda ve yerde ışıldayan figürler iyiden iyiye gözümü almaya başlamıştı. Özellikle mekânın bir ucundan diğer ucuna kadar gerilmiş olan fosforlu ipler... Dakikada 130-150 vuruşla çalan müzik de cabası... Bilincim transa girmeye başlamıştı. Ritim sürekli tekrarlandıkça, artık dikkatimi onun dışında hiçbir şeye veremez hale geliyordum. Düşünceden sıyrılıp apayrı bir boyuta geçiyormuşum gibi bir his yayılıyordu içime. Sonra aniden, alkolle beraber kanımda dolaşan minik hapların kalbimde havai fişekler patlattıklarını duymuştum. Bedenim hortum gibi dönerek esiyordu. Tüm iç organlarım benimle beraber zıplıyordu. Ciğerlerim kalbimi pinpon topu gibi birbirlerine atıyorlardı. Bu oyundan sıkılınca da taşkın kanıma atlayıp rafting yapıyorlardı. Kare kare döşenmiş parkeler yerlerinden fırlayıp burnumun dibine kadar geliyorlardı. Kutuyu açtın mı suratına zıplayan aptal oyuncuklar gibi...

Aslında daha çok, kafasına vurdun mu içeri kaçan ama aynı anda başka yerden iki üç tane daha kafa çıkaran o oyun makinesine benziyorlardı. Ayağımla birini ezdim mi başka bir kare zıplayıveriyordu hemen. Bu da yetmezmiş gibi, her yer kıvrıla kıvrıla dalgalanıyordu. Pistin üzerinde sörf yapıyordum sanki. Düşmemek için usta olmam gerekirdi. Ama iyi bir sörfçü değildim ben. O yüzden, popomun üstüne oturuvermiştim. Metrodaki kayan yol gibi, ayağımın altından sürekli yeryüzü kayıyordu. Pantolonumda bir ıslaklık vardı. Biri üzerime kusmuştu belki, ben mi kusmuştum yoksa?

"Ben mi kustum, emin misiniz? Ne zaman? Nasıl olur da hatırlamam? Tuvalete gitmem lazım. Evren oynak bir fahişeye benziyor. Her şey kıvırtmak zorunda mı? Beni taşıdığınız için sağ olun çocuklar ama kendim yürüyebilirim. Bora, sen de git Allah aşkına, bırakın beni, üzerimi yalnız değiştirebilirim. Şu işeyen adam niye bana bakıyor? Ne bakıyorsun be! Yanlış yere mi girdim? Midem bulanıyor. Kusmam lazım. Kötüyüm galiba, yardım et. Bu bombardıman ne? Allahım, bombalar başımı deliyor. Savaş çıktı savaş, yardım edin! Bora gel ne olur, savaş çıktı. Ayrıca burada işeyen bir adam var! Musluktan damlayan su mu dedin? Hayır hayır, biliyorum, dışarıda bombalar yağıyor, yalnızca damlayan suyun sesi olamaz bu. Çocuk mu kandırıyorsun sen? Adam gitti mi? Erkekler tuvaletine niye mi girdim? Dikkatli çıkar şu kazağı. Bütün kusmuklar yüzüme yapıştı! Başım dönüyor, düşüyorum galiba... Bu adam niye bakıyor bana? Gidip Dionysos'a haber verin, bana yardım etsin... Korkuyorum, başım patlıyor. Başıma bak. Ne yaptınız bana?"

Fazla iç açıcı olmayan bir "E" macerası... Peki, Ozan olsaydı yanımda, her şey farklı olur muydu? Beni kucağına alıp kaçırır mıydı Dionysos'un âleminden?

Anlattıklarımdan sonra Ozan, Bora'nın kendisine asla bir

rakip olamayacağına ikna olmuş gibi görünüyordu. Ama yalnızca görünüyor muydu, yoksa gerçekten de öyle mi hissediyordu, bilemiyordum. Tek bildiğim, beni her ne kadar kıskansa da, ondan başka birini sevemeyeceğime bir türlü ikna olamasa da, onu dilediğim kadar mutlu edemesem de, tüm acılarını tedavi edecek muhteşem bir ilaç olamasam da, onu çok yüksek dozlarda sevdiğimdi. Mutluydum. Beni sevdiği için... Onun sevdiği her şeyi sevdiğim için. Esas ben korkuyordum onsuz kalmaktan, çünkü onu kusursuz sevmekten başka iyi yapabildiğim hiçbir şey yokmuş gibi geliyordu bana. İyi bir müzisyen de değildim. O her ne kadar bayılsa da bestelerime, ben biliyordum iyi olmadıklarını. Şarkılarım bile ona muhtaçtı, onun sayesinde kalbimin kapısını çalıyordu duygular. Sesime düşen her nota onun bir yansımasıydı aslında. O olmasa kısır kalır, hiçbir besteye gebe kalamazdım.

Aşkımdan şüphe duymasını da anlıyordum açıkçası. Bedenini nasıl arzuladığımı düşündükçe, onun da beni aynı şiddetle arzuladığını ve her seferinde onu geri çevirmemle kalbinin nasıl kırıldığını anlayabiliyordum. Oysa ben ondan beter durumdaydım. Onu içime almamı emreden bedenimi tutmaya çalışmam yetmezmiş gibi, bir de onu durdurmakla uğraşıyordum. Bedenimi görürse, ondan sakladığım sırrım ortaya çıkardı. Buna nasıl bir tepki göstereceğini kestirmem de imkânsızdı. Ne yazık ki, gerçeği bilmediği için, onunla sevişmeyi reddedişimi yeterince arzulanmayışına bağlıyor, hatta ondan korktuğumu bile düşünüyordu. Oysa asıl korkan bendim. Çıplak tenimi görünce benim hakkımda ne düşünecekti? Tabii, ona açıklayamıyordum derdimi. Bu yüzden her fırsatta, yalnızca onu sevmem, yalnızca onu düşünmem için çocukça kaprisler yapıyordu:

"Neden bu kadar iyisin Sade? Neden herkesi seviyorsun?" diye soruyordu bana.

"Herkesi sevmiyorum ki!"

"Sade, yapma lütfen, gözlerinin içinden sevgi fışkırıyor. Kimse için kötü bir şeyler söylemiyorsun. Senin için herkes çok tatlı, herkes iyi... Kendimi kötü hissediyorum."

"Ben sana âşığım, diğerlerini seviyorum, o kadar. Farkını bilmiyormuşsun gibi yapma lütfen. Bildiğini biliyorum. Şimdi canın bana nazlanmak istiyor, o kadar..."

"Ben bencilim, senin gibi değilim. Yalnızca beni sevsen olmaz mı? Niye herkes seni çok seviyor? Sevmesinler! İstemiyorum! İstemiyorum ya! Sana bakışlarını görüyorum. Ne zaman bir ortama girsen, hemen etrafa garip bir mutluluk yayılıyor. Senin içindeki o garip mutluluk... İnsanlar gülümseyerek dinliyorlar seni. Yoruluyorum insanların seni sevmesinden. Dur, dur, sen söylemeden ben söyleyeyim. 'Elimde değil,' diyeceksin. 'İçimden taşan bir enerji var, ama korkmana gerek yok,' diyeceksin. Sonra da, 'Bu tükenip bitecek bir şey değil. Bırak, insanlar istedikleri kadar emsinler enerjimi,' diye avutacaksın beni."

"Sana sevgi konusunda kıtlık çektirmem, merak etme."

"Böyle bakma bana, bu bakışına dayanamıyorum işte. Çünkü ne zaman böyle baksan, seni eritip kanıma enjekte etmek istiyorum. Ölümüm yüksek dozundan olacak. Damarıma saplayacağım seni. Bir daha asla içimden dışarı çıkamayacaksın..."

"Ozan, bak, ben..."

"Sus, yalnızca beni dinle. Saçmalıyorum belki ama, sen yine de dinle beni. Yüzün niye bu kadar güzel? Sana bu kadar âşık olmak zorunda mıydım? Allah kahretsin Sade! Ben senin gibi değilim. Ben ölsem bile sen ayakta kalırsın. Ama sen ölsen ben de ölürüm. Bu yüzden kızıyorum sana. İçindeki o deli hayat tutkusundan nefret ediyorum. Ölürsem arkamdan gelmezsin, değil mi? Oysa ben sensiz yapamam. O kadar güçlü değilim ben. Yaşamı bana tercih edersin. 'Yaşam sensin, senden ayrı yapamam,' falan deme bana. Sakın yalan söyleme! Allahım şu yüzüne bak, yüzün neden bu kadar güzel? Neden bana hiç kızmıyorsun, neden her şeyimle kabul ediyorsun beni?"

"Seni seviyorum Ozan!"

"Sen herkesi seviyorsun zaten. Seni sevdiğimi neden ancak bir ay sonra söyleyebildiğimi biliyor musun? Çünkü bana karşı ne hissettiğini anlamam mümkün değildi. İlk başta, bu kız kesin benden hoşlanıyor demiştim, ama sonra gördüm ki, sen herkese öyle davranıyorsun... Belki de bir sürü aptal herif senin kendilerine âşık olduğunu sanıyordur."

"Ben bir tek sana âşığım."

"Biliyorum su perim, biliyorum artık. Ne olur öyle bükme boynunu. Kötü bir şey söylemek istemedim. Kaldır başını lütfen! İnsanlar alışkın değiller bu kadar sevilmeye. Hepimizi şaşkına çeviriyor sevgin. Ama ben gözlerinin arkasındaki hüznü okuyabiliyorum. Acı çekiyorsun. Bedenin kaldırmıyor bunca coşkuyu. O yüzden hep acıyacak sevgin. Ben öldükten sonra hiçbir zaman yeterince doyamayacak. Herkes kendi yürek kapasitesi kadar sever. Bir tek benim sevgim tatmin edebilir seni."

Ölümden bahsederken bile şiire boyanıyordu sözleri. Kızıyordum ona. "Ölümden bahsetmesen olmaz mı?" diyordum. Ama bir yandan da, dinlerken zevk alıyordum onu, en sevdiğim kitabı okurcasına kalbim emiyordu şiir nakışlı sözlerini.

"Bulunduğum ortamlardan sıkıldım mı çekip gidebilirim evime. Peki, kendimden sıkıldım mı ne yapacağım Sade? Bedenimin kapısı yok ki, içimden çıkıp gideyim. Kurtar beni benden, yalvarıyorum sana! Artık bestelemen gerek beni. Nasıl yaparsın bilmiyorum ama, yeter ki unuttur bana kendimi. Sesimi duyman için ne yapmam gerek? Gitar tellerinin altına saklansam, acaba onları çalarken beni de duyar mısın? Yoksa tellere her bastığında, altlarında kalıp ezilir miyim? Notaların benim gibi bir yabancıyı aralarına kabul ederler mi? Armonini bozmaz mıyım? Ya da akordum bozuk diye çalmaz mısın beni? Biliyorum, söylemene gerek yok, benim melodilerimin şiddeti senin ruhunun tellerini gerip kopartıyor."

Bu sözleri söyledikten sonra uzun süre susmuştu. Bir daha konuşmamacasına... Saatlerce... Asıl bu suskunluğu kopartıyordu ruhumun tellerini. Piyanonun başına geçip yine tuşlarla inatlaşmaya başlamıştı. Sırtımı ona dönüp pencereden geceyi seyreden kız taklidi yaparken bile, parmaklarının tuşlarla olan kavgasını görebiliyordum. Gözlerimin içine kazılmıştı yorgun bedeni. Piyanonun kapağına şiddetle vuran elleri susup dudakları konuşmaya başladığında bile bitkinliğini kazıyordu tenime.

"İstediğim melodiler hep kaçıyorlar benden Sade. Söyle, neyim var benim? İğrenç bir şey miyim ben? Duyamıyorum. Kime gidiyorlar, hangi besteciye sığınıyorlar? Peki, sen de gidecek misin? Yakaladığım en güzel melodim sensin. Söyle, sen de mi kendini başka birine besteleteceksin Sade?"

Korkuyordu. Gerçekten de onu terk etmemden korkuyordu. Asla böyle bir şey yapmayacağımı bilmesine rağmen korkuyordu. Aşkımın ona yetmemesinin nedeni de bu korkuydu zaten. Mutsuzluğu karşısında böylesine aciz kalmak, hüznünü kurutamamak, kendime olan tüm sevgimi yitirmeme neden oluyordu. Onu mutlu edemedikten sonra, benim aşkım onun ne işine yarıyordu? Cevabıysa hep aynıydı:

"Sen gelmeden önce kendimi ölümün ucunda sallandırıyordum. Sense ipimi çözüp, beni kalbine bağladın. Eğer geri çekilirsen, beni kalbinin meydanında asmış olursun Sade..."

Böyle konuştuğu zamanlarda ölümcül bir korku geliyordu içime. Ne yapacağımı, ne diyeceğimi bilemiyordum. Ondan başka kimseyi sevmeyeceğime ikna olsa belki daha mutlu olur diye, Bora'yla tanışmasını önermiştim. Böylece Bora'ya karşı bir şey hissetmediğimden emin olacak, hatta belki de onu çok sevecekti. "Olur," demesi üzerine Bora'yı arayıp durumu anlatmıştım. O da her zamanki sevgi dolu haliyle, arkadaşlarıyla toplandığı, şehrin biraz dışındaki Dostluk Kulübü'ne bizi davet etmişti. Ayrıca, bu hafta sonu için bir konuşma hazırladığını, bizim de orada bulunup dinlememizin onu çok mutlu edeceğini anlatmıştı.

Toplandıkları yerin nasıl bir yer olduğunu oldukça merak etmiştik. Neyse ki, bu sefer söz konusu olan, bir gece kulübü değildi. Değişik bir deneyim olacaktı bizim için. Ozan'ın Bora'ya karşı duyduğu yersiz kıskançlıktan kurtulacak olması da beni çok mutlu ediyordu. Ayrıca, benzer düşünceleri paylaştığımız gençlerle tanışmak hoş olabilirdi. Ozan da ben de, her zaman kalabalık bir ailemiz olsun istemiştik. Belki aradığımız aileye orada kavuşabilirdik, hayatımızın dostlarıyla tanışabilirdik. Hatta grubumuz için aradığımız müzisyenleri bile orada bulabilirdik.

# 4

Bora, oraya erkenden gidip yapacağı konuşma üzerinde çalışmak zorunda olduğu için, bizi almaya arabayla bir dostunu gönderecekti. Kendi imkânlarımızla gelebileceğimizi söylemiştik ama onlar için bunun bir zevk olduğunu, sevgi çemberinin genişlemesi için yapılan her şeyin onlara mutluluk verdiğini söylemişti. Biz de teklifini memnuniyetle kabul etmiştik. Onca yolu İstanbul trafiğinde sürünerek gitmek yerine, üstüne üstlük bir de adres bulmakla uğraşacağımıza, arabayla alınmayı tercih etmemiz gayet doğaldı tabii. Özellikle de Ozan açısından, çünkü gün geçtikçe huysuzluğu artıyordu ve her şeye söylenir olmuştu. Bir dakikası bir dakikasını tutmuyordu. Herhangi bir yere gitmeyi planladığımızda, "Tamam, haydi gidelim," diye önce coşkuya kapılıyor, sonra da sanki bunları söyleyen o değilmiş gibi, üzerine halsizlik çöküyor, keyfi kaçıyor, yerinden kıpırdamak istemiyordu. Arabayla alınırsak, en azından, yol çok uzun gibilerinden bahaneler öne süremezdi.

Bizi oraya götürmek için gelen arabanın şoför koltuğundan, oldukça sade giyinmiş, hoş görünümlü bir kız inmişti. Adının Arzu olduğunu söylemişti. Hemen hemen aynı yaşlardaydık. Bizi büyük bir gülümsemeyle, hatta Ozan'ın biraz aşırı bulduğu bir cana yakınlıkla karşılamış, yol boyunca da gülümsemeye devam etmişti. Uzun süre hiç konuşmamıştık. Ozan'la ben arkada oturup, onun garip mutluluğunu izlemiştik. Sonunda Ozan dayanamayıp, "Siz bu toplantılara uzun süredir katılıyor musunuz, ne tarz şeyler konuşuyorsunuz, belirli bir amacınız var mı, bu toplantıların size ne gibi yararı oldu?" gibilerinden arka arkaya dört beş soru patlatıvermişti. Kız da yüzündeki sinir bozucu gülümsemeden bir gıdım olsun ödün vermeden anlatmaya başlamıştı:

"Kendimle aramda bir bağ kurabileceğim, bana sevildiğimi hissettirecek, beni olduğum gibi kabul edecek insanlara; her şeyin ötesinde de, örnek alabileceğim, güvenebileceğim birilerine ihtiyacım vardı. Ateş, öyle güven vericidir ki..."

"Ateş yakar ama," diye itiraz etmişti Ozan. Kızın kıkırdamaya başlaması üzerine de, "Yoksa Ateş diye bir insandan mı bahsediyorsunuz?" diye sormuştu.

"Tabii ki insandan bahsediyorum," demişti Arzu. "Bora Ateş'ten bahsetmedi mi size? Ama nasıl olur?"

Arzu, Ateş'i tanımıyor olmamıza mı, yoksa Bora'nın Ateş'ten bahsetmemiş olmasına mı daha çok şaşırmıştı, bilemiyordum. Bir iki saniye durup düşündükten sonra, "Belki de Ateş istememiştir kendinden bahsedilmesini," demişti. "Evet, mutlaka öyledir. Yoksa Bora kardeşimiz, Ateş'i anlatmadan, ona olan sevgisini dile getirmeden durabilir miydi hiç?"

"Bilemeyiz vallahi ama hâlâ Ateş'in kim olduğunu söylemediniz," demişti Ozan.

Kız, şöyle aşk dolu bir iç çekişten sonra, tekrar konuşmaya başlamıştı:

"Varoluşa dair, sırtımızı dayayabileceğimiz, güven veren yanıtlar arıyorduk ve o da bize bunları veriyor. Yaşamımızın gerekli olduğuna bizi inandıracak bir anlam, bir amaçtı aradığımız. Ateş'le tanıştıktan sonra her şey değişti. Ondan öğrendiğimiz evrensel sevgi anlayışının olabildiğince çok insanı içine alması için çalışmaya karar verdik. Kendimizi adayabileceğimiz en uygun amaç buydu... Onda aradığımız şeyi bulduk. Yani kaynağını gerçek sevgiden alan mutluluğu..."

Kız yol boyunca hiç susmamış, mutluluktan, evrensel sevgiden, taşkın duygu sellerine insanın kendini bırakmasından, esrimekten bahsedip durmuştu. Hatta bir an için, sanki kızı değil de Bora'yı dinliyormuşum gibi gelmişti bana.

Yaklaşık bir saate yakın yol gittikten sonra, sandığımızın aksine, bir evin değil, iki katlı kocaman bir villanın önünde bulmuştuk kendimizi. Hansel ve Gratel'in ormanda rastladıkları, şeker ve çikolatadan yapılmış ev kadar güzel bir yerdi burası.

"Şimdi neden mutluluk deyip durduklarını daha iyi anladım," diye fısıldamıştı Ozan kulağıma. "Böyle bir evde oturup da mutlu olmamak zor olmalı!"

Olabildiğince kısık sesle konuşmuş olmasına rağmen, kız onu duymuştu ve gülümseyerek, "Ama biz burada oturmuyoruz ki," demişti. "Burası Ateş'in evi."

Eve şöyle bir alıcı gözüyle baktıktan sonra, "Ateş bunca parayı nereden bulmuş da bu evi satın almış, yoksa yaşlı, para babası biri mi?" diye sormuştu Ozan.

Kızın yol boyunca büyük bir hayranlık ve saygıyla bahsettiği Ateş'ten Ozan'ın bu şekilde bahsetmiş olması beni biraz utandırmış olsa da, kız hiç bozuntuya vermeden, "Yok, hayır, o daha yirmi sekiz yaşında," demişti. "Ayrıca, paraya pula hiç önem vermez. Bu ev ona babasından kalmış. Kalabalık bir grup olduğumuz için, büyük bir alanda toplanmamız gerekiyor. O yüzden Ateş, büyük bir fedakârlıkta bulunarak, bizleri kendi evinde ağırlıyor."

Sonbahar geldiği için bahçedeki çiçekler solmaya başlamıştı. Ama baharda bahçenin muhteşem göründüğü kesindi. Taşlı bahçe yolu üzerinde yapraklar birikmişti. Üzerlerine bastığımızda çıkardıkları hışırtılar, evin kapısına kadar bize eşlik etmişti. İçeri girdiğimizde, yukarıdan oldukça kalabalık bir grubun sesi geliyordu. Zaten alt katı gezmeye fırsat bulamadan, kız bizi direkt üst kata çıkarmıştı. Eşya açısından boş, insan açısından yoğun, kocaman bir salona girmiştik. En fazla on, on beş kişilik bir grup beklerken, iki yüz, üç yüz kişilik kalabalığı görünce dudağım uçuklamıştı. Kimisi ayakta, kimisi zemini kaplayan minderlerin üzerinde oturarak konuşuyor, gülümsüyor, birbirlerine sarılıyorlardı. Projektörlerle duvara yansıtılan ve sürekli hareket halinde, dönerek birbirinin içine geçen geometrik şekillerle, kırmızımsı ışık oyunlarıyla ve o malum trans müziğiyle düşsel bir ortam yaratılmıştı. Yine Dionysos resimleri duvarlar boyunca uzanıyordu. Anlaşılan, burada dans ederek transa geçiyor ve birliğe ulaştıklarını düşünüyorlardı. İlk seferinde başıma gelenleri hatırladıkça biraz telaşa kapılıyordum. Ama bir yandan da, bari bu sefer o esrime ânını tadabileyim istiyordum. İlkinde yaptığım gibi dalga geçerek ve olayı hafife alarak, yaşayabileceğim o büyülü deneyimi kaçırmak istemiyordum. Üstelik bu sefer yanımda Ozan vardı. Asıl istediğim de onunla birliğe ulaşmaktı zaten.

Ben bunları düşünürken, bize bakarak gülümsemeye devam etmekte olan yol arkadaşımız, "Bakın, işte Bora orada," diyerek ötede bir yeri işaret etmişti. Kalabalığın içinde Bora'yı hemen seçemesem de, bir süre sonra onu görmeyi başarmıştım. Salondaki çoğu genç gibi, üzerine kalçadan bollaşan rahat bir kot ve sıradan bir tişört geçirmişti. Oturduğu yerden kalkmadan, elindeki kâğıdı okumaya hazırlanıyordu. Yanakları biraz kızarmıştı. Çok rahat görünmeye çalışsa da heyecanlandığı belliydi. Bizi görür görmez koşarak yanımıza gelmiş, yine o derinden sarılma şekliyle boynumuza atılmıştı. Sonra da aramıza girip, kollarını omuzlarımıza atarak, salondakilere doğru seslenmişti:

"Dostlarım bakın, bu iki muhteşem insan bugünkü toplantımızı izlemeye geldiler..."

Bize doğru gülümseyerek bakan yüzlerden bazıları oldukları yerden el sallamakla yetinirken, bazıları da yanımıza kadar gelip bizimle tokalaşmışlardı, hatta boynumuza atlayıp sarılanlar bile olmuştu. Gördüğümüz ilgiden dolayı afallamıştık. Ozan'ın o şaşkın yüzünün fotoğrafını çekmiş olmayı çok isterdim doğrusu. Kulağıma eğilip, "Senin çılgın sevgine, o deli yaşam coşkuna alışmamış olsaydım, buradakilerin hepsinin kafayı yediklerini düşünürdüm," demişti gülerek. "Ama bunlar seni de aşmış!"

Bora, sanki çocuklarını parka götüren bir baba gibi ellerimizden tutup, bizi iki boş minderin yanına götürüp oturtmuştu.

"Birazdan hazırladığım konuşmayı okuyacağım," diyerek heyecanlı heyecanlı gülümsüyordu. "O yüzden şimdilik yanınızdan ayrılmak zorundayım. Ama buradaki herkes, inanın benim kadar çok seviyor sizi. Öyle değil mi Ayşe, öyle değil mi Deniz?"

Yanımızdaki iki gence sesleniyordu. Onlar da hemen gülümseyip Bora'yı onaylayarak, coşkuyla ellerimizi sıkmışlardı. Böylece, annesi tarafından kreşe bırakılan çocuklar gibi bizi arkadaşlarına emanet eden Bora, yanımızdan uzaklaşarak kalabalığın içinde kaybolmuştu. Sonra ilerideki boş alanda hafif bir yükseltinin üzerine çıkarak tekrar belirmişti. Birkaç kez öksürüp sesini ayarlamaya çalışmıştı. Herkes gülümseyerek ona bakıyordu. Ama dalga geçerek değil, onu anladıklarını, kendilerinin de aynı yollardan geçtiğini ya da geçeceklerini belirtircesine... Sonunda Bora, bu gülümsemelerden destek alarak, hazırladığı yazıyı okumaya başlamıştı:

"Bazıları, 'Keşke insanlara hayat verilirken, kullanma kılavuzunu da yanında verselerdi!' diye söylenirler, sonra da hayatı diledikleri gibi yaşayamamaktan gem vururlar. Bir etrafınıza bakın, her yer kılavuzla dolmuş taşmış zaten! Başkalarının koyduğu kuralları genelgeçer doğrularmış gibi kabul edip ona göre hareket ederken, aslında bunlarının hepsinin birer kurmaca olduğunun farkında olmak çok acı...

"Bazıları da, insanın her şeye boş verip, vicdanına kulak vermesi gerektiğini söyler. Sanki vicdan toplumdan, dinden, baskıdan bağımsız olabilirmiş gibi. Sanki çektiğimiz vicdan azapları, kötü olarak tanımlanan ve bu yüzden bizim de kötü saydığımız düşünce ve eylemlerimizden kaynaklanmıyormuş gibi...

"Üzerine kalın bir kitapla vurarak öldüremem bir kelebeği. Üstelik, doğanın güzelliklerinden biri diye, gülümseyerek izlerim onun süzülerek uçuşunu. Ama ayağımla ezdiğim minik siyah böcek karşısında sızlamaz hiç vicdanım. Yaşamının bir noktasından diğerine giderken, bir an olsun düşünmeden ezip öldürürüm onu. Daha bu sabah, tuvalette ellerimi yıkarken, gözlerim ayaklarıma doğru ilerleyen küçük, siyah bir böceğe takıldı. İğrenirim böceklerden. Belki gerçekten midemi bulandırdıkları için, belki de böceklerin mide bulandırıcı olduğu kanısı yaygın olduğu için. Bence ikincisi daha doğru, çünkü çoğu zaman, iğrenmemize bile zaman kalmadan, otomatik olarak ve bir saniye olsun düşünmeden öldürürüz böcekleri. Tüm söylemlerden bağımsız, tamamen sek duygu ve düşüncelerimle yaşıyor olsaydım, belki de böcekleri çok sevip kedilerden nefret edecektim. Her gördüğünüz kediyi böcek gibi ezip öldürdüğünüzü düşünsenize! Kulağınıza zalimlik gibi geliyor, değil mi? Hatta bazılarınızın yüzünü buruşturduğunu görüyorum. Peki, böceği öldürmek niye zalimlik değil? Yoksa, sırf küçükler diye mi değersiz buluyorsunuz onları? O zaman size bir çift sözüm var. Bizler, yaratıcının boyutlarıyla karşılaştırıldığımızda böcekten bile daha küçüğüz. O da zaten hiç düşünmeden bir çırpıda ezebilir bizi. Sonra düşünüp dururuz, 'Neden ben?' diye. O niye öldü, şu niye hastalandı, neden bütün bunlar benim başıma geldi... Tanrıdan bir cevap bekleriz. İnsan olarak, onun tarafından bir böcek kadar bile önemimizin ya da herhangi bir ayrıcalığımızın olmayışını gururumuza yediremediğimizden, tanrının bunları yapmasında mutlaka esaslı bir nedeni, bir bildiği vardır diye avuturuz kendimizi. Oysa böceği öldürürken, çoğu zaman bizim de bir nedenimiz yoktur. Dedim ya, düşünmeyiz bile. Bir anda ezeriz, giderler. İşte o yüzden, onların inandığı tanrının karşısına geçip, 'Sen ne cüretle bana o küçük böceğin hayatına son verme gücünü verebildin?' diye sormak isterdim. 'Hani, nerede senin adaletin?' Ama soramam çünkü öyle bir tanrı yok. Yaratıcıyı onların tasarladığı gibi biri olarak düşünmek onu aşağılamak olur. Böceklerin kelebekten kötü olduğunu, insandan daha değersiz olduğunu kim ispat edebilir bana? İnsanoğlunun mantığına göre önemsizlerdir belki ama niye güvenelim ki insanın mantığına? Doğa yasası bu işte, güçlü güçsüzü ezer. Madem öyle, o zaman ben de bu düzeni sonuna kadar reddedeceğim. Benim karşı çıkmamla değişmeyeceğini bile bile reddedeceğim!"

Bora'nın son cümlesi üzerine, "İşte, ben de tam bu yüzden beste yapıyorum," diye düşünmüştüm. "Bana uymayan bu dünyadan uzakta, yarattığım küçük şarkı evrenlerinde yaşamak için..."

Düşüncelerim, salonda kopan gürültüyle kesilmişti. Herkes Bora'yı alkışlamaya başlamıştı. Ozan'la ben de kalabalığa uyarak, şaşkın bir halde, onu alkışlarken bulmuştuk kendimizi.

Bora'nın yüzündeki gurur ve utangaçlığın nasıl birbirine girdiği görülmeye değerdi doğrusu. Yüzü gökkuşağının içine düşmüş gibi alaca bulaca olmuştu. Heyecan yağmurunun ardından, yedi renkli bir duygu kuşağı açmıştı yüzünde. Benimse içim sıcacık olmuştu. Herkes öyle mutlu ve sevgi dolu görünüyordu ki, her birini tek tek kucaklayıp öpesim gelmişti. Ama yapamamıştım. Duyguların serbest bırakılmasını teşvik eden böyle bir ortamda bile, garip kaçar korkusuyla, kalkıp sarılamamıştım hiç kimseye. Ama alkışlar dindikten sonra, herkes birbiriyle kucaklaşmaya başlamıştı. Ozan'la ben şaşkın şaşkın birbirimize bakarken, içlerinden bir kız gelip sımsıkı sarılmıştı bana. O anda iki üç kişinin Ozan'a doğru, kollarını açarak koştuğunu görmüştüm. Herkes gülümsüyordu. Kız ise hâlâ sımsıkı sarılıyordu bana. Ben de, aşağıya doğru sarkmış kollarımı yukarı kaldırıp aynı şekilde kucaklamıştım kızı. Nasıl içten bir sevgiyle sarılıyorduk birbirimize. Sonra başkalarıyla kucaklaştık. Herkesin yüreğine yaz gelmişti. Kalplerimiz sevginin altında sere serpe uzanmış güneşleniyordu sanki. Mutluydum, gerçekten de çok mutluydum. Birkaç dakika sonra herkes yerine geçip oturmuştu. Ozan'la ben birbirimize bakıp gülümsemiştik. O da halinden oldukça memnun görünüyordu.

Sonra salon aniden sessizliğe gömülmüştü. Kimseden çıt çıkmıyordu, ta ki en ön sıradan, kızıl saçları beline kadar uzanan biri ayağa kalkana kadar. Arkası bana dönük olmasına rağmen, hemen onun Ateş olduğunu anlamıştım. Hayatımda gördüğüm en güzel saçlara sahipti. Sanki gerçekten de alev alev yanıyordu saçları. Her kıvrımı ateş dilleri gibi dalgalanıyordu. Şilebezine benzeyen garip bir kumaştan, oldukça rahat ve sade bir pantolon-gömlek giyinmişti. Yüzünü döndüğünde ise, yol arkadaşımızın neden ondan bahsederken büyük bir aşkla konuştuğunu daha iyi anlamıştım. Kısık, esrarlı, hatta biraz ürkütücü ama insanın bakmaktan kendini alamadığı gözleri vardı. Japon çizgi filmlerindeki uzun bacaklı, ince belli, sert ve keskin yüz hatlarının ardında feminen bir siluet barındıran romantik kahramanlara benziyordu. Sessizliği bozan, yumuşak ve dingin sesi olmuştu. Aynı yumuşaklık ve dinginliğe sahip gülümsemesiyle Bora'ya teşekkür ettikten sonra, tüm salona hitap eden bir konuşma yapmaya başlamıştı:

"Tanrı, insanın hayatın anlamsızlığı altında ezilmemek için yarattığı basit bir savunma mekanizmasıdır, bir avuntudur, o kadar! Bizler tüm evreni canlı kılan, hayat veren bir enerjinin var olduğuna inanıyoruz, onların insan kılıklı tanrısına değil.

"Onlar, biraz olsun düşünmekten ve duyumsamaktan korkmasalar, ne kadar saçma bir şeye inandıklarını anlarlardı. Ama gözleri korkuyor, cesaretleri yok. Varoluşlarının sorumluluğunu üzerlerinden atmak istiyorlar. Kuralları belirleyen, ceza veren, ödüllendiren, onlara nasıl yaşamaları gerektiğini söyleyen bir tanrıya inanmak işlerine geliyor.

"Onlar, tanrıyı insan gibi düşünmekten kurtulamıyor. Mitolojilerdeki tanrılarla dalga geçiyorlar ama, şu anda kafalarında kurdukları tanrı imajının da o eski tanrılardan pek bir farkı yok. Hep tanrıya insani vasıflar yüklüyorlar. Günah işlenildiğinde kızan, öfkelenen; sevap işlenildiğinde ödüllendiren; affeden; arada sırada rüşvet olarak kurban isteyen; cennete ya da cehenneme gönderen; icabında kullarını cayır cayır yakan bir tanrı. Bir yarışma var ya hani, evdekileri gozetleyip puan veriyorlar, onlara göre sanki tanrı da bizi dünya denilen eve kapatmış gözetliyor, sonra da puanlarımızı veriyor, istediğini eliyor, istediğini evde bırakıyor. İşte böyle bir tanrıya inanıyorlar. Onlar, âşık oldukları zaman bile tanrıya dua ediyorlar, 'Lütfen Allahım, o da beni sevsin!' diye. Hiç akıllarına gelmiyor mu, enkaz altında kalanlar da, savaşta ölmek üzere olanlar da, kanser olanlar da, fakirlikten kırılanlar da dua etmelerine rağmen, tanrı hiçbir işe karışmıyor, niye onların aşk sorunlarına yardım etsin? Tanrı ne onlara ne de daha büyük dertleri olanlara acır. Çünkü insan değildir o. Acımak insani bir duygudur."

Sustu, salonda şöyle bir gözlerini gezdirdi. Sanki onu tam olarak anlayıp anlamadığımızı kontrol ediyordu. Sonra da, pek çok kızı ve hatta erkeği baştan çıkardığını tahmin ettiğim o büyülü gülümsemesiyle, "Sorusu olan var mı?" diye sordu. Ozan, salona girdiğimizden beri hiç elimi bırakmamıştı. Hatta Ateş enerjiden bahsedip dururken bile benim tek düşündüğüm, Ozan'ın avuç içinden kalbime akan sevgiydi. Hissedilmeye değer bulduğum tek gerçeklik de buydu işte. Ama Ateş'in sorusunun ardından, Ozan hiç beklemediğim şekilde aniden elini çekip konuşmaya başlamıştı:

"Adına enerji deseniz de, sonuçta siz de bir yaratıcıya inanıyorsunuz demektir bu. Tanrı da onların yaratıcısı, saygı duymanız gerekmez mi? Çünkü siz onların tanrısına saygı duymazsanız, onlar da sizin enerji dediğiniz tanrınıza saygı duymazlar."

Topluluktaki tüm yüzler ona çevrilmişti. Anlaşılan, Ateş'in "Sorunuz var mı?" demesi tamamen formalite icabıydı ve kimsenin yanıt vermesi beklenmiyordu. Ama Ateş, Ozan'ın bu soruyu soracağını çok önceden biliyormuş gibi bir yüz ifadesiyle konuşmaya başlamıştı:

"Onların kime saygı duyup duymadığı bizi ilgilendirmiyor. Bizler yaratıcıyı, kendimizi rahatlatmak ya da başarısızlıklarımızı örtmek için kullanmıyoruz. Evreni döndüren, aklın sınırlarını aşan bir gücün, bir enerjinin varlığına inanıyoruz. Ama istediğimiz şeyleri gerçekleştiremediğimizde, 'Ne yapalım, enerjinin takdiri buymuş,' ya da 'Enerjinin işine karışılmaz,' gibi abuk sabuk düşüncelere kapılmıyoruz hiçbir zaman. Yaptığımız hatalardan bizler sorumluyuz, kazandığımız zaferlerden de. Başımıza iyi bir şey geldiğinde ellerimizi açıp tanrıya şükretmeyiz, çünkü başarılarımızın nedenini tanrının bize iyilik etmesine bağlarsak, acılarımızın nedenini de tanrıya bağlamamız gerekir.

"Onlar, tanrı tarafından yaratıldıkları için, özelliklerinin bir kısmını ondan aldıklarını, tanrıda da bu özelliklerin var olduğunu düşünüyorlar. Peki, o zaman sorarım sizlere; insan, özelliklerini tanrıdan alıyorsa, tanrı nasıl mutlak iyi olabilir? Olamaz! Çünkü insanlarda kötülük var, yani tanrı iyi olduğu kadar kötüdür de demek oluyor bu. Onlar, farkında olmadan kendi ağızlarıyla tanrıya kötü diyorlar. Tanrının, kullarına kabir azabı çektirecek kadar, cehennemde yakacak kadar cani olduğuna inanıyorlar. Ben sıradan bir insan olarak bile kimsenin acıdan yanmasına dayanamam. Yüreğim kaldırmaz bunu. Hani tanrının merhameti sonsuzdu? Hem öyle diyorlar hem böyle! İnsanın merhametinden daha mı az yani o muhteşem tanrılarının merhameti? Ama bizler onların tanrısını beğenmiyor ya da yeterince iyi olmamakla suçluyor değiliz aslında, çünkü böyle bir tanrı yok. Bu tamamen bir kurgudan ibaret. Hayal gücünün ürünü. Tanrının, kullarını cehennemde yakacak kadar gaddar olarak kurgulanması da, insanın içindeki kötülüğün bir göstergesi aslında. Aynı şey, Yunan tanrılarının verdikleri cezaların acımasızlığı için de geçerli. Ama acımasız olan tanrılar değil, çünkü onları yaratan, insanların hayal gücü. O zamanki Yunanlılar, içlerindeki tutkuları, öfkeleri, iktidar hırsını hep o tanrılara yüklemişler. Baskı altında tuttukları duygularını tanrılar aracılığıyla dile getirmişler. Düşüncelerini aktarmak için karakterlerini kullanan bir romancı gibi... Söyle bize Ozan, Yunan mitolojisiyle ilgilenir misin?"

"Evet, pek çok kitap okudum bu konuda."

"O zaman, oradaki cezaların nasıl acımasız ve canice olduğunu da kabul ediyorsundur. Örneğin, insanlara ateşi getirdiği için, Zeus'un Prometheus'a verdiği ceza... Hani şu kuzgunun yediği ciğer meselesi..."

"Evet, tabii ki biliyorum. Zeus'un görevlendirdiği kuzgun, kazığa bağlanan Prometheus'un ciğerini yiyiyor her gün. Bu acı sürekli ve şiddetli olsun diye de, ciğer her defasında kendini yeniliyor, baştan oluşuyor. Kuzgun da onu yeniden yiyor."

"Evet, aynen öyle! Şu zihniyete bakar mısın? Nasıl işkenceler üretiyor insanın hayal gücü! Peki, ya sonsuza dek gökyüzünü omuzlarında taşıma cezasına çarptırılan Atlas'a ne demeli? Başka bir tanesi de, alev alev yanan bir tekerleğin içinde sonsuza dek dönmeye mahkûm ediliyordu ama adını hatırlayamıyorum şimdi. Daha neler neler... Peki, bunları gerçekten de Zeus mu yapıyordu? Tabii ki hayır. Bu korkunç şeyleri kurgulayan, insan zihninden başka bir şey değildi. Şimdi kimse Zeus'a inanmıyor. Modası geçti onun. Artık yeni dinler var. O ünlü kitaplı dinler! Masal kitapları. Ama oldukça başarılı yazarların elinden çıkmış kitaplar, baksanıza ne kadar çok insanı inandırmışlar yazdıklarına! Kadınlar başlarını örtmelerini, kalın uzun pardösülerin içinde boğulmalarını emreden bir tanrının varlığına inandırılmışlar ve daha da kötüsü inanmışlar. Ataerkil sistem tanrı imgesini oyunlarına alet ediyor. Baş örtmek ne demektir biliyor musun? Aklı örtmek,

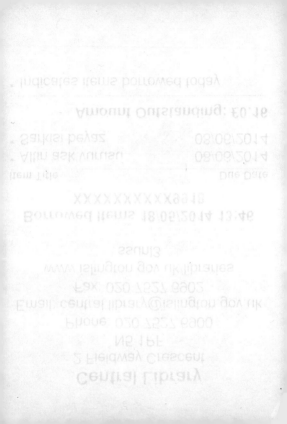

Central Library
2 Fieldway Crescent
N5 1PF
Phone: 020 7527 6900
Email: central.library@islington.gov.uk
Fax: 020 7527 6902
www.islington.gov.uk/libraries
ssun13

Borrowed Items 18/05/2014 13:46
XXXXXXXXXX9918

| Item Title | Due Date |
|---|---|
| * Altin ask vurusu | 08/06/2014 |
| * Sarkisi beyaz | 08/06/2014 |

Amount Outstanding: £0.16

* Indicates items borrowed today

düşünceyi kapatmak demektir. Baş, bedenin en önemli parçasıdır oysa. Çünkü içinde beyin var. Cenin ilk başta yalnızca kafadan ibarettir. Zamanla diğer uzuvlar oluşur. Doğum sırasında da bebeğin ilk önce başı çıkar. Ama bu sistem, kadının başının ve bedeninin, sanki bunlar utanılacak, iğrenç şeylermiş gibi örtülmesini emreden bir tanrı uydurmuş. Eğer bu dinde erkeklerin de örtünmeleri emredilseydi, o zaman böylesine kızmazdık. Çünkü o zaman örtünme, kadınlara yönelik bir baskı aracı olmaktan çıkardı. Hani, en değerli eşyalarımızın üzerlerini zarar görmesinler, tozlanmasınlar diye örteriz ya, insan bedeninin en değerli parçası da baş olduğu için örtülmesi emrediliyor diye düşünebilirdik belki. Ama durum böyle değil. İslamiyet'ten önce Mezopotamya'da namuslu kadınların, daha doğrusu öyle olduklarını iddia edenlerin dışında fahişeler ve kölelerin örtünmesi yasakmış. Örtünürlerse çok büyük cezaya çarptırılırlarmış. Yani o zamanlar örtünme, dinsel değil, statüyle ilgili bir kavranmış. Ne yazık ki, bugün de benzer bir düşünce hâkim. Öyle bir tanrı yaratmışlar ki, her kadın potansiyel fahişe olarak görülüyor. Kadınlar erkeklerin cinsel dürtülerini uyandıran basit birer cinsel objeden başka bir şey değillermiş gibi, onlara örtünmelerini emreden bir tanrı... Örtünsünler de, olur olmaz yerlerde erkekleri tahrik edip işlerinden alıkoymasınlar! Dolayısıyla, örtünmeyenler direkt fahişe olarak tanımlanmış oluyorlar. Böyle bir tanrıya niye inanalım, söyler misin bize Ozan? Düpedüz kadınlara hakaret bu!"

Ozan'ın sinirlenmeye başladığını hissediyordum. Sanki açık mavi gözleri, fırtınadan önce koyulaşan deniz gibi laciverte dönüyordu:

"Ne ben ne de Sade, öyle bir tanrıya inanmıyoruz zaten. Biz de insanın asla algılayamayacağı boyutlarda bir enerjinin bütün evreni çalıştırdığını ve bu yaratıcının tepemizde oturup film izler gibi bizi izlemediğini biliyoruz. Yani siz burada sanki daha önce kimsenin keşfetmediği birtakım gerçekleri açıklıyormuşsunuz gibi konuşuyorsunuz da, ben ona sadece sinir oldum."

Ortam birden gerilmişti. Her ne kadar sakin ve ağırbaşlı görünmeye çalışsa da Ateş'in bozulduğu belliydi. Ozan'ın tekrar elini tutmuştum. Sonra aklıma, beni yanlış anlayabileceği gelmişti. Sessiz olması için onu uyarmaya çalıştığımı, bu yüzden elini sıktığımı sanabilirdi. Ama gözlerindeki fırtınanın dinmeye başladığını, mavinin yine açık tonlara kavuştuğunu görünce rahatlamıştım. O beni tanıyordu, elini tuttuğumda bunun, "Seni seviyorum ve yanındayım," demek olduğunu biliyordu. Tekrar konuşmaya başladığında, her zamanki yumuşak ses tonu geri gelmişti:

"Aslında genel olarak aynı şeyleri düşünüyoruz. Yalnızca, olaylara biraz daha geniş açılardan bakmanızı tercih ederdim. Örneğin, bahsettiğin şu son konuda bile, yani kadınların aşağılanması konusunda bile unuttuğunuz önemli bir nokta var."

Bir iki saniye susmuştu Ozan. Sanırım Ateş'in merak edip, "Neymiş o unuttuğum şey?" diye sormasını beklemişti. Ama Ateş, onun beklentisini boşa çıkarmak istercesine hiçbir şey söylememişti. Sadece dik dik onun yüzüne bakmıştı. Ozan da bozuntuya vermemek için konuşmasına kaldığı yerden devam etmişti:

"Bence bu anlayışta erkeklere daha fazla hakaret ediliyor ama erkekler bunun farkına varmıyorlar."

En sonunda, "Nasıl yani?" diye bir soru gelmişti topluluk içinden.

"Yani, onların inandığı tanrı üstü kapalı olarak erkeklere aynen şöyle diyor: 'Ey erkekler, siz o kadar aciz ve kontrolsüz yaratıklarsınız ki, kadın gördünüz mü saldırırsınız, kendinize hâkim olamazsınız, aklınız fikriniz sekstedir. O yüzden kadınları sizden korumak için onlara örtünmelerini emrettim.' Haksız mıyım?"

Ozan'ın sözlerinden bolca keyif aldığı belli olan bir kız, "Vallahi doğru söylüyorsun!" diye girivermişti lafa. "Bu durumda kadınlar potansiyel fahişe, erkekler de potansiyel cinsi sapık oluyor!"

Ozan aldığı destek sayesinde daha büyük bir coşkuyla devam etmişti sözlerine:

"Bence de tanrı böyle bir şey olmamalı. Onu insan gibi düşünürsem, ondan nefret etmeden duramam, çünkü bunca acıya nasıl göz yumuyor, nasıl dayanıyor, nasıl böyle adaletsiz bir dünyanın dönmesine izin veriyor diye düşünürüm."

Ozan, bir şeyler daha söylemek için ağzını açmış ama sonra aniden duruvermişti. Herkes ona bakıyordu, sözlerinin devamını duymak için. Ama o, "Hepsi bu, sizler devam edin lütfen," diyerek kestirip atmıştı. Bir iki saniyelik şaşkınlıktan sonra, başka birileri girmişti lafa ve tartışma kaldığı yerden devam etmişti. Ozan'ın kulağına doğru eğilip ne olduğunu, konuşmasını niye yarıda kestiğini sormuştum hemen. Canı mı sıkılmıştı, bir şeye mi kızmıştı?

"Hayır, hayır, hiçbiri değil," demişti bana. "Sadece ne diyeceğimi unuttum. Birden hafızam bomboş kaldı."

Son günlerde unutkanlığı fazlasıyla artmıştı Ozan'ın. Haline çok canım sıkılıyordu. İçkiden ya da esrardan bu tarz şeylerin olabileceğini duymuştum ama, onun aşırı derecede bir bağımlılığı olmadığını, beyin hücrelerine zarar verecek kadar içmediğini, zaten öyle bir duruma gelmesine ne benim ne de kendisinin asla izin vermeyeceğimizi düşünüp rahatlıyordum. O gün de aynı şekilde rahatlayıp, dikkatimi yeniden Ateş'e yöneltmiştim:

"Bazıları da aslında evrenin mükemmel bir sistemle işlediğini, tüm bu adaletsizlik ve acıların aslında insanın doğaya müdahalesinin sonucu olduğunu söylerler. Doğadaki sistemin neresi mükemmel, söyler misiniz bana? Güçlü hayvanların güçsüzleri yediği bir sistem nasıl adaletli olabilir? Geçenlerde bir belgesel izledim. Bir geyik sürüsünü gösteriyordu. Minik geyik yavruları da vardı aralarında. Gayet uyumlu ve huzurlu bir şekilde dolanıyorlardı. Sonra uzaklardan kocaman bir aslan onları gözetlemeye başladı. Sinsi sinsi yaklaşıp birden üzerlerine saldırdı. Tüm geyikler can havliyle koşmaya başladılar. Minikler en arkada kaldılar tabii. Ama sonuna kadar koşmaya devam ettiler, hiç pes eden olmadı. Aslan da asla vazgeçmiyordu. Arayı iyice kapatmaya başladı. Büyük geyikler oldukça uzağa kaçmayı başardılar ama en küçük geyiğin cılız bacakları gittikçe kırılgan bir hal aldı ve sonunda aslanın pençelerine takıldı. Aslanın onu nasıl parçalayıp yediğini anlatmama gerek yok herhalde. Bu durumda pek çok insan, doğanın sistemi bu, aslan da karnını doyurmak zorunda gibi laflarla avutur kendini. Aslanı suçlayamayız derler. Zaten aslanı suçlayan kim! Doğanın kanunu gerçekten de bu. Aslanlar bu şekilde varlıklarını sürdürürler. Asıl sorun da burada zaten, doğanın işleyişinde! Doğada mükemmel bir sistem falan yok. Koca bir yalan bu. O aslanı, yaşamak için kendisinden güçsüz bir geyik yavrusunu yemek zorunda bırakan bir sistemi kabullenemeyiz biz. Bal gibi de, canlıların diğer canlıları öldürmeden yaşamlarını sürdürebilecekleri bir sistem yaratılabilirdi. Tanrı bunu akıl edemedi mi yani? Edemedi değil, etmedi. Çünkü insanların sandığı gibi bir tanrı yok. Yalnızca sonsuz bir enerji var. Tüm evreni döndüren, can veren... Aynı elektrik gibi. Nasıl ki elektrik, aletleri çalıştırıyor, enerji de evreni çalıştırıyor. Ama adalet, şefkat, iyilik, kötülük, acıma, kızma, öfke gibi özellikleri yok onun. Hiç iyi kalpli ya da kötücül bir elektrik gördünüz mü? Enerji, salt güçtür. Hisleri yoktur."

Oldukça ateşli bir şekilde sürdürdüğü konuşmasına birkaç saniye ara vererek, dinleyicilerin teker teker yüzlerine bakmaya başlamıştı Ateş. Sanki konuştuklarının herkes tarafından anlaşılabilmesi ve hazmedilebilmesi için süre tanıyor gibi lütufkâr bir hali vardı. Gözlerinin bana doğru gelmeye başladığı sırada, nasıl olduğunu sormak için yüzümü Ozan'a çevirmiştim. Ateş'le göz göze gelmek istemiyordum. Garip bir şekilde ürküyordum bakışlarından.

Ozan başını öne eğmiş, düşünüyordu hâlâ. Ama Ateş'in biraz önce söylediği ve bizim ondan önce kendi aramızda belki yüzlerce kez konuşmuş olduğumuz sözleri değil, kendi unuttuğu cümleleri... Belki de cümlelerin kendisinden çok, onları nasıl unutabildiğini.

"Yaratıcı, yarattığı şeyden sorumlu olmalı," diye dikkatleri yeniden üzerine çekmişti Ateş.

"Dr. Frankestein'ı bilirsiniz. O korkunç görünümlü canavarımsı adamı yaratmadan önce, Dr. Frankestein olacakları düşünmeliydi. Doktor, başta iyi niyetliydi aslında. Ölüleri dirilterek, sevdiklerini kaybeden insanlara yardımcı olmak istiyordu. Kendisi de aynı acıyı çekmişti çünkü. Ama hayat verdiği yaratığın bu dünyanın insanları tarafından tepki göreceğini, insanların ondan korkup onu dışlayacaklarını ve sonuçta zavallı yaratığın aşırı derecede acı çekip kontrolden çıkacağını düşünmeliydi. İşte onlarınki gibi bir tanrıya inansaydım, Dr. Frankestein'a kızdığım gibi ona da kızardım. Niye bazılarımızı kötü bir hayatın ortasına attın ve sonra niye sahip çıkmadın, derdim. Zaten pek çok insan da böyle düşünüp tanrıya küsüyor. Bazıları da takdiri ilahi, Allahın bir bildiği vardır, deyip her şeyi kabullenerek, anlamsız bir yaşam sürüyor. Sorgulamak, savaşmak, düşünmek zor geliyor tabii. Tanrıyı sorgulayamamalarının asıl nedeni korkudan çok tembelliktir."

Hiç beklemediğim bir anda Ozan yine söze girmişti. Normalde ağzından cımbızla laf alındığı için şikâyet eden arkadaşları, onu şimdi görseler ne derlerdi acaba.

"Aslına bakarsanız, ben de pek sorguladığımı söyleyemem. Ama bunun tembellikten kaynaklandığını da sanmıyorum. Hiçbir kutsal kitabı okumadım. İncelemedim. Yalnızca, kutsal kitapları yorumlayanların düşüncelerini doğru bulmadığım için, dinden de kitaplardan da soğudum. Tamam, kabul ediyorum, belki bende de biraz tembellik var. Ama bütün bunlarla uğraşmak hiç içimden gelmiyor. Sanırım, her şeyi olduğu gibi kabul etmek kadar, her şeyi inkâr etmek de bir kaçış ve ben kaçmaktan yanayım, çünkü bu tarz şeyler hakkında ne kadar düşünürsem düşüneyim, hiçbir zaman gerçek bilgiye ulaşamayacağımı biliyorum. Ayrıca..."

Ozan yine aniden susuvermişti. Ne diyeceğini unutmuş olmanın verdiği sinirle yüzü kızarmaya başlamıştı. O âna kadar susmuş olmama rağmen, hem Ozan'dan ötürü duyduğum endişenin, hem de Ateş'in kendi kendisiyle çelişkiye düştüğü bazı konuları açığa çıkarma arzusunun verdiği heyecanla, Ozan'ın kaldığı yerden devam etmiştim:

"İnsan zihni yalnızca kendi kapasitesi elverdiğince algılayabiliyor. Sizin de dediğiniz gibi, tanrıya bile kendi vasıflarını yüklemeye çalışıyor insanlar, çünkü ancak bu şekilde onu kavranabilir hale getiriyorlar. Oysa ben yaratıcı gücün ne olduğunun, neden, nerede, niye ve nasıl çalıştığının bilgisine asla ulaşılamayacağına inanıyorum. O yüzden sizin bu, esriyerek gerçek birliğe ulaşma savınız da bana pek hitap etmiyor açıkçası! Çünkü siz de aynı onlar gibi, kendi düşünce sınırlarınız çerçevesinde tanrının ne olduğu hakkında yorumlar yapıyorsunuz. Onlar insana benzer bir şeye inanırken, siz de elektriğe benzer bir şeye inanıyorsunuz. Hangisinin diğerinden daha doğru olduğunu asla bilemeyiz. Aslına bakarsanız, bence her ikisi de eşit derece de yanlış, çünkü tanrı bizim algı sınırlarımızı aşan, bizim asla hayal edemeyeceğimiz bir şey olmalı. Her ne kadar hiçbirine inanmasam da, sanırım kutsal kitaplardan birinde, tanrının şöyle bir sözü vardı: 'Beni her ne şekilde hayal ediyorsan, bil ki o ben değilim...' Bunu söyleyen tanrı değildir tabii, ama konuşsaydı bence aynen böyle derdi. Bazılarınız biliyordur belki bu sözü. Hangi kitapta yazılı olduğunu hatırlayan var mı? Madem, birtakım şeylere bu kadar inanıyorsunuz, o zaman reddettiğiniz şeyleri de aynı derecede iyi bilmeniz gerekir ki, sağlam bir şekilde antitezini savunabilesiniz, öyle değil mi?"

Tam da ne güzel taşı gediğine koydum diye düşünürken, Ateş tüm sakinliğini ve o mumyamsı gülümsemesini koruyarak, soruma cevap vermek yerine başka bir soruyla beni mat etmişti:

"Hep beraber deneyimlediğimiz kendimizden geçme seanslarımıza daha önce hiç katılmamış olmana rağmen, sadece kulaktan dolma bilgilerle böyle kesin yargılara varman, savunduğun fikirlere ters düşmüyor mu? Sen de eleştirdiğin insanlar gibi -ki bunun içinde biz de varız-, başkalarının inançlarını tam olarak anlayıp dinlemeden reddetmiş, aşağılamış olmuyor musun?"

Doğru söylüyordu. Ne diyebilirdim ki. Sonuçta Ozan da ben de, her türlü deneyime açık, korkusuz insanlar olduğumuza dair iddialarımız lafta kalmasın diye, biraz sonraki esrime seansına katılmayı ve olayları bire bir deneyimlemeyi kabul etmiştik. Ama öncelikle, hastanede tedavi görmekte olan bir arkadaşlarının bir an önce sağlığına kavuşması için, toplu olarak telepatik iletişime geçeceklerini söylemişlerdi. Ne onlar bizi ne de biz onları tam olarak kabullenmediğimiz için, söz konusu hastalığın ne olduğunu bize açıklamamışlardı, ama biraz sonra oluşturacakları telepatik güce, dilersek bizim de katkıda bulunabileceğimizi söylemişlerdi. Yeter ki, tüm içtenliğimizle ve olumlu enerjimizle beraber, tek bir noktaya odaklanalım. Bu telepati konusu, Ozan'ın oldukça ilgisini çekmişti. Düşünce gücünü geliştirerek beyninin sınırlarını zorlayan bazı özel insanların, telepati yöntemiyle diğer insanlar üzerinde çeşitli etkiler yaratabildiğine dair bir inancı vardı zaten. Beyinden çıkan elektrik dalgalarının pek çok insan tarafından aynı şekilde, aynı anda, aynı insana, aynı amaçla gönderilmesi durumunda, o insanın bu yoğun enerjinin hâkimiyetine girme olasılığını yüksek görüyordu.

Bora ve birkaç arkadaşı kırmızı, sarı, mor, yeşil, mavi renkli yarı saydam plastik bardaklarda getirdikleri içecekleri herkese dağıtmaya başlamışlardı. Bizim dışımızda herkese... Büyücülerin hazırladığı esrarlı iksirleri andıran o içeceklerden tadabilmek için belirli bir olgunluğa erişmek gerektiğini ve bizim buna henüz hazır olmadığımızı söylemişti Ateş. Ama bunu ukala bir çalımla, bizi dışlamak ya da aşağılamak niyetiyle değil, gerçekten de bizim iyiliğimizi düşündüğünü belli eden bir tavırla ifade etmişti.

Konuşmalar sırasında her ne kadar bazı sert tepkiler vermiş olsak da, onlara ısınmaya başlamıştık aslında. Gerçekten de birbirlerine böylesine sevgiyle bağlı, üstelik aralarına gelip inançlarına kafa tutan yabancılara karşı bile hoşgörü ve iyilikle yaklaşan kişilerin var olduğunu görmek, insanlığa dair garip bir umut ve sevinç doğurmuştu içimizde. Ozan da ben de sürekli tenkit etmeyi bırakıp, biraz da onları anlamaya çalışmaya karar vermiştik.

İçecekler kısa sürede tüketildikten beş on dakika sonra telepati seansı başlamıştı. Herkes el ele tutuşup sessizliğe gömülmüştü. Gözler körlüğe terk edilmişti. Biz de fırsat bu fırsat, adına "aşk" dedikleri o yasak içkiden kalanları gizli gizli içmeye başlamıştık. Gerçekten de bu ismi hak ediyordu, çünkü daha ilk tadışta çarpıyordu insanı. Dilimin üzerinde eriyen çikolatamsı tadı, daha sonra oluk oluk haz veren yakıcı bir kıvam almıştı. Kulaklarımı baştan çıkaran müzik de üzerime doğru çağlamaya başlamıştı. Kristal sesli pırlantaların oynaşarak duvarlardan aktığını görüyordum. Tüm renkler sevişiyor, cıvıldaşarak birbirlerinin içinde eriyorlardı. Coşku ve haz aromalı duygular, kıyıya yaklaştıkça kabaran dalgalar gibi yoğun yoğun bedenime çarparak tüm iç organlarıma yayılıyorlardı. Ama bir iki dakika içinde, salondaki insan yüzleri ve küçük masalar bu sihirli dünyanın yerini almaya başlayınca, ben de yakaladığım mutluluğun gerçekliğin pençelerinde ölüp gitmemesi için, "aşk" denen içkiden tekrar içmeye başlamıştım. Neyse ki, kısa süre içerisinde damarlarımdaki haz tomurcukları yeniden patlamıştı. Bedenimde yükselen zevk yalımları tam doruğa ulaşacakları sırada... İşte tam o sırada, hiç beklemediğim bir şey olmuştu. Salondaki her şey, hatta dünyadaki her şey üzerime doğru son sürat akmaya başlamıştı ve evren beynimin ortasına tüm şiddetiyle çarpmıştı.

Ne kadar zaman sonra, bilmiyorum ama, deli bir kâbus görmeye başlamıştım. Başrolde Ozan ve ben. Salonun bir kenarına yığılmış, yarı baygın bir halde yatıyorum. Bir fotoğraf karesi gibi donup kalmışım. Demir bir çekiç göğsümü dövüyor, ağzım tamamen kurumuş, nefes alamıyorum. Bir damla tükürüğe muhtacım. Görünmeyen bir şeytan boğazımı sıkarak beni boğmak istiyor. Nefes almaya çalıştıkça daha da panik oluyorum. Kıvranışlarımın arasından masanın üstündeki suyu görüyorum. İçkinin etkisiyle gördüğüm bir sanrı olabilir diye düşünüyorum. Demek ki bunu düşünecek kadar aklım başımda hâlâ. Yine de, belki gerçektir umuduyla atlıyorum suya. Ama elimi kontrol edemeyip bardağı deviriveriyorum. Su yere dökülürken, hayatım da onun gibi akıp gidiyor. Çaresiz, yerdeki suyu yalamaya çalışıyorum. Ama olmuyor.

Susuzluğum geçmiyor. Daha fazla dayanacak gücüm de yok. Yardım edin, diye avaz avaz bağırsam? Kâbus bu ya, ne kadar bağırmaya çabalasam da, kavrulup kuruyan ses tellerimden gık çıkmıyor. İşte tam o anda, Ozan bir eski çağ tanrısı gibi çıkıyor sahneye. Elimi uzatmış, beni kurtarmasını bekliyorum. Ama o, ayağından vurulmuş bir at gibi çırpınmaya başlıyor. Görülmeyen alevlerde cayır cayır yanıyor ve ben ona yardım edebilecek hiçbir şey yapamıyorum. Kâbusların en bilindik klişesi benim de başıma geliyor ve elim ayağım tutkallanıyor. Kıpırdayamıyorum. Bütün bu çaresizliğim yetmezmiş gibi, kafamın içinde gürültülü bir ralli şampiyonası düzenleniyor. Beyin damarlarımı yol diye ezip geçen, tozu dumana katan, arada bir spin atan, motoru patlayan ya da birbirleriyle çarpışan binlerce araba, kafamın içinde son sürat vınlıyorlar. İşte şimdi kâbusun doruk noktasına geliyoruz... Ozan, bütün bu kara kâbusun içinde, dinamitle patlatılan bir gökdelen gibi, yere yığılarak un ufak oluyor. Tam acım ölümü çağıracakken, neyse ki vücudum hissizleşmeye başlıyor, gözlerim yavaş yavaş kararıyor ve perde kapanıyor...

İkinci perde...

Aynı oda... Birinci perdeden farklı olarak, etrafımızda bir sürü insan var. Biri yüzünü elleriyle örtmüş ağlıyor, başka biri beni kucaklamaya çalışıyor. Yüzüme bir şeyler söylüyorlar, duyamıyorum. "Neredesin Ozan, yoksa bu kâbus değil de gerçek mi?"

Uyandığımda kendimi küçük bir yatak odasında bulmuştum. Başım çatlayacak gibi ağrıyordu. Zorlukla sağa sola bakmaya uğraşırken, yanı başımdaki yatakta Ozan'ı görmüştüm. Ayağa kalkmaya çalışmama rağmen, halsizlikten kıpırdayamıyordum. Neyse ki, ona seslenmemle beraber Ozan uyanmıştı. Daha neredeyiz, ne oldu bize, diye sormama kalmadan kapımız iki kez tıklatılmıştı. "Girebilir miyiz," diye soran sese onay vermemizle beraber içeriye Bora ve üç-dört arkadaşı dalıvermişti. Ellerinde çiçekler, yüzlerinde meleğimsi gülümsemelerle bize bakıyorlardı. Çiçekleri öldürmeleri sevgi anlayışlarına biraz ters düşüyordu ama, sabah sabah bu şekilde uyandırılmak benim oldukça hoşuma gitmişti. Dün yaşadıklarımızdan ötürü gerçekten de üzülmüşe benziyorlardı. Ayrıca, onların hatası değildi başımıza gelenler. Bize içmememizi söylemişlerdi. Ama biz ne yapmıştık, annesinin dolaba sakladığı çikolataları aşıran küçük çocuklar gibi midemize indirmiştik "aşk"ı. Yine de, suçlayıcı gözlerle bakmıyorlardı bize. Tüm çiçekleri vazolara yerleştirdikten sonra, Bora yatağımın ucuna oturup elimi tutmuştu:

"Gerçekten çok üzgünüz Sadeciğim ve Ozancığım. Böyle bir deneyim yaşamanızı hiç istemezdik. Ama tek bir bardak bile içmemeniz söylenmesine rağmen üç dört bardak içmişsiniz..."

Özür dilemek istemiştim hemen ama Bora fazla yorulmamamı, özür dilenecek bir şey olmadığını söylemişti:

"Sadece, durumdan ötürü bütün dostların çok üzüldüğünü ve iyi dileklerini yolladıklarını size iletmek istedik. Ateş de bir an önce iyileşmenizi dilediğini ve bu durumdan ötürü bizleri suçlamadığınızı umduğunu söyledi."

"Tabii ki suçlamıyoruz," demiştim hemen ama Ozan'ın sesi çıkmamıştı. Sinirlerinin bozuk olduğu belliydi. Ters bir laf edip başımıza iş açmasından korkuyordum açıkçası, çünkü o anda tek istediğim, bir an önce buradan çıkıp eve dönmek ve bütün bu olanları unutmaktı. Neyse ki, susmayı sürdürmüştü Ozan.

İçerideki diğer "dostlar"ı dışarı çıkardıktan sonra Bora ikimize birden dönerek, "Sadeciğim, Ozancığım, umarım burada yaşadıklarımızdan kimseye bahsetmezsiniz," demişti. "Çünkü bizim huzurumuzu bozacak olaylar gelişebilir. Artık insanlar çok pimpirikli, korkak yaratıklara döndüler. Masum bir Dostluk Kulübü'nü bile gizli bir gruba, hatta ağzıma almak istemediğim o "T" harfiyle başlayan şeye benzetebiliyorlar... Huzurumuz bozulursa, unutmayın ki, sizin de bozulur. O yüzden..."

Bora'nın konuşmasının devamını dinleyecek halim yoktu. Bir daha buraya ayak basmaya niyetimin olmadığını, onları da hiçbir şeyden sorumlu tutmadığımı söylemiştim hemen. Ama Bora sözlerimle ikna olmuşa benzemiyordu.

"Eğer kızgın değilsen, neden buraya bir daha ayak basmayacağını söyleyerek, sert bir tepki gösterdiğini öğrenebilir miyim?"

Bora'nın alengirli sorularına cevap yetiştirmekle uğraşacak gücüm kalmamıştı artık. Neyse ki, Ozan imdadıma yetişip, "Sizi suçladığından değil, sadece buraya tekrar gelmenin ona dün yaşadıklarını hatırlatmasından çekindiği için..." demişti.

Bora'yı biraz daha yatıştırmıştı bu sözler. Sonra ikisi karşılıklı konuşmaya başlamışlardı. Sesleri, dalgalar arasında kaybolup tekrar beliren bir tahta parçası gibi gelip gelip gidiyordu kulağıma. Bir süre sonra da tamamen kesilmişti. Yeniden uykuya dalmıştım. Akşama kadar da uyumuştum. Kalktığımda Ozan yanımda yoktu. Odadan alelacele çıkıp Ozan'ı aramaya başlamıştım. Sanki ruhumu kaybetmişim gibi panikle koşuyordum. Aklımdan elli bin tane düşünce geçiyordu. Ya Ozan'a bir şey olduysa, ya ona bir şey yaptılarsa, ya burası gerçekten de tehlikeli bir yerse... Televizyondan, ahlak panikçilerinden, reality şovlardan fazlasıyla etkilendiğim belliydi. Yazdığım felaket senaryolarının beynimi işgal etmesine ramak kalmışken, koridorda rastladığım "dostlar"dan birkaçı o candan gülümsemeleriyle beni yatıştırarak, Ozan'ın yanına götürmüşlerdi. Boş yere meraklanmıştım. İşte orada oturmuş, bir şeyler atıştırıyordu Ozan... Ben de ona katılıp, özenle hazırladıkları sandviçlerden birkaç tanesini mideme indirmiştim. Yemekten sonra, epeyce uzun süren vedalaşma, öpüşme, sarılma ve gülüşme faslını atlatıp evin yolunu tutmuştuk. Yine aynı kız, Ozan'ın evine bırakmıştı bizi. Ama bu sefer, ne o ne de biz, ayrılırken edilen iyi geceler, kendinize iyi bakın gibi laflar haricinde, yol boyunca tek kelime etmemiştik.

O gece eve döndüğümüzde, ikimiz de yaşadıklarımızın şokunu üzerimizden atamamıştık. Ozan, "Sana bir şey olsaydı onları gebertirdim," deyip duruyordu. "Bu herifler ne içiyorlar böyle? Tanrı bilir, neler vardı o içkinin içinde! Senin o dalga geçtiğin Türk filmlerindeki saftirik kızlara döndük, şu halimize bak!"

İkimiz birden gülmeye başlamıştık. Belki de yaşadığımız korkuyu, ölmekten çok diğerimizin ölmesinden korkuşumuzu gülerek bastırmaya çalışıyorduk. Ozan beni kollarının arasında alıp sıkmaya başlamıştı. O zaman beni kaybetmekten nasıl korktuğunu iyice anlamıştım. Üzerime yıkılacak gibi olmuştu. İkimiz de halsiz ve bitkindik. Anlaşılan, yaşadıklarımızın verdiği fiziksel zararlar, duygusal olanlar gibi bir süre daha devam edecekti. Ayakta duracak halimiz yoktu. Giysilerimizi çıkarmadan yatağa uzanmıştık. Hemencecik uykunun koynuna girivermiştik. Gözlerimi açtığımda sabah oluyordu. Gün ışığı tenimi okşamaya başladığı anda, bacaklarımda onun ellerini hissetmiştim. Birden alev almıştı bedenim. Dudakları boynumda geziyordu. Rüzgâr gibi okşuyordu tenimi. Bu sefer hiç karşı koyacak gücüm yoktu. Kasıklarıma doğru yükselen sızı, balımsı bir elektrikle akarak tüm vücuduma dağılmaya başlamıştı. Nasıl dur diyecektim şimdi ona? Son kez tüm gücümü toplayarak kendimi geri çekmeye çalışmıştım ama olmamıştı, yapamamıştım. "Canını yakmayacağım Sade, lütfen bırak kendini bana," diyen sesine karşı koyamamıştım. Sonradan pişman olacağımı bilsem de, ellerime söz geçirememiştim. Sıcak sırtını okşayan parmaklarımı daha derine daldırmıştım. Elbisemin düğmelerini yavaşça açmaya başlamıştı. Bense pes etmiştim, artık engel olmaya çalışmıyordum ona. Daha fazla yaralarımı ondan gizleyemeyeceğimi biliyordum. Bütün düğmeleri açtıktan sonra tekrar yüzüme bakmıştı. Gözlerini gözlerimden çekmeden, yavaşça elbisemi çıkarmıştı ve sonra...

Korktuğum başıma gelmişti. Öylece kalakalmıştı. Gözlerini ayırmadan dehşetle yaralarıma bakıyordu. Afallamıştı. Ne diyeceğini bilemiyordu. Hemen ellerini çekmişti. Gözleri yanmaya başlamıştı. Bir hıçkırık vurmuştu ağzının kıyısına. Sonra bir tane, bir tane daha... Gözyaşı bulutları kaplamıştı tüm yüzünü. Bacağımdaki yanık izlerine tekrar dokunmak için elini uzatmıştı ama yapamamıştı. Havada kalmıştı eli. Karanlıktan korkan küçük bir çocuk gibi, bedenimde açılan yaraları görmekten korkmuştu. Belki de canım yanar diye... Hem kendi canı hem de benimki. Bacaklarımda ve kollarımda geniş yuvarlak çürükler vardı. Eskileri sararıp solmuştu. Yeni yaptıklarımsa taze taze, kırmızılı morlu, sıcak sıcak çürüyorlardı. Bir iki derin nefes alıp, kendini toparlamaya çalışmıştı. Sonunda kirpiklerini kaldırabildiğinde, küçük omuzlarımdan kollarıma doğru uzanan morluklarım, kesiklerim ve yanıklarım, yıldırım gibi düşmeye başlamışlardı yüreğine. Elleriyle yüzünü örtmüştü. Bense tecavüze uğramış gibi tir tir titriyordum. Elbisemi yeniden üzerime geçirmeye çalışıyordum. Olmuyordu, bir türlü beceremiyordum telaştan. O ise deli gibi odanın içinde dolanıyordu. Biraz önce yüreğine düşen yıldırımlar, şimdi beyninin içinde gümbürdeyip dengesini sarsıyordu. Sonra birden, "Kim yapıyor bunları sana?" diye bağırmaya başlamıştı.

"Lütfen Sade, şu kollarının haline bak... Bacakların... İnanamıyorum buna! Kim seni bu hale getiren, kim yapıyor bunları? Söyle!"

"Ben."

"Ne?"

"Bütün bunları ben yapıyorum diyorum. Düşünmekten kurtulmak için..."

"Su perisi..."

"Su perin böyle biri işte. Bazı şeyler kontrolümde olmadığı zaman, duyduğum heyecandan ya da acıdan beni uzaklaştıracak, kafamı dağıtacak bir şeylere ihtiyacım var. Tıpkı senin içkiye sarılman gibi, anlıyor musun?

"Hayır, anlamıyorum!" diye bağırmıştı. Gözlerinde şimşekler çakıyordu. Hıçkırıklar yine diline dolanmaya başlamıştı. "Ne zamandır sürüyor bu böyle?"diye zar zor sorabilmişti.

"Seninle ilk öpüştüğümüz gece burnun kanamaya başlayınca..."

"Benim yüzümden. Her şey benim yüzümden. Biliyordum benim yüzünden olduğunu!"

"Hayır, senin yüzünden değil. Bu tamamen benimle ilgili. Bazen yaşamı hissedemiyorum. Var olduğumu hissedebilmek için yapıyorum belki bunları. Canımı yakarak, yaşamı hissedip hissetmediğimi kontrol ediyorum sanki. Bedenimden kan çıkınca ya da yara açılınca, demek ki hâlâ içimde yaşayan bir şeyler var, diyerek rahatlıyorum.."

"Sade, nasıl kıyarsın benim su perime? Nasıl yaparsın bunu? Seni seviyorum ben! Duyuyor musun beni? Lütfen kendine zarar verme. Buna dayanamam, biliyorsun!"

Nasıl zarar verebilmiştim onun su perisine? İşte hep bu soruyu sorardı bana. Ben de bilmiyordum ki. Kelimelerle söyleyemediğimi, bedenimdeki yaralarla söylüyordum belki de. İçimdeki yaraları bedenime resmediyordum. Ruhumda kapalı kalmasınlar, özgürlüğe kavuşsunlar diye... Acım içimde saklıyken, onu tanımlamak çok daha güçtü. Yaralarım sayesinde, kontrol edemediğim soyut bir acıyı, görebileceğim, algılayabileceğim bir hale sokup, gizemini öldürüyordum. İçimdeki acıyı fiziksel acının altında ezerek yok etmek için. O zaman rahatlıyordum işte. Sanki yaptığım hataların, zayıflığımın, eksikliklerimin bedelini ödemişim ve artık yepyeni bir hayata başlayabilirmişim gibi huzur kaplıyordu bedenimi. Yaralar birkaç gün, bazen haftalarca acımaya devam etse de bundan şikâyetçi olmuyordum, çünkü günler sonra bile acıyla bağlantıda kalmak, yaşadığım rahatlama duygusunun hatırlatıcısı oluyordu bana. Hatalarımın bedelini ödediğimin göstergesiydi bu yaralar. Yaralarımı seviyordum.

Küçüklüğümde herkesten uzak durmaya çalışırdım. Terk edilmemek için... İçime birini alırsam beni incitmesinden korkardım. Oysa yakınlığa ihtiyacım vardı. Bir şeyi başaramadığımda ya da bana yakın birinin beni terk edeceğini hissettiğimde, kendimi keserdim. Zehirli kanla beraber içimdeki irini de sıkıp atabileyim diye...

Yaralarımı herkesten saklardım. Ama aslında birilerinin yaralarımı görmesini, böylece ilgi ve şefkat ihtiyacımı doyurmasını umut ederdim. Ozan'ın su perisi olmak da yetmiyordu bana, çünkü suyuma düşüp boğulmaya başlasam, o beni kurtarmak isterken ardımdan düşüp benden önce kendi boğulurdu.

Bu işe nasıl başladığımı sormuştu bana. Çok küçüktüm ama hatırlamayacak kadar değil. Bizim evde ağlamak yasaktı. Babam her gün onlarca hastanın sorununu dinleyip ağlama duvarı haline geldiği için, eve döndüğünde en ufak mutsuzluğu kaldıramayacak durumda olurdu. Bin bir çabayla sağlam izlenimi verdiği o "ağlama duvarı", bunca hastanınkinden sonra bir de bizlerin gözyaşı saldırısına uğrarsa eriyip gider diye korkardı.

Bizim evde bağırmak da yasaktı. Babam, çocukken annesinin car car bağıran sesini duymaktan nefret ettiği için, yüksek sesli konuşmalarımıza bile katlanamazdı. Ağlamanın bir hata olduğunu, üç-dört yaşlarında kolum sobaya sürtünüp yandığı zaman öğrenmiştim. Canım öyle yanmıştı ki, hüngür hüngür ağlamaya başlamıştım. Herhalde babamın gelip beni teselli etmesini, "Öpeyim de geçsin," gibi laflar söylemesini beklemiştim. Oysa babam ağladığımı görünce küplere binmiş, bütün bir gün boyunca da o küplerden inmemişti. "Ağlamak zayıflıktır, ağlamak acizliktir! Ben ağlayanlarla konuşmaya tenezzül etmem!" derdi babam. O yüzden, gözlerime yaşlar düştü mü, kendimi iğrenç bir mahluk gibi hissederdim.

Babamın yanında asla dertli bir yüzle dolaşamazdık. Birden kendimi tutamayıp ağlamaya başlarsam diye korkardım hep. Neyse ki, ağlamamayı öğrenmem uzun sürmemişti. Bir süre sonra, istesem de ağlayamaz hale gelmiştim zaten. Doğrusu, boğaza hıçkırık düğümü atma konusunda benden ustası yoktu. Attığım düğümler en sağlam acı maddesinden yapıldıkları için, çözülmeleri neredeyse imkânsızdı. Ama annem benden daha dayanıksızdı. O bazen kendini koyverip ağlamaya başlardı. O zaman ne mi olurdu? İşte o zaman babamın öfke kasasının kilidinin patladığını ve orada sakladığı tüm bağırtıların üzerimize saçıldığını, gelmiş geçmiş en şiddetli tonların saldırısına uğradığımızı falan söylersem yalan olur. Babam sadece küserdi. Evet, sadece küserdi. Zaten hiçbir zaman bize eliyle vurmamıştır. Sessizlikle döverdi bizi. Suratını asar, tek kelime etmez, yüzümüze bakmazdı. Küskünlüğü, yiyebileceğim en ağır dayaktı zaten. Hatta öyle ağırdı ki, sessizliği mideme bir oturdu mu, kolay kolay kimse yerinden kaldıramazdı artık onu. Bir türlü hazım olmazdı.

Ne zaman ağlayamasam, kendimi parçalama arzum daha çok artardı. İlk defa on yaşımdayken kanatmıştım kendimi.

Yine ilkokul öğretmenim yüzünden... Kadın konuşmaya başladı mı zehri yavaş yavaş tesir etmeye başlar, sonra etkisi bütün sınıfa yayılır, en sonunda da herkesin üzerine ağır bir uyku çökerdi. Kendimden geçmiş, baygın bir halde sıraya serildiğim o günlerden birinde, "Kalk Sade, tahtaya!" diyen sesi, şok havuzuna düşmüşçesine ayıltmıştı beni. İçimde biriken tüm panikler de benimle beraber uyanmış, kalbimi çimdiklemişlerdi. Hocanın söylediği problemi tahtaya yazarken bile hata yapmaya başlamıştım. O beş diyordu ben dört yazıyordum, o çarpı diyordu ben bölme işareti yapıyordum. Aklımı bir türlü veremiyordum o korkunç sese. Verirsem bir daha geri alamam diye korkuyordum belki de. Sonuçta problemi çözememiştim tabii. Bana bir lağım faresiymişim gibi bakıp, "Aslında sende de biraz zekâ olması lazım ama uzun zamandır hücre hapsinde galiba!" demişti. "Tahliye edilince bana haber ver de, seni bir sözlü daha yapayım. Şimdilik sıfırla yetin bakalım!"

Tahtanın önünde bir salaklık abidesi gibi dikili kalmıştım. O anda tek istediğim, uzaya ışınlanmaktı ya da içimde biriken öfkenin ateşiyle buhar olup uçmak. Neyse ki, filmlerdeki gibi bütün sınıf bana bakarak korkunç kahkahalar atmaya falan başlamamıştı. Kimseden çıt çıkmıyordu ya da üzerime çöken basınçtan sağır olmuştum. Bütün bunlar yetmezmiş gibi, gözlerimin içine külçelerce gözyaşının inmekte olduğunu hissediyordum. Adım, geri zekâlıdan sonra bir de sulu göze çıkmamalıydı. Hemen durumu düzeltmeliydim, çünkü ağlamak zayıflıktı, ağlamak acizlikti. Bütün gücümü toplayıp, gözümden içeri geri püskürtmüştüm gözyaşı ordusunu. Sırama dönüp oturduğumda, düşmanı geçici bir süre de olsa yenilgiye uğratmaktan ötürü biraz rahatlamıştım. Artık tek düşündüğüm, eve gider gitmez gözyaşlarımla barışmak ve odama girip geberene kadar ağlamaktı. Ama dileğim gerçekleşmemişti. Ne yaparsam yapayım, bir türlü gözlerimden yaş gelmemişti. Ruhumdaki acıyı yaşa çevirip akıtmak sandığımdan da zordu. İç kanamalı öfkemse gittikçe büyüyordu. O anda gözüm, yanı başımda duran meyve tabağındaki bıçağa takılmıştı. Annemin, "Aman kızım, elma falan soyarken dikkat et, çok keskin!" dediği bıçak... Birden garip bir hayal düşmüştü aklıma. Tırnaklarımla yüzümü parçaladığımı, açtığım deliklerden de gözyaşlarımın fışkırdığını görmüştüm. İçimde canımı acıtmak için keskin bir arzu duymaya başlamıştım. Madem gözlerim ağlamıyordu, o zaman ben de bedenimi ağlatacaktım. Ama gözyaşıyla değil. Kanla. Ani bir kararla bıçağı elime alıp sağ avcumun içine bastırmıştım. Yanlış bir şey yaptığımı söyleyen mantığım bana durmamı emretmişti ama durmamıştım. Bıçakla boydan boya kesmiştim avuç içimi. Kırmızı sıvının parmaklarımın ucuna doğru süzülüşünü büyülenmiş gibi izlemiştim. Ruhumdaki zehrin akan kanla beraber beni yavaş yavaş terk ettiğini hissetmiştim. Büyüyü bozan, beni akşam yemeğine çağıran annemin sesi olmuştu. O anda, çok ayıp bir şey yaparken yakalanmanın paniğini duymuştum üzerimde. Tahtadaki problemi çözemediğim gibi, kalbimdeki problemi de çözememiştim. Üstelik, anneme de yakalanmak üzereydim. Hemen tuvalete gidip elimi yıkamaya başlamıştım. Ama elimi sudan çeker çekmez kan yeniden sızıyordu. Bir an için, hiç durmayacak sanmıştım. Bütün banyo kan gölüne dönecek ve ben kendi kanımda boğulacaktım. Neyse, bir iki saniye sonra durmuştu kan. Akmaktan canı sıkılmıştı. Geri çekmişti kendini, özgürlük pek hoşuna gitmemişti anlaşılan. "Oh, yakalanmadan kurtuldum!" diye sevinirken, birden avucumdaki bıçak izi yanmaya başlamıştı. "Bak, ben buradayım, nanik nanik!" diye kızdırıyordu beni. Ondan kurtulmanın bir çaresi yoktu. Hayır, vardı! Aniden aklıma çok mantıklı bir fikir gelmişti. Ellerim üşüyor bahanesiyle eldivenlerimi giyip öyle oturmuştum masaya. İyi ki, mevsimlerden yaz değildi...

Yemek sırasında avcumdaki sızı daha da artmıştı. Ama bu bana garip bir mutluluk veriyordu. Elimdeki yara benimle bedenim arasındaki bir sır olduğu için belki. Ailemden bağımsız, yalnızca bana ait bir şey... Artık annem ya da babam okuldaki başarısızlığımı öğrenseler de umurumda değildi. "Sizler beni incitmeden önce ben kendimi incittim bile, oh canıma değsin, geç kaldınız!" dercesine yüzlerine bakıyordum. Aslında eldiveni çıkarsam da fark etmeyebilirlerdi yaramı. Fark etseler bile, yanlışlıkla kestiğimi düşünüp bir iki şefkat hareketiyle birkaç uyarıcı söz ettikten sonra, paylaşımsız sessizliklerine geri dönerlerdi. Tabii babam, ağlamadığım için bir de "Aferin!" patlatırdı bana. Ama kötü insanlar oldukları için değildi bu ilgisizlikleri. O yaştaki bir çocuğun bu kadar çok acı çekebileceğini ya da acısını kanatarak akıtmaya çalışacağını düşünemiyorlardı sadece...

İki üç hafta boyunca o yara hep bana bakmıştı. Yavaş yavaş kaybolup, yerini düzgün bir deri parçasına terk ederken, sanki en iyi dostumu kaybettiğimi hissetmiştim. Sonunda da tamamen yok olmuştu. Onu bir daha hiç görememiştim. Uzun süre, özellikle üzüldüğüm ve öfkelendiğim zamanlarda, yaramı tekrar yaratmayı delicesine arzulamıştım. Bedenimin değişik bölgelerinde... Ama korkmuştum... Hep gözümde, oluk oluk akan kanımın içinde boğulduğum görüntüler canlanıyordu...

Yıllar geçtikçe unutup gitmiştim eski dostum yarayı. Ta ki o gün Ozan'ın burnu kanayana kadar. Ben olanları düşünüp gittikçe daha fazla acı çekerken, eski dostum yaram beni yeniden çağırmaya başlamıştı. Beni öperken duyduğum heyecan, dudaklarımdan içeri süzülen kanını görünce yaşadığım korku, ne olduğunu bilememek ve şiddetli bir şekilde ona âşık olmamın verdiği tedirginlik, başımın etini yiyordu. Binlerce aç soru da onlara katılıp, aklımı silip süpürüyordu, üstelik peynir ekmeğe gerek bile duymadan.

Acaba bu onun için sıradan bir öpüşme mi... Ya umurunda değilsem... Ben ona âşık oldum... O benim için ne hissediyor? Sabah olduğunda hiçbir şey olmamış gibi mi davranacak? Ne yapsam, eve mi dönsem acaba? Ama burnu kanadı. Korkup kaçtığımı sanmasını istemiyorum. Uyumadan önce, "Gitme," dedi bana. Gidersem olmaz.. Ama ya öylesine dediyse, aslında git demek istediyse. Bu kız da başıma kaldı, bir geldi, gitmek bilmiyor, diye düşündüyse? Burnu niye kanadı? Beni seviyor mu acaba? Çok içki içiyor, o yüzden mi kanadı burnu? Acaba sarhoş olduğu için mi benimle ilgileniyor? Ama bu gece hiç içmedi ki. Esrar da yok... Benden utanır gibi bir hali var... Yoksa daha tehlikeli bir şeyler mi kullanıyor? Onu kınayacağımı falan mı sanıyor? Beni sevsin yeter. Ne isterse yapsın... Ama ya başına bir şey gelirse? Şu yüzünün güzelliğine bak... Her işte bir hayır vardır. Belki burnu kanamasaydı benimle sevişmek isteyecekti ve bakire olduğumu öğrenecekti. Hoşuna gitmezdi herhalde. Sevişir miydim onunla? Ama daha on dokuz yaşındayım. Ayrıca, ne yapmam gerektiğini bile doğru düzgün bilmeden ona nasıl zevk verebilirim? Eninde sonunda öğrenecek bakire olduğumu. Başka insanlarla da provası olmaz ki bunun. Yoksa, bakire olmam hoşuna mı gider? İlk olmak... Ya her şeyi berbat edersem? Ya vücudumu beğenmezse? Göğüslerim çok büyük değil... Allahım, ne saçma şeyler düşünüyorum böyle! Yok ama, iyi oldu burnunun kanaması. Sevişmek isteseydi, hayır derdim. O da, "Ne dar kafalı kız!" derdi. Hayır, hayır, demezdi. Esas, olur deseydim, "Ne basit kız, hemen kabul etti," derdi. Yok yok, öyle de demezdi. O kadar güzel bir yüreği var ki, kimse hakkında kötü düşünemez o. Düşünür mü yoksa? İyi yürekli olduğunu ben mi uyduruyorum? Ama ben yapamazdım zaten. Cesaret edemezdim. Doğru düzgün tanımadığım bir insanla... Ama ona bakınca... Belki de... Belki de hiç düşünmeden yaşamak lazım. İçimdeki arzuya kulak vermem en doğrusu değil mi? Hayatım boyunca, onunla beraber olmadığım için pişman olmak istemiyorum. Peki, ya beraber olduğum için pişman olursam, ya hamile kalırsam? Allahım, ben ne yapacağım şimdi? Ya beni benim onu sevdiğim kadar sevmezse? Yeter, düşünmek istemiyorum! Dur beynim, ne olursun dur! Uyumam lazım. Uyumam lazım. Uyumam lazım...

Uyuyamıyordum. Gece Ozan'dan çıkıp eve döndüğümden beri yatakta debelenip duruyordum. Kalkıp çay yapmaya karar vermiştim. Biraz ot olsaydı rahatlardım belki. Ama bizim evde sigara bile bulunmazdı. Çayla idare edecektim artık. Ya da çaydanlıkla...

Su kaynıyordu. İçimdeki sıkıntı da onunla beraber fokurduyordu. Kalbim kaynar acıda haşlanıyordu sanki. Ocağı söndürüp çaydanlığı elime almıştım. Buharının sıcaklığını koklamıştım, Ozan'ın nefesini emer gibi. Bir filmde gördüğüm garip bir sahne gelmişti aklıma. Sinemadaki herkes başroldeki kızın yaptıklarını çığlık atarak izlerken, bir tek ben anlamıştım onun ne hissettiğini, çünkü çocukken ben de aynen onun gibi rahatlardım. Şimdi de aynısını yapacaktım.

Sandalyeme oturup, gözlerimi kırpmadan çaydanlığa bakmaya başlamıştım. Ozan uykuyla sevişirken, ben yavaşça elbisemi yukarı doğru sıyırıp bacaklarımı iki yana açmıştım. Çaydanlığı tenime değdirmemeye çalışarak bacaklarımın arasında tutmuştum. Sonra aniden yapıştırmıştım onları sıcak çeliğe. Gözbebeklerimde koyu bir alev yükselirken, dudaklarımın arasından kısık bir çığlık fırlamıştı. Derim şiddetle yanmaya, beynim titreyerek erimeye başlamıştı. Bedenim çığlık attıkça ruhum daha çok huzura dalmıştı. Patlamak üzereyken, buharını dışarı püskürterek fazla basınçtan kurtulan bir düdüklü tencere gibi... Tencere buharını atıyordu, bense buhranımı... Ve böylece her şey yeniden başlamıştı...

Hayır, her şeyin yeniden başlamasına izin veremezdim. Kararlıydım buna. Artık yanımda Ozan vardı. Bedenimi incitorek değil, Ozan'ın aşkına sığınarak rahatlayabilirdim. Gerçekten mi... Gerçekten yapabilir miydim?

# 5

"Kendimizi iyice müziğe verelim," demiştim Ozan'a. Sevdiğimiz tek işe... Ama bedenimi acıtıyor oluşuma benden çok onun morali bozulmuştu. Beni kaybetme korkusu iyiden iyiye artmıştı. Bir an önce müzikle ilgili büyük başarılar elde edip mutlu olduğumu görmek, böylece de onun yanından hiç ayrılmayacağımı garantiye almak istiyordu. Açıkçası, bu hali beni çok üzüyordu. Sanki gerçekten benim için endişelenmiyor da, bana bir şey olursa acı çekeceğini bildiği için, kendi adına telaşlanıyordu. Bir sevgiliden çok, Ozan'ı yatıştıran bir hapa dönüşmeye başlamıştım. Üstelik son günlerde daha sinirli ve somurtkan olmuştu. Beraber müzik yapabileceğimiz, kafasına uygun insanlar bulamıyordu bir türlü. Grup kurmak, sandığımız kadar kolay değildi. Zaten Ozan kimseyi beğenmiyor, müziğe karşı yeteneklerini az buluyordu. Ruhunda duyduğu armoniyi bozacak en ufak bir hataya tahammülü yoktu. İnsanlar da onunla çalışmaktan kaçıyorlardı tabii. "Alt tarafı kıçı kırık bir barda çalacağız, adam sanki senfoni orkestrası kuruyor," diye sinirleniyorlardı. Sonunda, genellikle gençlerin takıldığı Rock barlarda müzik yapma sevdasından vazgeçti ve entel sınıfın takıldığı gece kulüplerinde tek piyano ve vokal olarak çıkmamız gerektiğine karar verdi. Ben onun bu delicesine çırpınışları karşısında sessiz kalıyor, pek fazla ona karışmak istemiyordum, çünkü benim için önemli olan, onunla beraber müzik yapabilmekti. Nerede yaptığımızın da açıkçası pek bir önemi yoktu. Ama baştan beri şaşırdığım nokta, Ozan'ın vasat ses düzeniyle işleyen o köhne barlarda, kafayı çekmeye gelenlere müzik yapmayı düşünebilmiş olmasıydı. Sonunda bu kararından vazgeçeceğini ben başından beri biliyordum zaten. Görece nezih yerlerde, temiz ortamlarda piyano çalması daha doğru bir karar gibi görünse de, oralarda mutlu olamayacağını da biliyordum. Kendi müziğini yapmadıktan sonra, onun için piyano çalmak sanat değil, çalgıcılıktan ibaretti. Ama o bunu inkâr ediyordu. Hatta çok kısa zamanda, ünlü bir otelin gece kulübünde iş bile ayarlamıştı. Birden içinde bir ümit belirmiş, o coşkuyla, uzun süredir yapmak istediği bir şeyi daha yapmıştı. Ne yazık ki okulu bırakmıştı. Pek çok hocasının, benim ve Özgür'ün tüm itirazlarına rağmen hiçbirimizi dinlememişti. Okulun onun ruhunu öldürdüğünü, bundan böyle bütün zamanını benimle ve piyanosuyla geçirmek istediğini, müthiş besteler yapacağımızı, hatta dünya çapında bir üne bile kavuşabileceğimizi söyleyip duruyordu. Tabii, bu coşkusu da kısa sürede sönüp gitmişti.

Bütün gün evde, piyanonun başında oturup ilham gelmesini bekliyordu. Gidecek bir okulum olduğu için bana bile kızgınlık duyuyordu. Kendini işe yaramaz, boş biri gibi hissetmeye başlamıştı. Sürekli canı sıkılıyor, hiçbir şey yapmak istemiyor, içki ya da esrarla oyalanıyordu. O bulduğu otelde de yalnızca bir kere çıkabilmiştik, çünkü içki içmeye sabahtan başlamış, program esnasında da iyice kafayı bulmuştu. Bu da yetmezmiş gibi, etraftaki gürültüye sinirlenip piyano kapağını gümbürtüyle çarpmış, sonra da mikrofona, "Terbiyesiz insanlar, burada müzik yapıyoruz, dinlemeyecekseniz defolun!" diye bağırmıştı. İçinin dolup dolup taştığını biliyordum. Arzu ve hevesleri bedenine sığmayıp dışarı fışkırdıkları için, onları içki ve otla yatıştırmaya çalışıyordu. Bazen de kendini bomboş hissediyordu. Bu kısa süreli, birbirlerini takip eden dopdoluluk ve bomboşluk halleri, bir şişip bir zayıflayan vücutlarda deri nasıl çatlayıp zedeleniyorsa, onun benliğini de aynen öyle bozuyorlardı işte. Bunca umut, bunca çaba ve ardından gelen hayal kırıklığı... Müziğimizi birileriyle paylaşmak zorundaydık. Yoksa, patlatacaktı onu bu şiddetli melodiler. Birkaç plak şirketiyle de görüşmüştü. Ama klasik müzikle Rock karışımı alternatif bir tarzı destekleyecek bir şirket bulmak, bu sektörde imkânsızdı. Her reddedilişinde, uykunun verdiği hantallık ruhunda uzun gezintiler yapmaya başlıyordu. Duyduğu iç sıkıntısı, bedenini kendi malıymışçasına hırpalıyor, tüm organlarını zedeliyordu. Onun çocuksu hırsını, yaşama sevincini odun yerine koyup yakıyordu. Yüreğinde bir piknik sofrası kuruyor, her saniye ruhunu biraz daha yiyip bitiriyordu. "Müzik yapamayacaksınız işte, kimse sizin şarkılarınızla ilgilenmeyecek!" diyerek çıldırtıyordu onu. Ve ben bu durumu değiştirecek hiçbir şey yapamıyordum. Üstelik aşkımın ona yetmemesi, bu kadar mutsuzluğa gömülmesi beni mahvediyordu. Aynı onun gibi ben de, kendimi işe yaramaz ve boş hissediyordum. Tekdüze ilerleyen günlük hayatın köşeleri batıyordu dört bir yanına. Her aldığı nefeste sıradanlık, ağzından burnundan girip zehirliyordu içindeki ipeksi evreni. Tam artık onu neşelendirecek bir yol bulmanın mümkün olmadığını düşündüğüm bir sırada da, aniden değişiverip yine coşkuyla ayaklanabiliyordu. Acının daha yıkıma uğratmadığı saf bir bedene bürünüp kıpır kıpır dolaşıyordu etrafımda. Susmak bilmeden konuşuyor, ne kadar güzel bir geleceğin bizi beklediğinden bahsedip duruyordu.

"Şarkılarımızı seven bir kitlemiz mutlaka olacak, hayatımızı yalnızca müzik yaparak geçireceğiz!" Sesi nasıl da gür çıkıyordu böyle anlarda... Beni kolumdan tutup dışarı çıkarıyor, turist rehberi gibi İstanbul'u gezdiriyor, asla yorulmak bilmiyordu. Ama aradan beş altı saat geçmeden, yeniden, ümitsiz ve kırgın bir ifade kaplıyordu tüm yüzünü. O coşkulu sesi cıpcılız bir ıslığa dönüşüyordu. "Kimse duymuyor beni," diyordu. "Sen bile beni dinlemiyorsun. Ben böyle mutsuzken sen nasıl neşeli olabiliyorsun?"

Nasıl davranmam gerektiğine karar veremiyordum. Son derece neşeli dakikaların ardından öyle ani bir çöküşe geçiyordu ki... Ben doğal olarak onun kadar hızlı değişemiyordum. Mutluluğum bir süre daha devam ediyordu. O zaman da, kızıyordu işte bana. Onunla aynı anda gülmeli, aynı anda ağlamalıydım. Ama keyifsiz olmama da dayanamıyordu. O acı çekerken benim suratım asılınca, bu sefer de, "Ne olur, gül!" diye tutturuyordu. "Bir de seni üzdüğüm için vicdan azabı çekmek istemiyorum, ne olur, gül!" Gerçi ben yine de çok mutluydum. Bunun geçici bir dönem olduğuna inanmak istiyordum. Okulu bıraktığı için bir boşluğa düştü ama atlatır nasılsa, diyordum. Ama ondaki bu mutsuzluğu gördükçe umudum kırılmıyor da değildi. Piyanonun başına oturdu mu sinirleniyordu hemen. Bazen bana dönüp, "Ne gerek var ki bir şeyler yapmaya?" diye söyleniyordu. "Nasıl olsa, acı denen baş belası velet gelir, ne yapar eder, sonunda bozar yaptıklarımızı. Çürük dişlerini göstererek sırıtır ve sonra da hiçbir şey olmamış gibi çeker gider. Bizimle işi biter bitmez hemen başkalarının dünyasını yıkmaya gider pislik!"

"Hayattan siliniyor muyum?" diye garip bir soru sorar olmuştu son zamanlarda. Yoldan geçen insanlara bakıp, onlara acıdığını söylüyordu. "Bunlar, daha otuzlarına gelmeden hayallerinden vazgeçmişlerdi ya da geçecekler," diyordu. Sıradan bir hayata razı oldukları için acıyordu onlara. Ama daha çok kendine acıyordu. "Sıradanlaşıyor muyum yoksa?" diye korkuyla soruyordu bana. Hiçbir zaman gelmeyecek olan bir geleceğin, daha doğrusu "gelmeyeceğin" ünlü müzisyeni olarak mı kalacaktı? Her geçen günün sabahında, daha az sihirli bir dünyaya mı uyanacaktı, daha az özel, çok daha sıradan bir dünyaya?

Bazen, "Küçük bir dinleyici kitlemiz olsa bile yeter bize aslında," diyerek yeniden coşuveriyordu. "Geçinebileceğimiz kadar para kazansak, istediğimiz işi yapsak, yeter de artar bize!"

Ama barda çalma fikrinden de nefret eder olmuştu. "Para kazanacağız diye o aptal şarkıları çalmak istemiyorum. Hiçbir zaman müziğimden ödün vermeyeceğim!" diye söz vermişti kendi kendine. Sonra bu düşüncesinden vazgeçip, "Acaba plak şirketlerinin istediği gibi piyasa şarkıları yapıp önce kendimizi mi tanıtsak?" diye sormuştu bana. "Böylece, istediğimiz müziği yapmamız için yolumuz açılır."

Bunları söyledikten sonra da, ona bir vatan haini gibi baktığımı iddia edip sinirlenmişti. Aslında bunu yapan, onun kendi vicdanıydı. Mutfakta oturmuş makarna yiyorduk. Bir çatal makarnayı ağzına attıktan sonra, "Yürekten ve doğrudan bestelerimizin içine akan ruhumuzu, önceden hazırlanmış o ruhsuz, donmuş müzik kalıplarına nasıl sokarız?" diye sormuştu bana. Oysa ben, "Eline sağlık, çok güzel olmuş," gibi sıradan birkaç söz bekliyordum. O ise apayrı bir düşünce boyutuna gitmişti, ardından da piyanosunun başına. Önümdeki makarna tabağıyla öylece kalakalmıştım.

"Benim yüreğim var, o bana yeter!" diye bağırarak piyanonun kapağını hızla çarptığını duymuştum oturduğum yerden. Kalkıp yanına gitmiştim. Kendi kendine mi, yoksa benimle mi konuşuyordu, ayırmak güçtü.

"Buyurun bakalım, şimdi de kusurlarımdan pay çıkarıyorum! Benim yüreğim var, diye böbürleniyorum. Biliyorum, şimdi sen de, 'Of, Ozan, lütfen şu iç hesaplaşmalarını artık keser misin?' diye homurdanıyorsun içinden. Zaten orada oturmuş, beni dinlemekte olduğunun böylesine bilincindeyken, ben nasıl kendi kendimle hesaplaşabilirim ki? Sadece hesaplaşıyormuşum gibi yapabilirim, o da sırf sana doğal ve samimi görünebilmek için."

Sustuktan sonra saatlerce piyanonun başından kalkmamıştı. Bir türlü aradığı melodileri bulamadığı için deliye döndüğünün farkındaydım ama onu sakinleştirmek için yapabileceğim hiçbir şey yoktu. Gözü hiçbir şey görmüyordu, beni bile. Son bir umut, yeniden çalmaya başlamıştı. Eski coşkularının yeniden alevlenmesi, donmuş lavların yeniden ısınabilmesi için... Sihirli öpücükler gibi, piyanonun büyülü sesi iç volkanını uyandırabilsin diye... Ama olmuyordu. Volkan sönmüştü artık. Hissedemiyordu. Hem de çok uzun süreden beri. Artık kendini müziğe kaptırıp yeni düşler kovalayamıyordu. Kopamıyordu gerçek dünyadan. Yok olamıyordu.

Başı piyona tuşlarının üzerine düşüvermişti aniden. Bayıldığını sanıp yanına koşana kadar, o, gözlerini uzaklara dikip tekrar konuşmaya başlamıştı. Tıpkı bir robot gibi... Yavan, renksiz bir ifadeyle:

"Büyük besteciler olmasaydı ve ben onların eserlerini dinlemeseydim bu şarkıları yapmaya hiç kalkışmazdım belki. Hani olur ya, bir güzellik görür, özenir ve sen de ona benzer bir şeyler yapmaya çalışırsın, fakat sonra yaptığının basit bir taklit olduğunu kısa sürede anlayıp pat diye vazgeçersin... İşte bu şarkının kaderi bundan ibaret olacak herhalde."

Bir şey söyleyememiştim. Teselli sözcüklerinin bile onu kızdıracağını biliyordum. Yapabileceğim tek şey, saçlarını ve yüzünü okşayarak onu dinlemekti. Nota defterinin arasından bir kâğıt çıkararak bana uzattı:

"Bak, yine bir şeyler karaladım. Al, oku. Ama yine içinden oku lütfen, biliyorsun öbür türlü utanıyorum."

Sözcüklere onun en saf, en temiz hali aktığından, ne zaman bana yazdıklarını okutsa, yüreğini avuçlarıma aldığımı hissederdim. Bir yandan da korkardım okumaktan, çünkü acısının en katıksız hali de yazılarına akardı.

*Zeki olduklarını sanan aptallar gibi, kendime o özel insanların arasında bir yer bulmaya çalışıyorum. Sıradan yaşadıkları için başkalarını suçluyorum. Bu hakkı kendimde nasıl bulduğumu da, o insanlardan üstün olduğumu söyleyerek açıklıyorum. Belki de bütün bunlar, 'sıradan' diye aşağıladığım o hayatı bile yaşamaktan aciz olan ruhumu avutmak için yarattığım başarısız bir savunma mekanizmasından ibarettir. Üstelik, içimdeki boşluğumda o kadar çok şey var ki, boş şeylerin tıka basa doldurduğu bomboş içimde, kımıldayacak, hatta ve hatta şu besteye ayıracak yer bile yok. Boş şeylerle çok meşgul bir insanım ben! Hayır, hiçbir zaman öyle olmadım. Sevmem aslında bir amacı olmayan eylemleri. Böyle eylemler yere sağlam basmadıklarından ne doğru dürüst yürüyebilirler, ne de zorluklarla dans edebilirler. Havada uçuşan avare düşüncelerdir hammaddeleri. Şunu mu yapayım, bunu mu yapayım, onu mu yapayım derken, bir anlık hevesle yapmaya kalktığım bu ucuz eylemler çok pahalıya patlarlar bana. Beynimde binlercesi türediğinden (çok da kolay türerler, zahmetsizce), gerçekleştirmem gereken o biricik amacıma sarıl-*

*mamı geciktirirler ve sahip olduğum tüm gücü yiyip bitirirler. Tıpkı o saçma sapan barda, saçma sapan parçalar çalarak para kazanmaya kalkışmam gibi. Hatta belki de konservatuvarı bırakmam gibi. İşte bu yüzden, gerçekte tek amacım müzik yapmak olmasına rağmen, binlerce iş arasında bir ona bir buna koşarken, hiçbirini gerçekleştirememenin ve gerçekleştirmek için gerekli olan itici kuvvetin eksikliğiyle acıya boğuluyorum. En büyük amacım olma iddiasıyla yüreğime başvuran fikir parçaları, onu ilk anda kolayca ayartabiliyorlar. Ama yorgun beynim işin içine girince, hepsi birden solup gidiyorlar. Güzel bayanların sigaralarını yakmak için zıpkın gibi fırlayan ateşe benzeyen heveslerim, daha sonra mantığım tarafından gazı tüketilen zavallı sönük bir alevciğe dönüşüveriyor. Çakmağa ne kadar kuvvetli bassam da, çıkaramıyor delikten kafasını alevcik ve benim de başparmağım yara oluyor tabii. Daha doğrusu yüreğim... Çünkü her bulduğum çıkış yolu, kısa süre içinde parlak bir fikir olmaktan çıkıp, ruhumu yoran yokuşlara dönüşüyor.*

Okumam bittikten sonra yüzüne bakamamıştım. Yazdıklarının bedenimde yaralar açma arzumu nasıl arttırdığını yüzümdeki ifadeden anlamasından korkmuştum. Ama bir iki saniye sonra üzerime çöken ağlama krizi, Ozan'ın her şeyi anlamasına neden olmuştu. Onu daha fazla üzmemek için, yalnız kalmak istediğimi söyleyip, apar topar dışarı atmıştım kendimi. Uzun bir süre bilinçsizce attığım adımlar, bir sır gibi saklamışlardı benden nereye gittiğimi. Ayaklarım ve ben ayrı parçalar halinde yürümüştük. Nereye gittiklerini umursamamıştım, zorlamamıştım onları bir açıklamada bulunmaları için. Tüm sokaklar intihar kokuyordu. Dertli fırtınalar esiyordu göğüs kafesimde. Kasım, sonbaharlılığını tüm gücüyle gösteriyordu bana. Her şeyin sonu gelmişti sanki. İsten kararmış çirkin apartmanların uğultuları deviriyordu iç organlarımı. O apartmanların içinde bile yaşayanlar vardı. Benim içimdeyse tek bir canlılık kıpırtısı yoktu.

Evin önüne geldiğimde, salonun ışıklarının hâlâ yanık olduğunu görmüştüm. Saat sabahın ikisiydi ve normalde annemle babamın çoktan yatmış olmaları gerekirdi. Babam altmışa merdiven dayamıştı. Muayenehaneden çok yorgun dönerdi. Yemekten sonra televizyonda birkaç şey izleyip hemen yatardı. Annem de en geç on iki dedin mi, okuduğu kitaplardan artakalan düşlere sarılıp sızar kalırdı. Peki şimdi niye... Acaba beni mi merak etmişlerdi? Ama onlara geç kalacağımı söylemiştim. Yoksa hasta falan...? Belki de misafirler... Ya da sadece ışıkları açık unutmuşlardı... Olamaz mıydı yani?

Asansörden inip kapının önüne geldiğimde, daha anahtarları çantamdan çıkarmama kalmadan annem kapıyı açmıştı.

"Gel kızım, içeri gir," derken, yüzünde herhangi bir kızgınlık ifadesi yoktu. Aksine, annesinin değerli vazosunu kırıp da nasıl itiraf edeceğini bilemeyen küçük bir çocuk gibi bakıyordu yüzüme.

Beraber salona geçtiğimizde, babamın da yatmayıp beni beklemiş olduğunu görmüştüm. Misafirlerin geldiği zamanlar dışında salonda oturmazdık biz. Anormal bir durum olduğu kesindi. İyice meraklanmaya başlamıştım.

"Ne oldu baba, bir sorun mu var, niye yatmadınız, yoksa beni mi merak ettiniz, ama geç geleceğimi söylemiştim, üstelik çok da geç kalmadım ki..."

"Dur kızım, sakin ol!" diyerek susturmuştu babam beni. "Bir şey yok, merak etme. Sadece seninle bir konuyu konuşup fikrini almak istiyoruz."

Yaşadıklarım yetmezmiş gibi, bir şok daha kaldıracak gücüm yoktu. Külçe gibi koltuğa yığılmıştım.

Babam, kem kümlerle açtığı konuşmasına, "Bak, kızım..." sözleriyle devam etmişti:

"Şimdi biz annenle diyoruz ki... Şey, diyoruz... Şey, kızım... Bak, kızım, biz çok yorulduk. Bu şehir bizi çok yordu. Yeterince paramız da var artık... Daha fazla çalışıp didinmek, hayatımızın geri kalanını burada tüketmek istemiyoruz. Şunun şurasında ne kadar günümüz kaldı? Zaten annen emekli olduğundan beri canı çok sıkılıyor, ben de muayenehanede dert dinlemekten bıktım, usandım...."

Bu konuşmanın sonunun nereye varacağını hâlâ kestiremiyordum. Gözlerim tenis maçı izler gibi, bir anneme bir babama kayıyordu ama her ikisi de gözlerini benden kaçırıyorlardı. Babam lafın gerisini getiremeyince, annem devreye girmişti:

"Çamlık'taki yazlığa tamamen yerleşip, yaz kış orada yaşayalım diyoruz."

"Benimle dalga geçmiyorsunuz, değil mi?" diyerek sözlerini kesmiştim.

Bunca yıldır yaşadıkları şehri terk edip, o küçük sahil kasabasına nasıl taşınırlardı? Yazın bir derece oyalanırlardı belki ama kışın ne yapacaklardı? Herkes tatilini bitirip evine geri döndüğünde ıssız bir yer olup çıkardı orası. Kendini plaja atan, bisikletle gezinen, sabahlara kadar eğlenen kalabalıkların, çay bahçeleriyle gazinoların sesleri kesilip soğuklar geldiğinde ne olacaktı? Peki, ya ben ne olacaktım? Burada tek başıma mı bırakacaklardı beni? Hiç özlemeyecekler miydi? Bensiz olmak onların mutluluğunu alıp götürmeyecek miydi?

Aşırı duygusallaşmıştım. Oysa düne kadar, Ozan da ben de, aynı evde yaşayıp yirmi dört saati beraber geçirmenin hayallerini kuruyorduk. Ailemin bunu kabul etmesi imkânsızdı tabii. Ozan, "Hiç olmazsa kendi evine çıkmak istediğini söyle onlara," diyordu. Ama bu, fazladan para demekti. Belki okumak için başka bir şehre gitmiş olsaydım, yalnız oturmama izin verebilirlerdi ama aynı şehirdeyken olmazdı. Hem tek çocuk olduğum için benden ayrılmak istemezlerdi. Yani ben öyle sanmıştım. Görünüşe bakılırsa yanılmıştım. Gerçi hiçbir zaman aşırı derecede üzerime titredikleri falan olmamıştı ama kavgamız gürültümüz de olmazdı. Üçümüz de, aramızdaki kopukluğun bilincinde olmanın getirdiği yalnızlık korkusuyla, ortak bir noktada buluşmuştuk. Çok ince ve zayıf bir bağdı aramızdaki... İlk önce hangimiz tarafından koparılacağı da gizli bir merak konusuydu. Açıkçası ben, bunu yapacak ilk kişinin, ailenin en genci olarak kendim olduğunu sanmıştım. Ama onlar benden önce davranmışlardı işte! Üstelik ikisi birden... Güç birliği yaparak... Beni saf dışı ederek... Sırtımdan vurulmuştum!

"Hem sen de koca kız oldun, yalnız başına yaşamak hoşuna gitmez mi?" diye sormuştu babam.

Daha dün, babamın karşısına geçip yalnız yaşamak istediğimi söyleseydim ve o da konuya bu şekilde yaklaşsaydı, dünyanın en mutlu insanı ben olurdum herhalde. Ama şimdi durum farklıydı. Ayrıca sanki birbirlerine çok âşıklarmış gibi sahil kasabalarına taşınmak da neyin nesiydi böyle? Bir gün olsun, baş başa bir sinemaya ya da yemeğe gitmişlikleri var mıydı? Babamın televizyon, annemin de kitap başında ayrı ayrı geçirdikleri vaktin yüzde kaçını beraber geçiriyorlardı? Annem, İngilizce öğretmenliğinden emekli olduğundan beri, kitaplara gömülüp başka insanların maceralarını okuyarak, kendi hayatını doldurmaya çalışıyordu. Çamlık'ta bir roman kahramanına dönüşeceğini mi sanıyordu? Peki, ya babama ne demeliydi? Televizyon karşısında ha İstanbul'da uyuklamış, ha Çamlık'ta, ne fark edecekti ki? Onları burada yoran ne olabilirdi? Başlarına gelebilecek en ufak bir heyecandan bile çekinen, aşırıya kaçmak ya da acı çekmek korkusuyla her türlü duygusal deneyimi es geçen, sessiz sakin insan olma bahanesinin altında yaşama karşı korkaklıklarını gizlemeye çalışan annemle babamı ne yormuş olabilirdi? Evet, biliyordum. Kendilerinden, kendi kısır duygularından yorulmuşlardı. Ama kişiler aynı kaldıkça, bulundukları yerin değişmesi ne işe yarardı?

"Asıl sorun şu, biz annenle bu evi kiraya verelim diyoruz. Hem senin için çok büyük burası. Çekip çevirmesi çok zor olur. Okuluna yakın, şöyle küçük bir daire kiralayalım diyoruz."

Bir şeyler söylemem için yüzüme bakıyorlardı. Ne diyeceğimi bilemiyordum. Kafam allak bullak olmuştu. Böyle bir kararı nasıl pat diye alabilmişlerdi? Hayır, demem bir şey değiştirir miydi? Hem niye hayır diyecektim? Ben zaten ayrı yaşamayı istemiyor muydum? En iyisi, bir an önce duygusallığı bırakıp mantıklı düşünmeye başlamaktı. Kendime ait bir dairem olursa, Ozan'la rahat rahat, istediğimiz gibi görüşebilirdik. Bu işe en çok o sevinecekti zaten. Doğrusu benim de içim kıpır kıpır olmaya başlamıştı. Kasvetli düşüncelerimin yerini, Ozan'la beraber geçireceğim anların heyecanı ve mutluluğu almıştı. Özgürlük yüzüme bakıyordu... Kapılar açılmıştı. Evet, çok mutluydum! Yoksa... Yoksa, değil miydim? Annemle babamın yüzlerine baktıkça içim burkuluyordu. Kendimi bildim bileli onlarla yaşamıştım. Şimdi burada tek başıma... Gerçi İstanbul'la Çamlık arasında bir buçuk, iki saatlik mesafe vardı ama, bu seferki kısa süreli bir tatil olmayacaktı. Beni tamamen bırakıyorlardı.

Kendi odasından fazla çıkmayan biri olmama rağmen, oturma odasında babamın televizyon izlediğini, annemin de içeride bir yerde kitap okuduğunu bilmek güzeldi. Onları özlemek zorunda kalmamıştım hiç. Oysa şimdiden özlemeye başlamıştım bile. Ağlamamak için zor tutuyordum kendimi. Dayanmalıydım. Ağlamak acizlikti, ağlamak zayıflıktı. Babamın karşısında dimdik durmalıydı insan. Ne üzüntü ne de sevinç gösterisinde bulunmaya gerek yoktu. Zaten içimden hiçbir şey yapmak gelmiyordu. Sanki birden, duygularımı harekete geçiren tüm bağlar kesilmişti. Garip bir hissizlik çökmüştü üzerime. "Ne isterseniz yapın," demiştim. "Benim için çok da fark etmez."

"Yani, tamam mı diyorsun?" diye sormuştu annem, olayın bu kadar sorunsuz çözülmesine şaşırarak.

"Tamam," deyip çekilmiştim odama. Ozan cep telefonuma bir sürü çağrı bırakmıştı. Merak ettiğini biliyordum. Kendimi biraz toparlayınca, telefon etmiştim ona. Tabii, evinden ağlayarak çıktığımdan, Ozan son derece endişelendiğini söyleyip, bana hesap sormaya, cep telefonumu açmadığım için beni azarlamaya, sonra da buna neden olanın kendisi olduğunu söyleyip özür dilemeye başlamıştı. Paniğini susturabilmek için, "Sana bir haberim var," demiştim. Üzerimde gezinen garip soğukluk sesime yansıdığından, Ozan daha da endişelenip, "Yoksa kötü bir haber mi?" diye sormaya başlamıştı. "Yok, sadece bizimkiler Çamlık'ta yaşamaya karar vermişler," diye devam etmişti soğuk sesim. "Bana da burada küçük bir daire kiralayacaklarmış."

Ozan büyük bir şaşkınlıkla, defalarca şaka yapıp yapmadığımı sorduktan sonra, sevinç çığlıkları atmaya başlamıştı. O güldükçe ben de gülmeye başlamıştım. İçindeki mutluluk, telefon tellerinden kayarak, hoplayıp zıplayarak bendeki ikizini titreştirmişti.

"Su perisi, sen ne dediğinin farkında mısın? Artık yirmi dört saat benimsin. Asla yanımdan ayrılamazsın! İstediğimiz kadar baş başa kalabiliriz. Kimseye hesap vermeden ne istersek yapabiliriz!"

Üzerime derin bir huzur serilmeye başlamıştı. Ozan'ın sözleri, doymak bilmeyen sevilme ihtiyacımı iyileştiriyordu. Telefonu kapattıktan sonra, annemle babamın bana yaşatmış oldukları yalnızlık duygusundan eser kalmamıştı. Camdan dışarı bakıp, Ozan'la baş başa geçireceğimiz günlerin, kendi evimin, yeni hayatımın hayalini kurmaya başlamıştım. Ama gerçeklik bir süre sonra araya girmişti. Mecidiyeköy'den karşıya geçen otobüslerin kalktığı alanla baş başa kalmıştı gözlerim. Saat sabahın dördü olduğu için ortalık bomboştu tabii. Yalnızca birkaç otobüs sessizce bekleşiyordu. Yeniden hüzün kaplamıştı içimi. Sanki, bu evden çıkıyorum diye otobüsler suspus olmuş, tüm yolcular da küsüp gitmişlerdi. Oysa biliyordum, saat altıyı gösterdi mi yeniden motorlar homurdanmaya başlayacaktı. Belki de buydu asıl üzücü olan. Ben ayrıldıktan sonra hiçbir şeyin değişmeyeceğini, varlığımın ve yokluğumun hayatın akışında hiçbir değişiklik yaratmayacağını bilmek...

Sabah derse gitmek için çıktığımda, apartmanın önünde beni bir sürpriz bekliyordu. Ozan... Sabah sabah görebileceğim en güzel varlık. Elimden tutup beni kaçırmaya gelmişti. Nereye gittiğimizi bilmeden, "aşk sarhoşu" tamlamasının vücuda gelmiş hali olarak koşuyorduk. Yüzümüzde kocaman gülümsemeler... Daha fazla koşacak enerjimiz kalmayıp soğuktan donmaya başlayınca da, taksiye atlayıp Ortaköy sahiline gitmiştik. Deniz kenarındaki banklara oturmuştuk. Hem üşüdüğünden hem de mutluluktan, kıpır kıpırdı Ozan. Daha oturalı bir iki saniye olmadan, yiyecek bir şeyler almak için köşedeki pastaneye gitmişti. Falcı kadınlar, incik boncukçular, dükkânlar, kafeler tam anlamıyla uyanamamışlardı henüz. Zaten asla yazınki canlılığı bulamazdık. Ama martılar çoktan başlamışlardı mesaiye. Banklardan birinde, iki sevgili bağıra bağıra tartışıyorlardı. Sabahın köründe. Körü körüne. Kavgalarla aşklarını körelterek... "Alıngansın!" diye bağırıyordu çocuk. "Beni sürekli ezmeye çalışmasan alıngan olmazdım!" diyordu kız. Bulutsuz gökyüzünün ve pürüzsüz soğuğun sükûnetini bozuyordu bağırtıları. Ölümün kokusunu alan akbabalar gibi, falcı kadının biri de aniden başlarına üşüşüvermişti. "Abe bakayım bi falınıza, söyleyeyim derdinizin dermanını..."

"Senin sevdiğin o üstü çikolatalı çöreklerden aldım," diyerek, dizinin arasına giren bir çörek reklamı gibi geri gelmişti Ozan. "Kendime de aynısından aldım."

"Ama sen bu çöreği sevmezsin ki..."

"Olsun, sen ne yersen aynını yemek istiyorum bugün."

Nasıl bir sevgiydi bu? Nasıl bu kadar çok seviyorduk birbirimizi? Nasıl bu kadar kusursuz olurdu bir insanın yüzü? Önemli olan fiziksel özellikler değil, ruh güzelliği diyenlere hak vermek mümkün değildi. Denizin bütün anlamını yitirmesine neden olan gözleri olmasaydı, bu kadar çok sevebilir miydim onu?

"Ama önce sen ye," demişti paketi açarak. "O kadar tatlı yiyorsun ki, seni seyretmek acayip hoşuma gidiyor!"

Yandaki çiftin sesi soluğu kesilmişti. İkisi birden pürdikkat, falcının sözlerini dinliyorlardı. Ozan, dikkatimin başka bir yere kaymasına bir an olsun izin vermeyip, "Ya, yüzüme bak," diye nazlanmaya başlamıştı. "Çok güzel bir fikrim var, gerçekten çok güzel!" deyip duruyordu. "Bak Sade, bütün gece oturup plan yaptım. Benim altımdaki ev satılık, biliyorsun. Gerçi annenler kiralık istiyorlar ama belki ikna edersin onları su perim, ha, ne dersin? Bir düşünsene, ne müthiş olur! Neredeyse aynı evde yaşamak gibi... Zaten ben seni hiç aşağıya yollamam. Ya da bir hafta sende, bir hafta bende kalırız...."

Sanki bunu yapmak elimdeymiş gibi beni ikna etmeye çabalaması içimi burkuyordu. Annemlerin evi satın alacak parayı toparlamaları neredeyse imkânsızdı. Bunu ona anlatmama rağmen, Ozan'ın ümidi bir türlü dinmiyordu...

Bir fikir ayrılığının kokusunu alan falcı kadın, rotasını hızla bize doğru çevirmiş geliyordu... Apar topar kalkıp, hamburgercilerin olduğu iç kısma doğru ilerlemeye başlamıştık. Bu sefer de bir dilenci kadın çıkmıştı karşımıza.

"Allah sizi birbirinize bağışlasın, Allah sizi ayırmasın..."

Nefret ediyordum, dilencilerin var olmasına neden olan bir sistemin içinde olmaktan. Mutlu olduğun için vicdan azabı çekmen gerektiğini ima eden acıklı dilenci bakışlarından...

Ozan, hâlâ yemediği çöreğini uzatıp kadına vermişti. Ama kadının istediği paraydı. Sert sert Ozan'a bakıp, "Niye veriyorsun bunu bana?" diye sormuştu. Elinde çörekle kalakalmıştı Ozan. "Yemek istersiniz diye düşünmüştüm," demişti kibarca. Ama kadın kuşkuluydu, iyiliğe karşı inancını yitirmişti. Şüpheyle doyuruyordu karnını ayakta kalabilmek için. "Yere falan düşürmüşsündür sen onu! Yoksa bana vermezdin. İstemem çörek falan!"

Ozan şaşkın şaşkın bakıyordu hâlâ kadına. Kolundan çekip uzaklaştırmaya çalışmıştım onu. Arkamızdan kadının yine o acıklı tona bürünen sesi geliyordu. "Allah rızası için bir ekmek parası..."

İkimizin de rengi solmuştu. Sevgisizliğin yüzünü gördüğümüz her an böyle atıyordu rengimiz. Rengine kavuşmak için yeniden ısrar etmeye başlamıştı Ozan, "Lütfen Sade, yanıma taşın," diye. "Ya da çok yakın bir yerlere..."

Sonuçta, ailem onun istediği gibi, tam altındaki daireyi satın almamışlardı ama, ben allem edip kallem edip, Ozan'ın oturduğu apartmana çok yakın bir yerden daire kiralatmayı başarmıştım onlara. Her şeyin bu kadar çabuk gelişmesi beni şaşkına çeviriyordu. Açıkçası, annemle babam karar verme aşamasını daha bir iki ay geçemezler diye düşünmüştüm, ama onlar yangından mal kaçırırcasına tüm aşamaları hoplaya zıplaya geçip bitiş çizgisine varmışlardı ve şimdi de oradan bana el sallıyorlardı. Sanki şimdiye kadar atladıkları yaşam parıltılarını, geriye kalan kısa zamanı boşa harcamadan yakalamak istiyorlardı.

Mecidiyeköy'den sonra Levent'e alışmak zor olmamıştı benim için. Benzer semtler oldukları için belki de. Levent biraz daha düzenli, biraz daha sevimli gelmişti hep bana. Bazen de biraz daha ukala ve havalı. Ama pek de umurumda değildi açıkçası, hangi semtte oturduğum. Ozan'ın yakınında olmak yetiyordu bana.

Bir oda, bir salon, minicik bir daireydi kiraladığımız yer. Etrafta çok az eşya olsun, hatta evim koltuksuz, kanepesiz, sadece minderlerle, puflarla döşeli olsun istemiştim. Birkaç küçük ayrıntı dışında da öyle olmuştu zaten. Annemin, "Aaa kızım, hiç koltuksuz olur mu, bari şu köşeye bir tane koyalım," gibilerinden müdahaleleri sayesinde, birkaç küçük koltuğa razı olmuştum tabii.

Bütün bu taşınma süresince Ozan, bir an olsun yanımdan ayrılmayıp, bir oraya bir buraya koşturup durmuştu. Annemle babam, beni emanet edebilecekleri sadık bir arkadaşımın olmasına ne kadar sevindiklerini söyleyip duruyorlardı. "Neyse ki, gözümüz arkada kalmayacak, birbirinize sahip çıkarsınız artık," diyorlardı. İkisi de bunun sıradan bir arkadaşlık olmadığının farkındaydılar. Biz de onların farkında olduğunun farkındaydık. Ama kimse bu sessiz anlaşmayı, hepimizin bildiği şeyleri kelimelere dökerek bozma gereği duymuyordu.

Kendi evime taşındığım ilk gün, annemler de Çamlık'a taşınmak için son hazırlıklarını tamamlamak üzereydiler. Bu koşturmacanın arasında yorgunluktan bitkin düştükleri için, evdeki ilk gecemde beni ziyarete gelememişlerdi. Yine yanımda sadece Ozan vardı...

Elinde kocaman torbalarla gelmişti. Sonra da tam bir Noel Baba edasıyla, torbaların içinden bir sürü küçük hediye paketi çıkarmıştı. Ben de yere oturmuş, önce elime tutuşturduğu hediyeleri mi açsam, yoksa boynuna mı atlasam, karar veremiyordum.

Paketleri açmaya başlar başlamaz kucağım çeşit çeşit mumlarla, tütsülerle dolup taşmıştı. Mumlara nasıl düşkün olduğumu biliyordu. Yine aşkının kanatlarıyla havalara uçurmuştu beni. Ayaklarım tekrar yere bastığındaysa, başını gömmüştü kucağıma. Gözleri dolmuştu.

"Korkuyorum Sade," demişti. "Hayatımda beni ayakta tutan senden başka kimsem yok ve seni kaybetme korkum bana işkence yapıyor. Ya başka birine âşık olursan, ya artık bana katlanamazsan, benden sıkılırsan? Korkuyorum Sade, çok korkuyorum."

Tam da annemlerden ayrılmışken söylenecek laf mıydı şimdi bu? Yalnızlık korkusunu bana da mı bulaştırmak istiyordu? Asıl ben ona dert yanmak, kendimi çölde tek başına kalmış cılız, kuru bir ağaç gibi hissettiğimi söylemek istiyordum, ama o yine benden önce davranmıştı. Bir gün olsun, sırtımı Ozan'a yaslayıp güç alamayacak mıydım ben? Neden hep düşen o oluyordu? Bazen onu tutmaktan çok yoruluyordum. Güçlü biri değildim ben. Belki ondan da güçsüzdüm, ama onun yanında sürekli sağlam durmak zorundaydım. Onun en azından yaslanabileceği bir Sade'si vardı. Ben kime anlatacaktım derdimi? Ozan'a en ufak bir sıkıntımı açsam, benden daha çok dertlenip hemen panik oluyordu. Ben onun, "Güven bana, ben yanındayım," demesini beklerken; o, "Çok korkuyorum Sade, şimdi ne yapacağız?" diye soruyordu.

"Sade, neden susuyorsun? Lütfen, beni teselli edecek bir şeyler söyle..."

"Seni sevdiğime ve asla bırakmayacağıma inan artık Ozan! Lütfen böyle yapma... Bu gece yapma, ne olur! İnan, ben de kendimi iyi hissetmiyorum. Ailemin beni bırakmasına alışamadım henüz..."

Başını kucağımdan kaldırıp doğrulmuştu. Parmaklarının ucunu yanaklarıma değdirerek öylece kalmıştı. Sesim biraz sert mi çıktı acaba, diye düşünmeye başlamıştım. Kırmış mıydım onu? "Hayır, kırmadın," dercesine ılık bir öpücük kondurmuştu dudaklarıma. Sonra da, beni çok iyi anladığını, çünkü terk edilmişliğin verdiği o berbat yalnızlık hissini yıllardır kendisinin de yaşadığını söylemişti.

"Bu yalnızlık hissi, galiba annem ve babamdan geçti bana. Özellikle de annemden... Hatırlıyor musun, babamın üzüm ve şeftali hikâyesinden bahsetmiştim sana..."

"Evet, tabii hatırlıyorum," demiştim içimden. Ama ona cevap vermemiştim. Konuşacak halim yoktu. Yalnızca bana sarılmasını, susup dinlemesini istiyordum. Annesinin yalnızlık bunalımlarını dinleyecek durumda değildim. Neden şu günümde bile beni dinlemek yerine, kendi ailesinden bahsediyordu, anlayamıyordum.

"Hatırlıyorsun, değil mi, birtanem? Hani, babam Amerikalılara üzüm, Türklere şeftali derdi ya... İşte annem de, Türkiye'ye geldiğinde, şeftaliler arasına yanlışlıkla yuvarlanmış bir sarı üzüm tanesi gibi yapayalnız kalırdı. Suç biraz da kendisindeydi tabii! Örneğin, bir kez olsun ağzını açıp Türkçe bir söz söylemezdi. Aslında epey bir anlıyordu konuşulanları. Babam Türkçe'yi öğreneyim diye sürekli evde Türk kanallarını açtığından, annem de yavaş yavaş konuşulanları kavramaya başlamıştı. Yanlarında birkaç Türkçe kelime etmiş olsaydı, eminim babamın ailesi çok sevinirdi. Ama etmezdi işte! Babam da gıcıklık olsun diye, sohbet esnasında konuşulan hiçbir şeyi ona tercüme etmezdi. Babamlar kendi aralarında gülüp eğlenirken, annem elinde kitabıyla bir kenara çekilirdi ve olan bitene karşı son derece ilgisiz görünürdü."

"Yazık kadıncağıza, çok sıkılıyordu herhalde," demiştim laf olsun diye. Ama o, "Esas, bana yazıktı!" diyerek hemen itiraz etmişti.

"Ben hep iki arada bir derede kalırdım. Ne yapmam gerektiğine bir türlü karar veremezdim. Babamlarla oturup eğlensem, annemi yalnız bıraktım diye vicdan azabı duyardım. Annemle otursam, bu sefer de ötekiler bozulurdu. Ben öyle sessiz ve şaşkın bir halde dolaştıkça, babaannem, 'Bak, görüyor musun, çocuğu da kendine benzetti gâvur karı!' diye söylenirdi. Tabii, gâvurun anlamını tam olarak bilmesem de, 'aptal' ya da 'çirkin' gibi kötü bir anlamı olduğunu tahmin edebiliyordum. Şimdi düşününce, bazen kızıyorum anneme, neden hiçbir şekilde babamın ailesiyle iletişim kurmaya çalışmadı diye."

"Belki de dil yetersizliğindendir..."

"Ama dedim ya, Türkçe bilmediğini iddia etse de, hakkında konuşulanları anlıyordu."

"O zaman söylenen tüm kötü sözleri de anlamıştır," demiştim sertçe, sırf ona ters bir şeyler söylemiş olmak için. "Tabii, bu durumda onlarla konuşmak istememesi normal."

"Evet, haklısın. Zaten ben de annemi suçlamıyorum. Kimseyi suçlamıyorum," demişti benim bütün bu olumsuz tavrıma rağmen. Bana hak vermesi iyice sinirlendiriyordu beni. Onu ilk defa kırmak istiyordum, sinirlendiğimi anlayabilmesi için. Ama anlamaya niyeti yoktu. Tek istediği, yine kendi sorunlarını anlatmaktı.

"Merak ettiğim bir şey var. Acaba ilk tanıştıkları zamanlarda da mı böyleydi araları? Babaannemler, o soğuk davrandıkça mı nefret etmişlerdi ondan, yoksa her koşulda zaten nefret edecekler miydi? Annem bunu bildiği için mi baştan soğuk davranmayı tercih etmişti acaba? Çünkü insanın nedensiz yere sevilmemesi, işlediği bir kabahatten ötürü sevilmemesinden daha fazla acı verir. Annem de peşin peşin, daha işin başındayken araya mesafe koyup, onlardan önce davranmak istemişti belki de. Böylece, yalnız bırakıldığını değil, yalnız kalmayı tercih ettiğini göstermek istiyordu onlara. Hem kendini cezalandırıyordu hem de onları, özellikle de babamı... Ama insanın tüm tatillerini, eşinin ailesiyle beraber, üstelik sevmediği insanlarla, sevmediği bir ülkede geçirmesi pek hoş olmasa gerek. O yüzden, bütün tatil boyunca beş karış suratla gezmesine ve hiçbir şeyden memnun kalmamasına anlayış göstermeye çalışmışımdır hep. Tabii, bu arada, kendi mutsuz olduğu yetmezmiş gibi, bizler de onun mutsuzluğundan ötürü huzursuz olurduk. Böylece annem, babamla evlendiği için kendini, bütün isteksizliğine rağmen onu buraya getirdiği için de babamı cezalandırmış olurdu. Arada kaynayan, ben olurdum tabii..."

Son cümlesini söylerken derin derin soluk almaya başlamıştı. Alnında ter damlacıkları birikiyordu. Yüzü kızarıyordu. Yine de konuşmaya çalışıyordu. Elimi alnına koymuştum. Ateşi çıkmıştı. Hemen bir şey içip içmediğini sormuştum. Sayıklar gibi, beş-altı kez, "Hayır, içmedim!" deyip durmuştu. Sonra bütün gücüyle kendini toparlamaya çalışarak, "Sana daha önce bahsetmediğim bir sırrımı söylemek istiyorum Sade," demişti. Ellerimi tutup yüzüme bakmıştı. Başıma doğru cehennemden kaçıp gelen bir ateşin yükseldiğini hissetmiştim. Kötü bir haber daha mıydı?

"Sade, daha önce sana söyleyemedim. Hem utandım, hem de gerçekten konuşmak istemedim. Konuştukça hatırlıyorum, hatırladıkça daha kötü oluyorum. Eski sıkıntılarım geri dönüyor galiba. Ne yapacağımı bilemiyorum. Çok kötü hissediyorum Sade, lütfen bana yardım et!"

Ben daha ne olduğunu anlayamadan boynuma atlayıp ağlamaya başlamıştı. Üzülmesine dayanamıyordum. Bir yerimi kanattığımda geçici bir süre rahatlamama rağmen, onun acısı kalbimi kanattığında hiç de rahatlayamıyordum.

"Ne sıkıntısı bu böyle Ozan? Dur, sakin ol, haydi bebeğim, sakinleş biraz... Tamam mı, biraz rahatladın mı şimdi? Bak, ama ben yanındayım birtanem. Korkacak bir şey yok. Ben hep yanındayım. Buradayım işte..."

"Sade, ben on beş, on altı yaşlarında çok kötü günler geçirmiştim ve zaman zaman o iç sıkıntısını, o berbat buhranı yeniden yaşıyorum. Bugünlerde çok yoğunlaştı. Ne yapacağımı bilemiyorum. Bak, şimdi yine geldi!"

"Ne geldi bebeğim, söyle haydi korkutma beni!"

"Sıkıntı diyorum, sıkıntı geldi, iç sıkıntısı... İki üç sene bu böyle sürmüştü. Gitmediğim psikiyatr kalmamıştı. Onlar daha da delirttiler beni. Elli çeşit hap verdiler. Her birinin yan etkileriyle uğraşmaktan, neredeyse asıl sıkıntımı unutacaktım. Sade, korkuyorum, ya her şey yeniden başlarsa? Geçen sefer annem gelmişti Amerika'dan. Ama artık yirmi iki yaşındayım. Hem dedim ya, onun şeftaliler arasında yuvarlanmasını istemiyorum. Annemi çağıramam. Ne yapacağım Sade, ne olur söyle, yardım et bana!"

Bir türlü sakinleşmiyordu. Kollarımın arasında acıyla çırpınıp duran, çırpındıkça yarası daha da çok açılan küçük bir kuş gibiydi. Onu tutmaya çalışırken, yanlışlıkla fazla sıkıp öldürmekten korkuyordum.

"Sade, sen bu duyguyu bilemezsin, bu buhran, bu panik öldürür adamı. Normal bir iç sıkıntısı gibi değildir bu. Bir şeye keyfinin kaçması, moralinin bozulması gibi değildir. Anlatamıyorum, Sade. İnsan çıldıracak gibi olur. Sade, lütfen..."

Sakinleşmesi için ne yapabilirdim? Çaresizlik delirtiyordu onu. Ölümcül bir yara açılıyordu kalbinde. Buz gibi terliyordu ama içinin yandığını söylüyordu. Evin içinde hızlı hızlı dolanıp, panik kusarak konuşuyordu:

"Bak, görüyor musun, geldi işte, eskisi gibi geldi yine. Her şey yeniden başlayacak şimdi. Nasıl kurtulacağım? Bir daha bunun üstesinden gelecek gücüm yok Sade. Ne psikiyatrlara ne de ilaçlara inancım kaldı. Hiçbir ümidim yok... Mahvoldum ben!"

"Ama ilk yaşadıkların geçmiş ya bebeğim, bu da geçecek demek ki. Haydi, sakinleş birazcık... Bak, korkutuyorsun beni!"

"Korkutuyor muyum? Biliyordum böyle yapacağını. Hemen kaçacaksın benden. Sıkıntım var diye başından atmak isteyeceksin beni. Sade, lütfen, bunu bana yapma!"

"Ozan, seni seviyorum ben! Dünyanın en berbat hastalığına da tutulsan yanında olacağım. İnan artık bana!"

"Ama sen ölürsen Sade... Ya sana bir şey olursa, kim bakacak bana? Kime giderim ben? Annemle babamı da çağıramam Amerika'dan. Zaten bütün masraflarımı onlar karşılıyorlar. Daha fazla bir şey beklemem doğru olmaz. Arkadaşlara, dostlara güvenim hiç yok. Herkesin kendine göre dertleri var. Kendi hayatları, kendi sorunları... Zaten kimse çılgıncasına bir mutluluk içinde yaşamıyor ki, fazlasını ihtiyacım var diye bana versinler. Ne olacak benim halim? İç sıkıntısı bu. Baş ağrısı gibi değil ki, hap içince geçsin. Doktora gidip ağrıyan yerini de gösteremezsin... Ya sen ölürsen Sade? Ben tek başıma nasıl kalırım bu dünyada!"

"Niye öleyim ben Ozan? Ayrıca kimsenin seni bıraktığı falan yok. Uzun yıllar beraber yaşayacağız. Çok mutlu bir hayatımız olacak. Şarkılarımız çalınacak her yerde. Konserler vereceğiz..."

"Kim mutlu Sade? Şu etrafına bak, herkes mutsuz. Herkesin bir derdi var. Demek ki biz de mutsuz olacağız. Yaşamak çok zor. Mutlaka bir pislik çıkıyor. Bu sıkıntı benim içimde olduğu sürece, dünyanın en büyük piyanisti olsam ne yazar? İçimdeki sese seslenip soruyorum, dünyada tüm sevdiklerim ölse ve ben yapayalnız kalsam ne olur diye. O bana, aynı senin biraz önce dediğin gibi, kimsenin öldüğü yok, merak etme, diyor. Oysa istediğim yanıt bu değil. Bu sıkıntıyla tek başına yaşamak zorunda olsan da sen yine sapasağlam ayakta kalırsın, yıkılmazsın, demesini istiyorum içimdeki sesin. Ama o, korkudan bir kenara çekilmiş, gıkını çıkarmadan duruyor!"

Cebinden ne olduğunu bilmediğim, sakinleştirici deyip geçtiği birkaç pembe hap çıkarıp yutmuştu. Yaşadığı panik sırasında sarf ettiği efor onu bitkin düşürmüştü. Mindere çöküp kalmıştı. Sonra da, "Acaba annem ve babam yüzünden mi oluyor bütün bu sıkıntılarım?" diye sormuştu bana. "Çift kimlikli oluşumu hâlâ hazmedemedim mi yoksa?"

Susuyordum. Herhangi bir şey söylersem, yanlış anlayıp yine kendini kaybetmesinden korkuyordum. Hem saçma sapan teselli sözcükleri sarf etmenin hiçbir anlamı yoktu. En iyisi, uzun uzun konuşup içini dökmesiydi belki de.

"Altı-yedi yaşlarımdayken, babama niye Türk olduğumu sormuştum," diyerek başını dizlerime yaslamıştı. Sonra da, uykuya dalmak için kendi kendine masal anlatan bir çocuk gibi devam etmişti konuşmaya:

"Yani, niye Polonyalı ya da İngiliz değildim de, Türk'tüm? Babam, 'Damarlarında Türk kanı var da ondan,' demişti. Tabii annem, 'Amerikan kanı da var,' diye eklemişti hemen. Verdikleri yanıtlar kafamdaki soruları silmek yerine, daha da koyulaştırıyordu. Neyse ki, aradan bir süre geçtikten sonra, oyalanacak başka şeyler bulup bu saçma sorularla uğraşmayı bırakıyordum. Ama tabii, bilinçaltım benim gibi kolay pes etmiyordu. En ufak bir olayda, hemen o soruları yeniden ısıtıp beynimin sofrasına seriveriyordu. Özellikle de kâbuslarımda... Çocukluğumdan beri ara ara gördüğüm bir kâbus var. Futbol oynuyorum... Ama sizin Amerikan futbolu dediğinizden... Sayı yapmak için topu kapmış koşarken, rakip takımın bütün oyuncuları birden üzerime çullanıyor. Filmlerde izlemişsindir, deli gibi herkes atlar üzerine. Altta kalanın canı çıkar. Ben de topla beraber en altta eziliyorum. Ama topu vermiyorum yine de. O top benim her şeyim çünkü. Verirsem sanki yok olacakmışım, toz olup havaya karışacakmışım gibi bir his var içimde. Sonra birden tüm oyuncular üzerimden kalkıyorlar. Tam pes ettiler, ben kazandım derken, bir de bakıyorum ki, oluk oluk kanıyorum. Göğsümden, kollarımdan, kafamdan gayzer kuyusundan fışkırırcasına kan boşalıyor. Öyle bir panik yaşıyorum ki Sade, anlatamam sana! Ama ölmekten korktuğumdan falan değil, Amerikalı kanım tamamen boşalırsa ve geriye yalnızca Türk kanım kalırsa diye korkuyorum. Amerikalılığımı kaybetmemek için, panik halinde akan kanı tutmaya çalışıyorum ama boşuna... Şişme bebekler gibi gittikçe sönüyorum, zapzayıf, tek boyutlu bir hal alıyorum. Tam o anda da uyanıyorum işte."

"Peki, hâlâ görüyor musun o kâbusu?"

"Yok, hayır," demişti. "Çünkü artık başka kâbuslar görüyorum..."

Konuşması, pili biten bir walkman'den gelen sesler gibi yavaşlamaya başlamıştı. Hapların onu sakinleştirmek yerine uyuttuğu belliydi. Ama o hâlâ yılmadan konuşmaya devam ediyordu:

"Zaten bir süre sonra, annemle babama bir daha bu tarz sorular sormamaya karar vermiştim. Her defasında anlamsız bir şekilde kavgaya tutuşuyorlardı. Ben de fazla umursamaz olmuştum, ne ya da kim olduğumu. Aradan üç-dört sene geçtikten sonra, yine böyle saçma sapan bir kavgaya tutuşmuşlardı, nedenini hatırlamıyorum bile. Zaten o günlerde, geçimsizlik alanında, her şeyden kavga çıkartabilecek kadar uzmanlaşmışlardı. Onlar tartıştıkça kafamın içinde öyle bir gümbürtü kopuyordu, öyle çok ses ve öfke birikiyordu ki, sanki beynim, kendisine yer kalmadığı için kafatasımı terk edip gidecekmiş gibi geliyordu. Düşüncelerimin kavgasından kurtulmak için, beynimin eriyip kulağımdan dışarı boşaldığını hayal ediyordum. Tabii, hayallerimin ortasına pat diye onların bağırtıları dalınca sinirlerim kopacak kadar zayıflıyordu. Koptular da zaten... Koptular... Uykum var Sade, sanırım çok var. Saçlarımı okşamaya devam et, olur mu ve ben uyuyana kadar yanımdan ayrılma. Sonra da ayrılma. Seni seviyorum Sade."

Birkaç dakika daha sayıklar gibi konuştuktan sonra uykuya dalmıştı. Ama ben bir türlü rahatlayamıyordum. Sanki uyursam, sabaha yanımda olmayacak, yanı başımdan uçup gidecekmiş gibi geliyordu. Elimi tutup, "Lütfen, ben uyuyana kadar uyuma, korkuyorum," demesi kendimi hatırlatmıştı bana. Aynı benim çocukken anneme yalvararak, "Benden önce uyuma, olur mu anne?" dediğim gibi...

Böyle düşüncelere saplanması beni çok korkutuyordu. Sağlıklı düşünememeye başladığının kanıtıydı bunlar. Üstelik, son zamanlarda iyice unutkan olmuştu. Aklını hiç toparlayamıyordu. Sinemaya mı gitsek, yoksa televizyon mu izlesek, gibisinden basit bir soru sorduğumda bile net cevap veremiyordu.

"Sinemayı boş ver de, şey yapalım... şey... şey... şey... diğer seçenek neydi Sadeciğim?"

Bir gün, Özgür'de unuttuğu gitarını almak için dışarı çıkmıştı. Ama beklediğimden çok daha kısa bir süre içinde geri dönmüştü. Kapıyı açtığımda onu karşımda şaşkın bir ifadeyle bana bakarken bulmuştum. "Yarım saattir sokaklarda dolanıyorum Sade," demişti. "Ama bir türlü nereye gittiğimi hatırlayamadım!"

Bazen de, bir saat önce yediği yemeği bile hatırlayamıyor,

uzun süre düşünüyordu. Bana da söyletmiyordu. "Sus," diyordu. "Hatırlayacağım!" Sanki çok önemli bir icat bulmak üzere olan bilim adamları gibi düşüne düşüne bütün evi turluyordu. Aklına gelince de, "Buldum," diye bağırıyordu. "Balık yedim!" Ben de üzülmesin diye, "Balığı dün akşam yedin, öğlen köfte yedin," diyemiyordum tabii.

Kucağımda uykuya daldığı o korkunç gece kendi kendime yemin etmiştim. Artık ne içki ne de herhangi başka bir maddeyi tüketmesine izin vermeyecektim. Gözüme bir damla uyku girmemişti. Bütün gece düşünüp durmuştum. Ama o, sabah kalktığında, hiçbir şey olmamış gibi neşeli ve huzurluydu. Verdiğim kararı ona anlatmakta zorlanacağımı, onu ikna etmek için epey bir ter dökeceğimi sanmış olmama rağmen, o hemen beni haklı bulduğunu söyleyip, bir daha içmeyeceğine söz vermişti. Bu işin bu kadar kolay sonuca bağlanması her ne kadar kafamda şüpheler yaratmışsa da, içimi saran umut ışığını yadsımam mümkün değildi. Ama ne yazık ki, mutluluğum uzun sürmeyecekti. Ertesi akşam eve döndüğümde onu, "Başım dönüyor," diye bağırırken bulmuştum. İki eliyle birden başını tutarak dengesiz adımlar atıyordu. Bacakları üzerindeki tüm iradesini yitirmişti. Bedeni bağımsızlığını ilan etmişti. Artık dinlemiyordu Ozan'ın sözünü. Tutmaya çalışmıştım onu. Ama uzaklaşmıştı benden. Yüzü kıpkırmızıydı. Gözleri kanlanmıştı. Onu tekrar tutmaya çalıştığımda koluyla itmişti beni. Geriye doğru bir iki adım sendelememe rağmen durabilmiştim. O benden daha çok sarsılıp kapının yanına düşmüştü. Ağır çekimde hareket eden bir filmin içindeydi sanki. Durgunluk ve sessizlik, kara bir delik gibi onu içine çekiyordu. Hiçbir yerini kıpırdatamıyordu. Kaskatı kesilmişti. Bense zamanın ortasında asılı kalmıştım. Sade'yle Ozan'a dışarıdan bakıyordum sanki. Çok kötü bir şeyler olduğunu görüntülerinden anladığım, ama dilini bilmediğim için tam da içine giremediğim yabancı bir film izler gibiydim. Bir şeyler mırıldanıyordum. Hayır, ben değil, o mırıldanıyordu. Sakinleşmiş olmasına rağmen, her an üzerime atlamaya hazır vahşi bir hayvana yaklaşır gibi, yavaşça sokulmuştum yanına. Tekrar kıpırdatmıştı ağzını. "Tuvalete gitmeliyim," diyebilmişti zar zor. Tüm gücümle ayağa kalkmasına yardım edip koluna girmiştim. Bütün ağırlığını bana veriyordu, katı bir kütle gibi. Kapıyı tam kapatmamasını söylemiştim. İçeride düşüp kalmasından korkuyordum. Ama o, kapamakla kalmayıp kilitlemişti de. Saniyeler geçmek bilmiyordu. Görüntüler gidip geliyordu hızla aklıma. Yere yığıldığını, nefes alamadığını, çırpınıp durduğunu görüyordum. O çıkmadıkça daha da büyüyordu korkum. "İyi misin?" diye seslendiğimde, "Rahat bırak beni," diyen cıpcılız bir sesle karşılık vermişti. Bitmek bilmeyen beş on dakikalık bir işkencenin sonunda çıkmıştı tuvaletten. Gözleri kristal kristal. Gülümsüyordu, hafif bir utangaçlık gölgesi asılıydı dudağında. "Bir şeyim yok, geçti," diyerek sarılmıştı boynuma. "Merak edilecek bir şey yok. Stresten oluyor bazen böyle şeyler. Kusura bakma!"

"Stresten mi? Çocuk mu kandırıyorsun? Ozan ne kullanıyorsun, söyle lütfen! Tedavi olman gerek. Duyuyor musun beni?"

"Ya, iyiyim diyorum. Baksana, sapasağlamım."

"Gülümsemeyi keser misin, lütfen. Ben gülünecek hiçbir şey göremiyorum. Tuvalette ne yaptın sen? Bir şeyler mi çektin? Ozan, lütfen paylaş benimle. Böyle sürdüremezsin. Sana yardım etmeme izin ver!"

"Haydi canım, ben gidiyorum. Sıkıldım, biraz hava alacağım. Sen de sıkma canını iyiyim ben."

"Hiçbir yere gitmiyorsun. Hayır, Ozan, dur lütfen, konuşalım. Bekle o zaman, ben de geliyorum seninle. Bekle diyorum. Dursana!"

Kaşla göz arasında paltosunu alıp fırlamıştı dışarıya. Merdivenleri koşarak iniyordu. Bense bir türlü lanet botlarımı giyemiyordum. Vakit kaybetmeyeyim diye bağcıkları gevşetmeden giymeye çalıştığım için, ayaklarım bir türlü sığmıyordu tabii. Pes edip bağcıkları gevşetmeye başladığımda ise, Ozan çoktan çıkmıştı apartmandan. Neyse ki, sonunda ayakkabıyı giymeyi becerip, üçer beşer merdivenlerden inebilmiştim. Sokağa çıktığımda Ozan ortalıkta yoktu. Sonsuza dek onu kaybettiğime dair bir korku yayılmıştı içime. Onu şimdi bulamazsam bir daha asla bulamazdım. Nereye gidebilirdi gecenin bu saatinde? Metroya doğru koşmaya başlamıştım. Karşıdan suratıma çarpıp beni allak bullak eden rüzgârı ancak o zaman fark etmiştim. Beni engellemek adına büyük bir kuvvetle üzerime gelmesine rağmen, tüm hızımla koşmuştum. Yürüyen merdivenlerden bile koşarak inmeye başlamıştım. Son basamaklara doğru, metronun geliş sesini duymuştum. Ama düz zemine ayak bastığımda metronun kapıları kapanmıştı. Ozan'ı arkası dönük olmasına rağmen seçebilmiştim. Oturmamış, ayakta durmayı tercih etmişti. Sanki biraz önce evde yere yığılan o değildi. Bir an için camlara vurup, "Açın kapıları!" diye bağırmayı bile düşünmüştüm. Ama utanmıştım. Olayı daha fazla dramatikleştirmeye gerek yoktu. Osmanbey ile hiçbir alâkası olmadığına göre, Taksim'de inecekti. Muhtemelen de bir bara gidip içecekti. Hâlâ kaybetmiş sayılmazdım onu. Bir sonraki metroyla Taksim'e gidip yakalayabilirdim. Metro o sirenimsi garip sesi çıkardıktan sonra yavaşça kalkışa geçtiğinde ise, onu sonsuza dek kaybetmiş olduğum hissi yeniden uyanmıştı içimde. Koskoca İstiklal Caddesi'nde, onlarca barın arasında nasıl bulacaktım Ozan'ı? Ümitsizliğe kapılmaya başlamıştım. Bunca zaman onu içkiden vazgeçirmek için ne yapmıştım ki? Onu kaybetmemek adına, benden soğumaması adına işlerine karışmamayı tercih ettiğim, kendimi düşündüğüm yalan mıydı? Esas, uyuşturucular yüzünden kaybetmiyor muydum onu? Arada sırada biraz esrar, birkaç hapla bir şey olmaz, diyerek kendimi kandırdığımı, görmezden geldiğimi inkâr edebilir miydim? Bütün bunlar yetmezmiş gibi, belki çok daha tehlikeli şeyler de kullanıyordu. Beni ilk öptüğü gün neden burnu kanamıştı? Korktuğum şeyi kullanıyor olabilir miydi? Ama, yok... Hayır. Fark etmemiş olmam imkânsızdı. Mutlaka anlardım. Bunca zamanı beraber geçirdikten sonra... Peki, ya ben okuldayken kullanıyorsa? Bütün bu baş dönmeleri, birden bitkinleşip aniden canlanıvermesi yalnızca içkiden ya da ottan olabilir miydi? Yoksa daha kötü bir şeyler... Ama zaten yeterince kötü değil miydi bunlar? Sanki bu kadar içki içmesi ya da arada sırada ot çekmesi ya da hap kullanması çok normalmiş gibi, neden müdahale etmek için illa da daha tehlikeli uyuşturucuları kullanmasını bekliyordum?

Beynime yumruk yumruk iniyordu tüm bu düşünceler. Ne zaman metroya binip indiğimin farkında bile değildim. Ama Taksim Meydanı'na çıkıvermiştim işte. Pis kokulu insan kalabalığı... Yanımdan geçerken çarpıp iteliyorlardı beni. Havada küf, lağım ve balık kokusu. Ara sokaklardan gelen gıcırtılı bir keman sesi... Alacakaranlık siluetlerle dolu daracık sokaklardan geçerek hızla yürümeye başlamıştım. Ben peşinden gittikçe, karanlık ağız dolusu emiyordu sanki onu. Sırtıma dikilen gözler olduğunu hissediyordum. Karanlık geçitlerde gizlenen kötücül gözler, aşağılanmaktan yıpranmış yüzler... Saat on bire geliyordu. Ağzımdan buhar çıkıyordu... Ağaç dalları rüzgârda çırpınıyordu. Meyhanelerden şarkı sesleri geliyordu. Keyifle yükselen, armonisiz, sarhoş sesler. Havada duman tütüyordu. Soğuk içime bir türlü işleyemiyordu. Alev alev yanıyordum. Yağmur yağsa, tenime düşen her damla buhar olup uçacaktı. Ayaklarıma suların en karası inmişti. Yürüyecek halim kalmamıştı. Ama yürümek zorundaydım. Artık sadece Ozan'ı bulmak için değil, bir karartının beni takip ettiği hissine kapıldığım için de. Kuruntu değildi bu. Gerçekten de takip ediyordu beni. Gittikçe de yaklaşıyordu. Korkuyordum. Koşarak kaçmam gerekirdi, ama koşarsam daha da azıp saldırıya geçer diye korkuyordum. Tıpkı köpeklerin yaptığı gibi. Yoksa koşmalı mıydım? Ben karar verene kadar o çoktan yanıma gelmişti bile. İğrenç bir içki kokusu geliyordu üzerinden. Yüzüne bakmamıştım. "Yavrum, gel geceyi beraber geçirelim," diyen o pis sesi tüm bedenimi örselemişti. Tüm gücümle koşmaya başlamıştım. Arkamdan bağırıyordu:

"Orospu!"

Ozan'ın evine dönene kadar aklım başımdan gitmişti. Elim ayağım titriyordu. Niye kendi evime değil de Ozan'ın evine döndüğümü de bilmiyordum. Kapıyı açtığımda, Ozan koltuktan fırlayıp üzerime atlamıştı.

"Nerelerdeydin su perim? Meraktan öldürecek misin beni?"

Beni öyle çok merak etmişti ki, ona karşi duyduğum kızgınlığı ifade edecek hakkı kendimde bulamamıştım. "Esas, ben merak ettim seni," diyememiştim. "Senin yüzünden, seni aramak için dışarıda başıma neler geldi, biliyor musun?" diye hesap soramamıştım. Söylediğine göre, Taksim'e hiç gitmemişti. Dışarı çıktığında aşağıdaki hamburgerciden yemek alıp yukarı çıkmıştı hemen. Beni evde bulamayınca da meraktan deliye dönmüştü. Şimdi de arka arkaya beni öpüyor, konuşmama izin vermiyordu. Zaten ben de onu yeniden bulmuş olmanın mutluluğuyla aklımı toparlayıp içimdeki korkulardan bahsedemiyordum. Tek istediğim, kollarının arasında uykuya dalmaktı. Şimdi tatsız konulardan bahsedip bozamazdım bu büyüyü. Aldığım hazdan vazgeçemezdim. Daha uygun bir zamanda bu uyuşturucu konusunu açıp, endişelerimi dile getirebilirdim nasılsa. Ne yazık ki, uygun zaman için uzun süre beklememe gerek kalmamıştı, çünkü bir iki hafta sonra, okuldan döndüğümde, onu yine sarhoş bulmuştum. Artık nefret ediyordum onu böyle görmekten. Dayanacak gücüm kalmamıştı. İçki içmezse sıkıntısı oluyor, sıkıntısı olunca içki içiyor, sonra içki içtiği için utanıp vicdan azabı duyuyor, vicdan azabı duyunca tekrar sıkıntı duyuyor ve bu kısır döngü böylece sürüp gidiyordu.

Artık buna bir son vermem gerektiğinin farkındaydım. Evde ne kadar içki, hap türünden şey varsa dolaba kilitlemiştim. Anahtarı vermem için bana nasıl yalvardığını hâlâ unutamıyorum. Gözyaşlarına sayıklamaları karışıyordu. Ya ben? Ben farklı mıydım sanki ondan? Acının altında ezilen bedenini gördükçe, yalvarışlarına karşı koymam daha da zorlaşıyordu. Nereden bilebilirdim, onlar için bana bile zarar verebileceğini, yere çakılıp gömüleceğimi, aldığım darbelerden dünyayı yarım yamalak göreceğimi, ruhumun cayır cayır dibine kadar yanacağını... Ama yanmıştı işte.

*Neredesin Ozan? Bu kim peki? Nereye sürüklüyor beni? Bana vurdu galiba. O yüzden mi yere düştüm? Kim bu? Neden anahtarları isteyip duruyor? Korku filmlerinden birinin içine mi düştüm yoksa? Neredesin Ozan? Onun elinden niye kurtarmıyorsun beni? Kollarımı ters çevirip büküyor bak, öldürecek beni! Neredesin? Yüzü ne kadar çok benziyor sana. Hangi anahtarlardan bahsediyor bu? Tanrı aşkına bilmiyorum. Ayağa kalkıp ben sana gelsem? Peki ama neredesin? Nasıl da benziyor sana... Bizim çok paramız var mı Ozan? Kasanın anahtarını mı istiyor acaba? Parayı alıp kaçarsa bana kızar mısın? Paramız yoktu ki bizim, kasamız da... Sadece senin yüzünü maske diye takan o hırsız var... Ama sen değilsin o, sen değilsin Ozan...*

Ozan'dı...

O yüzden yerin dibindeydim zaten. Suratımda patlamıştı eli. Tokatının şiddetinden değil, parçalanan kalbimin kırıkları aşkımı kestiği için yerdeydim. Başım parkelere çarptığından beri, "Anahtarı ver!" diye bağıran sesi kulaklarımı dövüyordu. Yüreğim soğuğa bulanmıştı, don yemişti bedenim. Aşk kaybından olacaktı ölümüm. Oluk oluk boşalıyordu aşkım. Aroması sulanıp bozulmaya başlamıştı. Ya bir daha asla pıhtılaşamasaydı?

"Ozan, sen misin? Ağlıyor musun? Dönüp bakamıyorum sana. Canım yanıyor. Bana böylesine derin sarılan ellerin... Neden özür diliyorsun? Sus lütfen, sen bir şey yapmadın... Sana çok benziyordu ama, biliyorum, sen yapmadın... Beni sevdiğini biliyorum, sürekli tekrarlamana gerek yok... Yeter, ne olur sus! O, sen değildin diyorum sana! Neden kendimi kandırmama izin vermiyorsun? Şu yüzüne bak, gözyaşlarının altında kalmış. Geçti artık, tamam... Tabii ki affettim seni. Affedilecek bir şey yok zaten... Hayır, canım acımıyor, merak etme... Sadece yüzüm biraz... Ama önemli değil, geçer..."

Vicdan azabından, ağlaya ağlaya uyumuştu o gece. Yaşlardan sonra acı sızmıştı gözlerinden. Bense kanında gezinen alkol ve haplara duyduğum öfke yüzünden uyuyamıyordum. Uzun zamandır kurduğum bir hayal geliyordu aklıma. Yılanın soktuğu yerdeki zehirli kanı emip tükürür gibi, Ozan'ın boynundaki şahdamarını öperek, tüm uyuşturucuları emip tükürdüğümü hayal ediyordum. Zehirden kurtulan bedeninin derin derin gevşediğini ve her hücresine bin bir çeşit hazzın dağıldığını düşlüyordum. Ama bu hayal bile öfkemi dindirmeye yetmiyordu. Öfkeliydim, ona yetemediğim ve hâlâ uyuşturuculara ihtiyaç duyduğu için. Bedeni benim yerime alkolü arzuladığı için. Dudaklarımı içmek yerine esrar içtiği için...

Yüzüne bakmıştım. Dudakları kasılmıştı. Gözlerini sıkıyordu. Sıkıntı içinde uyuyordu. Yüzü nasıl da masumdu... Olanları düşündükçe çıldıracak gibi oluyordum. Nasıl vurmuştu bana, nasıl? Benim hüzün gözlü, ılık bakışlı bebeğim... Hemen şimdi oradan uzaklaşmam gerektiğinin farkındaydım. Yoksa içimdeki öfke patlayıp ikimizi de havaya uçuracaktı. Nasıl sakinleşeceğimi bilemiyordum. Biraz ot çeksem belki rahatlayabilirdim, ama Ozan içmesin diye hepsini dökmüştüm. Aklım sürekli mutfaktaki bıçaklara gidiyordu. Her yerimi kanatmak, paramparça olmak istiyordum. İçimdeki sıkıntı dinmek bilmiyordu. Gitmeliydim, uzaklaşmalıydım Ozan'dan... Ceketimi kaptığım gibi fırlamıştım dışarı, son kez ona dönüp bakmamak için... Dışarıdaki soğuk hava bile, ateş kusan tenimi sakinleştirememişti. Gündüz vakti taksiye binmekten korkan ben, sabahın üçünde tek başıma sokaklarda yürümeye başlamıştım. İn cin top oynuyordu. Ama ne in umurumdaydı ne de cin. Yaşadıklarımdan daha fazla acı verebilecek bir şeyin başıma gelebileceğine inanmadığımdan, içimde hiçbir korku kalmamıştı. Katıksız acıydı duyduğum ve başka bir duygunun, kıvamını bozmasına asla izin vermiyordu. Bir saat boyunca, direksiyonda acı, depoda öfkeyle kendi bedenimi sürmüştüm. Eve vardığımda otomatik olarak durmuştu bedenim. Yoksa yakıtımın daha biteceği yoktu. Öylesine öfke doluydum ki... Kedimi nasıl yatağa attığımı, aynı çocukluğumda olduğu gibi ağlamak için nasıl çabaladığımı unutamıyorum. Ama bana inat, tek bir gözyaşı bile dökülmemişti gözlerimden. Şimdiden özlemiştim onu. Nasıl dayanacaktım ayrı kalmaya? Bütün bu olanlardan sonra da hiçbir şey olmamış gibi davranamazdım.

Kanında dolaşan zehirlerle yaptığım savaşta yeni bir yenilgi daha almıştım işte! Yanından ayrıldığımdan beri kalbim, delinmiş gibi yanıyordu. Varlığının her hücresinin tek mahkûmuydum. Onun nefesiyle uyuşmayı bekleyen açık yaralarım vardı. Aklımdan çıkmıyordu bir türlü. Her bakışı, her sözü, her dokunuşu jilet olup içimi kesiyordu. Onu kaybedeceğimi, ellerimin arasından kayıp gideceğini düşündükçe şahdamarıma kramplar giriyordu.

Nefesini kestiğimi söylemişti bir gün bana, beni ne kadar çok sevdiğini anlatmak için. Yatağıma uzanmış, olanları düşünürken, aslında bu sözden nefret ettiğimi fark etmiştim, çünkü nefesinin kesildiği gün, kimsem kalmayacaktı yaralarımı üfleyen. Zaten ipinceydi nefesi, kırılgan, zayıf, güçsüz... O, dudaklarımı emerken, ben ona kendi nefesimi boşaltmaya çalışırdım hep. Onsuz nefes alamıyordum şimdi. Soluklarımın hepsi onda kalmıştı.

Uyumak istiyordum. Hiç olmazsa sabaha kadar onu düşünmekten kurtulmak için... Ama olmuyordu. Yıldırım gibi gözlerime düşüyordu acı çekişleri.

Aslında hiç yaslanamamıştım ona. Ölüme doğru eğikti gövdesi. Devrilmesinden korkmuştum hep. Ve o... hep devrilmişti. Enkazının altında da ben kalmıştım. Kendi kendime çıkacak gücüm de yoktu. Keşke birileri beni çıkarsaydı bu göçükten... Koruyup sarsaydı beni. Üzerimi örtseydi, hastalanınca günde üç dört kez arayıp nasıl olduğumu sorsaydı. Akşam gelip, ateşim düşene kadar başucumda bekleseydi. Rüzgârlı havalarda, üşüdün mü deseydi. Ceketini falan çıkarıp vermeden, gövdesiyle sarsaydı beni. Güven bana, deseydi. Güven...

Bana bebeğim derdi, ama ona ninnileri söyleyen hep ben olmuştum. Hem de öyle çok söylemiştim ki, sonunda uykusundan uyandıramaz olmuştum. Artık çıkmıyordu sesim, çığlıklarım da onda kalmıştı...

Acaba şimdi ne yapıyordu? Uyandığında beni yanında görmeyince ne hale gelecekti? Doğru mu yapmıştım, yoksa onu yapayalnız ortada mı bırakmıştım? Terk mi etmiştim?

Bensiz kalırsa belki de kendine çekidüzen verir diye mi düşünmüştüm? Yoksa sadece gururum muydu onu terk etmemi sağlayan? Belki de, yeniden bana vurmasından ve böylece aşkımın sonsuza dek yok olmasından korkmuştum. Ah, nasıl da özlemiştim onu şimdiden! Acı çekişlerini bile, bana ihtiyaç duyduğu tüm o kâbus dolu anları bile... Başı yana düşerdi hemen, alnında soğuk ter damlacıkları birikirdi. Ellerimi sımsıkı tutardı. İçindeki depremi durdurmak için sıkıca sarılırdım ona. Titreyişinin şiddetinden, kaç tane hap yuttuğunu bile anlar olmuştum artık...

Belki de kalkıp gitmeliydim hemen. O daha uyanmadan, yanından ayrıldığımı hiç fark etmeden, geri dönüp yanına yatmalıydım, hiçbir şey olmamış gibi... Ama çok geçti artık. Cebim çalmaya başlamıştı. Arayan oydu. Uyanmıştı demek... Saat sabahın beşiydi. Niye bu kadar erken kalkmıştı? Oysa henüz iki saat olmuştu sızalı. Gittiğimi hissetmiş miydi acaba? Telefonu açsa mıydım? Açmalı mıydım? Açabilecek miydim? Ne diyecektim, o ne diyecekti? Ne olacaktı sonumuz? Ne yapmalıydım?

Beynimdeki sorular susana kadar telefonum susmuştu. Hayatımın hatasını mı yapmıştım acaba? Kendine kötü bir şey yapmaya kalkar mıydı? Nasıl uyuyacaktım ben şimdi? Bir saniye olsun onu düşünmeden duramayacak mıydım? Ne hale gelmiştim böyle? Ah bir uyuyabilseydim, bir uyuyabilseydim, bir uyuyabilseydim...

Gözlerimi açtığımda öğlen olmuştu. Kendi yatağımda yapayalnız, Ozan'sız... Sıkıntı içinde geçen, bol kâbus soslu bir uykudan sonra, penceremden içeri sızan güneşin ne anlamı vardı? Hemen cebime bakmıştım. Ozan'ın arayıp aramadığını görmek için. Hiç çağrı yoktu. Başına kötü bir şey gelmiş olabilir miydi? Arasa mıydım acaba? Aklımı toparlayamıyordum. Korku, yüreğime pençelerini geçirmişti. Yalnız kalacak durumda değildim. Arkadaşlarımdan birini eve çağırmak gelmişti aklıma. Vaktimi sürekli Ozan'la geçirdiğimden, kimseyle fazla görüşemez olmuştum. Birden, çağırabileceğim arkadaşlarımın ne kadar az olduğunu ve aslında çok yalnız olduğumu fark etmiştim. Bu, içimi daha da acıtmıştı. Hem de öyle bir acıydı ki bu, kendi bedenimi incitsem bile dinmeyeceğini biliyordum. Tek tesellim de buydu zaten. Bedenimi acıtmak istemeyişim...

Birden cep telefonum çalmıştı. Ozandır umuduyla -ve bir yandan, korkusuyla- ekrana bakmıştım hemen. Arayan, Aylin'di. Hem bir rahatlama hem de hayal kırıklığı duygusuyla açmıştım cebimi ve onun sesini duyar duymaz ağlamaya başlamıştım. Gözyaşlarımın dilediklerince boşaldıkları ender anlardan birini yaşıyordum. Tabii, korkmuştu kız. Ama ben mutluydum. Tüm bu sıkıntının arasında onun sesini duymak çok sevindirmişti beni. Sanki benim ne kadar yalnız olduğumu düşündüğümü hissedip, "Hayır, sen yalnız değilsin, bak, ben varım!" demek için aramıştı. Ozan yüzünden uzun zamandır ihmal ediyordum onu ama çağırdığımda gelirdi, biliyordum. Öyle de olmuştu zaten. Bir saat sonra kapıdaydı. Birbirimize sıkı sıkıya sarılmıştık. İnsanın bazen ancak oturduğunda yorgunluğunu anlaması gibi, onu ne kadar özlediğimi sarıldığımızda daha iyi anlamıştım. Tabii o, yüzümdeki morlukları görür görmez çığlığı basmıştı. İşte işin en tatsız kısmı da buydu. Nasıl söyleyecektim Ozan'ın bana vurduğunu? Utanıyordum. Aylin'in onu yanlış tanımasını istemiyordum. Ama bir yandan da onu Aylin'e şikâyet etmek istiyordum. Ozan dışında birilerine kalbimi açmak, dertleşmek... Ve eskiden olduğu gibi, Aylin'le kız kıza yaptığımız o muhabbetleri yeniden yaşamak... Bunu yapabilmek için her şeyi sonuna kadar anlatmam gerektiğini biliyordum ve tüm çekingenliğime rağmen anlattıkça rahatlıyordum. Ama Aylin duyduklarına inanamıyor, bir yandan da öfkeleniyordu... Bana vuran biriyle asla beraber olmamam gerektiğini, onu ne kadar seversem seveyim böyle bir ilişkiye derhal son vermem gerektiğini söylüyordu. Ona, Ozan'ın böyle bir alışkanlığı olmadığını, bana ilk defa vurduğunu anlatmama rağmen Aylin ikna olmuyor, hatta Ozan'ı gördüğü yerde boğacağını söylüyordu. Bense tüm gücümle Ozan'ı korumayı sürdürüyordum. O anda çok sarhoş olduğu için ne yaptığını bilmediğini, bambaşka bir kişiliğe büründüğünü anlatıyordum. Ama Aylin bu sözlerimi de kulak arkası ediyordu çünkü onu tanımıyordu. Ben bile onu tanımıyordum. Tam onu çözdüğümü sandığım sırada, hiç beklemediğim başka bir yönü çıkıyordu ortaya. Tıpkı dağlara tırmanırken olduğu gibi... Sonuncu sanılan yüksek nokta, daha uzaklardaki başka bir tepeyi saklar ve oraya varınca yeni bir dağ daha görünür. Hedefe vardığını sandığın anda aslında hedefin çok uzaklarda olduğunun farkına varırsın. Ozan'ı tanımak da böyle bir şeydi işte. O, ruhunun özünü, içkiye asıl tadını veren ve kolayca şişenin dibine çökelen tortu gibi ta derinlerde gizlerdi. Dikkatli bakmayanlar, tortunun üstüne çıkan tatsız sıvıyı, yalnızca yüzeysel bir Ozan'ı görürlerdi, tıpkı şimdi Aylin'in yaptığı gibi...

Kesinlikle Ozan'dan ayrılmam gerektiği konusunda ısrar ediyordu Aylin. Kolay olmadığını o da biliyordu. Üstelik benzer bir acıyla kavruluyordu içi. Benim sözlerimi bitirdiğimi görür görmez de, hemen kendi derdini anlatmaya başlamıştı. Bir saniye önce son derece olgun ve kendinden emin bir şekilde bana akıl veren kız gitmiş, yerine benden daha kırılgan ve aklı karışmış bir kız gelmişti. Eski aşkını unutamıyordu bir türlü. Uzun zamandır da, dudaklarının arasında bir öpücük tutuyordu. Görünmeyen örümcek ağlarıyla ağzına yapışmıştı öpücüğü, eski aşkına bir türlü varamıyordu. Damar damar akıyor, yürek tenini patlatıyordu aşkı. Kalbini yeniden açarsa, çamurlu ayaklarıyla içeri dalanlar olur diye korkuyordu. Üstelik eski aşkının kiri hâlâ derisini acıtıyordu. En çok da canının acıdığı zamanlarda arzuluyordu eski aşkını. Önceden test edip onaylamış olduğu, sevme ve sevilme anlarının peşine düşüyordu. Bilmezden geliyordu eski aşkında tadını beğenmediği bir şeyler olduğunu. Ya tuzu fazlaydı ya da şekeri ya da her ikisi de eksikti belki. Ama bir şeyler vardı midesini bozan, boğazına takılan, kalbine oturan. Yine de ruhu öyle açtı ki şimdi, dayanamayıp kolay olanı seçecekti. Yeni tatların peşine düşeceğine, önceden tatmış olduğu yemeğe sığınmak isteyecekti. Kaldırıp attığı eski aşkını geri indirecekti o tozlu raftan. Görüntüsü yeni gibi olacaktı belki, hatta belki eskisinden daha da güzel... Ama bir iki ısırıktan sonra o eski acı tat, yine yüreğine dağılmaya başlayacaktı. Üstelik aşkı artık bayatlamış olacaktı. Zehirlenmemek için, o bayat tadı sonsuza dek yüreğinden kusması gerekecekti. Ama şimdilik, ruhundaki kusurları eski aşkıyla sıvazlamak istiyordu. Belki kısa bir süre için pürüzsüzlüğü hissettirecekti çocuk ona. Sonrasında ise daha da bozacaktı gönlünün cildini, tıpkı o ikiyüzlü fondötenler gibi. Başka örümceklerin ağlarına hapsolmuş, yolunu yitirmiş bir örümcek gibi bükülecekti boynu Aylin'in.. Göz göre göre yaşayacaktı bu acıyı, çünkü bir zamanlar deldiği yerden sızmaya devam ediyordu eski aşkı. Aylin, hem onun kan kaybından ölüp gitmesini bekliyordu, hem de korkuyordu yalnızlıktan. Aşkının çoğu kanayıp boşalmış olsa da, bir yudum olsun yüreğinde kalsın istiyordu. Ruhu "ölümsüz aşk" ideasına tutkundu aslında. Ayrılsalar da hiç ölmeyecek bir aşkın hayali, gerçeği oturduğu yerden kaldırıp, yerine kendini oturtuyordu. Bu hayal, "Öyle şiddetli bir aşk var ki aranızda, bir araya geldiğinizde her ikiniz de bu şiddetten yıkılıyorsunuz," diye fısıldıyordu dostumun kulağına. O da tüm yüreğini sızım sızım sızlatarak, ağır ve derin yaralar açarak akmasına izin veriyordu eski aşkının.

Yoksa, ben miydim yüreği sızlayan? Bütün bunları yapan, Ozan'ı kalbinden atamayan budala, ben değil miydim? Neden suçu dostuma atıp kandırıyordum kendimi?

"O çocukla gerçekten mutlu olabileceğini hissediyorsan hemen gidip yakala onu," demiştim Aylin'e. "Hayatının, altı kırmızıyla çizilmiş hatalarından birini daha yapmak istemiyorsan, tanrı aşkına benimle konuşmayı bırak da ona git!"

"Peki, sen niye gitmiyorsun o zaman?" diye sormuştu Aylin.

Nasıl gidebilirdim? Ozan öyle bir delik açmıştı ki yüreğimde, avcumla örtüp kapatmaya çalışsam bile, parmaklarıma kanlar bulaşıyordu. Üstelik kendi de boşalıp gitmiyordu o delikten, benim canımı kanatıyordu. O yüzden dönemezdim ona. En azından kanamam durana kadar.

"Ben de dönemem," demişti Aylin. "Bunun aşk değil, alışkanlık olduğunu biliyorum. Ama yine de... yine de özlüyorum onu, tıpkı sigara ister gibi... Ama bıktım artık, gerçekten bıktım. Gel haydi, söz verelim birbirimize! Şu andan itibaren aşktan, erkeklerden, Ozan'dan, Emre'den falan söz etmek yok, tamam mı? Sadece gülüp eğleneceğiz, okey?"

"Tamam," demiştim ama ikimiz de pek eğlenecek durumda değildik. Öylece çöküp kalmıştık minderlere. Sevdiğimiz CD'leri beraberce dinleyip ayrı ayrı aşklarımızı düşünmüştük. Sonra da eski günlerde yaptığımız gibi eve pizza getirtip, televizyonda iğrenç bir film izlemiştik. Daha fazla eğleniyor numarası yapamayacağımı anlayınca, Ozan'dan bahsederek, verdiğimiz sözü bozan ilk ben olmuştum:

"Onu unutmak için sarf ettiğim çaba daha da derinleştiriyor yaramı Aylin. Bıçağı etime saplayıp, bir an önce yaramı kazıyıp atmak için uğraşıyorum. Oydukça oyuyorum. Ama yaranın sonu bir türlü gelmiyor. Üstelik bıçağı her sapladığımda daha çok dallanıp budaklanıyor, iltihaplanıyor, alev alıyor. Oysa bazen yarayı rahat bırakmak gerekir. Zamanla kabuk bağlayıp kendiliğinden iyileşir. İyileşir mi, Aylin? Yoksa kabuğun altında gizlenir mi, en zayıf anlarımda yeniden ortaya çıkıp kanamak için?"

"Bilmiyorum. Bilmiyorum... Benimkisi kanıyor galiba," demişti buruk bir gülümsemeyle.

"Söyle, kanayacak mısın Ozan?" diye seslenmiştim cep telefonuma. Onun tekrar aramasını bekliyordum. Bu sefer de açmayacaktım belki ama yine de arasın istiyordum. En azından başına bir şey gelmediğinden emin olabilmek için.

"Emre de benim göğsümde büyüyen derin yaram," demişti Aylin. "Ölümcül bir ur gibi bütün göğsüme yayıldığını ancak onu oyup çıkarmak istediğimde anlamıştım."

"İşin kötüsü, Ozan'ı kalbimden çıkarıp atmak istemiyorum ben! Bana ne yaparsa yapsın onu seviyorum. Hem de her yüzünü. Acıdan kıvrananı da, mutluluktan gülümseme açanı da... Aklının karışmış halini de, karman çorman bakışlarını da, birbirini takip etmeyen cümlelerini de, şiir gibi konuşmasını da, elini kolunu nereye koyacağını bilemeyişini de. Anlıyor musun beni Aylin?"

"Ne bileyim Sade ya, bu işler karışık işler. İçki içiyor, eminim başka şeyler de kullanıyordur, her ne kadar sen bana söylemesen de... Açıkçası, senin gibi bir kızın bunlara katlanmasını aklım almıyor. Emre'nin böyle huyları yoktur tanrıya şükür, ama bizim aramızda da tutku yok. Yani onu özlüyorum, tekrar başlayalım istiyorum ama, daha önce de denedik. Olmuyor işte. Onu gördüğüm zaman elim ayağım titremiyor. Haftada bir kere zor görüşürdük zaten, ona rağmen yanında çok güzel vakit geçirdiğimi ya da bir sonraki görüşmeye kadar onu çok özlediğimi hiç hatırlamıyorum. Ama ayrılınca da garip bir yalnızlık kaplardı içimi. Şimdi o yalnızlık daha da büyüdü. Sana anlatmadım daha... Son ayrılışımızın nedeni benim başka bir çocukla tanışmamdı."

"Ne...! Bunca zamandır başka biriyle beraberdin ve bana söylemedin öyle mi?"

"Ne bozuluyorsun kızım, Ozan'la gezip tozmaktan beni arayıp sormuyordun ki hiç! Neyse, bırakalım şu sitem fasıllarını da, ben sana şu yeni çocuktan bahsedeyim biraz."

"Adı ne?"

"Burak... Bir arkadaşım tanıştırdı bizi. O sırada Emre'yle hâlâ beraberdim aslında ama Burak'ta Emre'de olmayan şeyler vardı."

"Ne mesela?"

"Ne bileyim, tutku vardı işte. Üzerime titriyordu. Sevildiğimi hissettiriyordu yani. Acaba beni seviyor mu diye tereddüt etmekten kurtarıyordu beni. Ama Emre'yi biliyorsun. Arkadaş gibi olmuştuk. Bunca senedir beraberiz. Sıkıyordu artık beni. Yani o kadar iyi tanıyordum ki onu, benim için hiçbir gizemi kalmamıştı bu ilişkinin. İçinden ne çıkacağını bilmediğim sürpriz bir hediye paketi değildi Emre. Tabii, sürprizden kastım, Ozan'ın senin yüzüne yaptığı şu son sürpriz gibi bir şey değil ama nasıl anlatsam... Onunla beraber olmak, insanın her yaş gününde aynı hediyeyi alması ve bu yüzden de hiç heyecanlanmaması gibi bir şeydi."

Aylin konuşadursun, benim gözüm hâlâ telefonumdaydı. Emre'yi düşünmekten, Aylin'in sözlerine çok rahat odaklanamıyordum. Ama o yine de anlatmaya devam ediyordu:

"Emre, seni seviyorum demeyi bile beceremiyordu. Davranışlarımdan anlasana, söylememe ne gerek var, deyip duruyordu. Ona göre böyle şeyler şekilcilik oluyor! Aloooo! Sen dinliyor musun beni?"

"Tabii, tabii dinliyorum. Emre seni sevdiğini sık söylemiyormuş. Onu anlatıyordun. Peki, Burak söylüyor muydu?"

" Of of of, Burak söylemekle kalmıyor, her şekilde de gösteriyordu bunu..."

Yüzünde hınzır bir gülümseme belirmişti. İşin seksle ilgili bir yerlere varacağı belliydi. Birden bana dönüp pat diye, "Sen Ozan'la beraber oldun mu hiç?" diye sormuştu. Ne diyeceğimi bilemediğimden, "Nasıl yani?" diyerek zaman kazanmaya çalışmıştım.

"Nasılı var mı canım, anladın işte! Hiç yattınız mı diyorum."

Bu konudan bahsetmek hiç içimden gelmiyordu. Yatmadık deyip kestirip atmak istiyordum ama Aylin'in kısa kesmeye niyeti yoktu. Üstelik, Ozan'la cinsel ilişkiye girmemiş olmam çok acayip bir şeymiş gibi, şaşkın şaşkın yüzüme bakıp abartılı bir tavırla, "İnanmıyorum!" demişti. Vücudumda açmış olduğum yaralardan ötürü uzun süre çıplak tenimi Ozan'dan saklamak zorunda kaldığımı, ardından da Ozan'da başlayan sıkıntılardan ötürü seksi düşünecek halimizin kalmadığını anlatamamıştım tabii ona. Hem ona bir açıklamada bulunmak zorunda değildim ki. Ben ona soruyor muydum, Burak'la ya da Emre'yle yattın mı diye. Ayrıca bütün bunlar olmasaydı bile Ozan'la yatar mıydım, bilemiyordum. Tabii mutlaka bir gün olacaktı ve ben de olmasını istiyordum ama en doğru zamanda, en güzel şekilde... Açıkçası korkuyordum. Canımın yanmasından falan değil. Ona zevk verememekten, işlerin yolunda gitmemesinden, tüm aldığımız tedbirlere karşı hamile kalmaktan... Bilmiyorum işte, korkuyordum. Daha on dokuz yaşındaydım. Erken değil miydi? Yoksa yaşın hiçbir önemi yok muydu? Neyi bekliyordum? O beni arzuluyordu, ben onu arzuluyordum... O zaman sorun neydi? Bahane ettiğim o vücudumdaki yaralar da neredeyse tamamen geçmişti... Acaba sandığımdan daha mı geri kafalıydım ben? Yoksa geri kafalılık değil de, sadece...

Kapı zilinin çalmasıyla, bu boğucu düşüncelerden ve Aylin'in sıkıştırmalarından kurtulmuştum. Akşam olmuştu. Kim gelmiş olabilirdi? Yoksa Ozan mı... Ozan mı? Evet evet, oydu işte! Saçları darmadağınık, ağlamaktan gözleri şişmiş bir halde... Ama yine de oydu işte, oydu! Benim mavi bulut gözlü meleğim... Dün gece yokluğumda yaşadığı acıyı anlatmak için yazdığı bir mektupla kapıma dayanmıştı. Alelacele elime tutuşturup, "Oku bunu lütfen," demişti. Söyleyecek söz bulamıyordum. Gel Ozan, diyemiyordum. Sarıl bana, diyemiyordum. Gitme, diyemiyordum. Oysa içeri gelmesi için her şeyimi verecek haldeydim. Yüzünü görünce iradem isyan çığlıkları atmaya başlamıştı. Onsuz geçireceğim bir geceye daha katlanamayacak durumdaydım. Dudaklarının nefis tadına ölümcül bir şiddetle aşeriyordum. Yine de gel diyemiyordum. Arkamdan Aylin sesleniyordu, kim geldi diye. Ozan tekrar, "Lütfen oku," deyip koşarak merdivenlerden inmeye başlamıştı. Kapıda kalakalmıştım. Ne Aylin'e cevap verebiliyordum, ne de Ozan'ın arkasından koşabiliyordum. Sonunda Aylin gelip kapının önünde niye öyle dikildiğimi ve kimin geldiğini tekrar sorunca, biraz olsun kendimi toparlayıp cevap vermeye çalışmıştım. Ama gerçekten de ne dediğimi hatırlayamıyorum. Tek hatırladığım, doğruca odama kapanıp, onun bana verdiği mektubu okumaya başlamış olduğum...

*Su Perim, Sadem...*

*Yokluğun, tüm yaşam gücümü yakarak eritti. Sabaha karşı üç gibi Özgür'e gittiğimde, yangında harap olmuş bir ev gibiydim. Seni inciten bedenimi, yine aynı yöntemle, yüzlerce binlerce içkiyle incitmek, hatta yok etmek istedim. Ve içmeye başladım. Saatlerce, hiç durmadan... Yine de bir türlü uyuşmadı kendime duyduğum öfke, yaşadığım vicdan azabı ve en çok da sana duyduğum aşk... Neyse ki, en sonunda kendimden geçmeyi başardım. Bilmem ne kadar sonra bilincim yerine gelir gibi oldu. Gözlerimi açar açmaz, zihnim bir görüntü çorbasının içine düştü.*

*Boşalan içkiler... Özgür' ün verdiği haplar... Yıkılmış sandalyeler...*

*Birbirini izleyen ani görüntü patlamaları bir iki saniye içinde zihnimden silinmeye başlamıştı. Gerçeklik kareleri de yavaş yavaş yerlerine oturuyordu. Kâbusa bürünmüş bir gerçeklik belirmişti sanrıların arasından. Üst üste yığılmış yıkıntılardan ibaret bir gerçeklik... Ve sen yoktun Sade.*

*Kimliği belirsiz bir çığlık gelip boğazıma dayanmıştı, ama kasılmış dudaklarım sesime geçit vermiyordu. O sırada, çıktığı yolculuktan yerine geri dönen bilincimi tek bir soru işgal ediyordu: "Neredesin Sade?"*

*Boynumdaki koyu acıya rağmen başımı yana çevirmeye çalıştım. Bayılmadan önce sanırım tutunmak isterken devirmiş olduğum sandalyeleri gördüm. Sonra boş içki şişelerini... En sonunda da, koltuğun üzerinde ölü gibi yatan Özgür'ün sessiz bedenini. "Özgür? Özgür, yaşıyor musun? Cevap ver!" diye bağırdım. Onun ölmüş olabileceği korkusu ve yaşıyor olabileceği umuduyla doğrulmaya çalıştım. Aynı anda, bacaklarımın üzerinde kıpırdamamı engelleyen büyük bir şey olduğunu fark ettim. Azıcık başımı kaldırıp altında ezildiğim şeyin tam olarak ne olduğunu anlamaya çalışırken, hayalime senin yaralar içindeki bedenin çarptı. Bağırmaya çalıştım. Derinlerden gelen sesime yanıt gelmedi bir türlü. Doğru düzgün bağıramıyordum zaten. Sanki birisi, çığlıklarımı geri yutturarak, boğmaya çalışıyordu beni.*

*Başım hızla geriye düştü. Karanlık gözlerime taştı. Sonra da sen...*

*Karşımda durmuş, bana gülümsüyordun. Başımı göğsüne yaslamak istedim, ama kıpırdamamı sağlayacak tek bir ener-*

*ji kırıntısı bulamadım bedenimde. Neyse ki, sen eğilip kendi bedeninle örttün üzerimi. Yumuşak ipeklere gömülür gibi gömüldüm göğsüne. "Durumum kötü galiba," diye fısıldadım. "Ölecek miyim yani şimdi? Ama sen elimden tutup kaçırırsın beni buradan, değil mi?"*

*Sen yüzünün yaydığı ışık huzmeleri arasından gerileyerek silinirken, benim yüreğime karanlık bastı, nefesim tıkandı. Yoksa sigara dumanı mıydı beni boğan? Belki de babam...*

*"Allah kahretsin, sigaraya da mı başladın?" diyerek aniden babam belirmişti karşımda.*

*"Baba, nereden çıktın sen, canım yanıyor, yardım et!" diye yalvarmaya başlamıştım. Ama o, "Lafı değiştirme, sigara mı içiyorsun?" diye beni sorguya çekmeye devam etmişti.*

*"Hayır baba, sigara içmiyorum. Hem artık yirmi iki oldum, içsem de karışamazsınız!"*

*"Allah kahretsin, sigaraya da mı başladın?"*

*"Baba, yeter, aynı şeyi tekrarlayıp durma, ölüyorum diyorum sana, görmüyor musun?"*

*"Sigara sağlığa zararlıdır. Mezar taşına, on sekiz yaşında sigaradan öldü mü yazacağız?"*

*"Yirmi iki yaşındayım ben!"*

*"Allah kahretsin, sigaraya da mı başladın?"*

*Gözlerimi açmıştım tekrar. Sandalyeler ve şişeler hâlâ yanı başımdaydı. Özgür de koltukta. Sonra yine babam...*

*"Oğlum, sık dişini ne olursun, iki senen kaldı şunun şurasında."*

*"Baba, sus artık!"*

*"Kaç kere dedim sana, şu konservatuvarı bırakma diye. Niye hiç benim sözümü dinlemiyorsun? Amerikalısın diye hava mı atıyorsun bana?"*

*"Baba, ölüyorum ben, bırak şimdi bunları, yardım et bana çabuk!"*

*Korkunç bir ağrıyla yeniden açmıştım gözlerimi. Odadaki hava göğsümün üzerine düşmüştü sanki, nefes aldırmıyordu.*

*"Bu konuda benimle daha fazla tartışmanı istemiyorum. Annen de çok kızdı sana," diye söyleniyordu hâlâ babam. Sonra annem çıktı karşıma. "Hani tatile gidecektik Steven?" diye sitem etmeye başladı bana. "Şöyle uzun mu uzun bir tatile... Sen zaten artık bizimle gelmek istemezsin. Yalnızca baban ve ben... Ama tatiller hep ertesi yıla kalır değil mi? Ve o ertesi yıl bir türlü gelmez. Belki de artık hiç gelmez. Oğlum, saati kurdun mu? Bak, kalkamıyorsun sabahları."*

*Aklım iyice karışmıştı. "Anne? Anne sen mi geldin?" diye sormuştum o hayale.*

*"Babam nereye gitti? Kavga mı ettiniz? İyi ki buradasın. Beraber balık tutmaya ne zaman gideceğiz? Doğru, biz balığa gitmeyi sevmeyiz. Onu Amerikan filmlerindeki babalar ve oğulları yapar. Biz beraber ne yaparız anne? Ne... Büyüdüm mü ben? Öyle ya, büyüdüm. Affet anne, uzun süredir ziyaret edemedim, yalnız bıraktım seni. Karnemde iki kırık var. Babama söyleme, olur mu? Yapmak istediğim şeylere bir türlü zaman bulamıyorum. Neden her şeyi erteleyip duruyorum? Tarih hocası zaten taktı bana. Öbür zayıf da Türkçe'den. Hiçbir şey söylemeden nereye gidiyorsun? Yoksa babam sigara içtiğimi mi söyledi sana? İçmiyorum anne, yemin ederim! Anne, ne olur, sen de terk etme beni!"*

*Annem de silinip gitmişti gözlerimden. Ve sen hâlâ yoktun Sade. Sonra Özgür'ü gördüm. Ayağa kalkmıştı. "Özgür, kalktın mı sonunda?" diye seslenmiştim ona tüm gücümle. "Sana söylemek istediğim bir şey var. Hiçbir zaman ölmeyecekmiş gibi yaşama sakın, tamam mı? Şey, ben eve gidiyorum, geç oldu, annem merak eder. Sade'yi gördün mü?"*

*Su Perisi... Yine sen belirmiştin gözlerimin önünde... "Sade, neredeydin?" diye sormuştum sana. "Beni almaya mı gel-*

*din? Ama daha şeftalilerimi yemedim. Kabuklarını sen soyar mısın? Tüyleri huylandırıyor beni. Anneme söyle, bugün üzüm de yiyeceğim. Söz veriyorum! Yok su perim, vazgeçtim, hemen eve dönelim. Uykum var. Çok uykum var. İyi geceler anne. Renkli rüyalar baba..."*

*Uyandığımda kâbus devam ediyordu, çünkü sen hâlâ yoktun Sade... Su Perim, Sadem, anlatabildim mi yaşadıklarımı? Ne olursun, sensiz bırakma beni. Belki karşına geçip gözlerinin içine baka baka bunları anlatmamı isterdin. Ama yüzüne karşı duygularımı anlatacak gücüm yok. O yüzden yazıya döküyorum içimi. Sen de olmasan bebeğim, kimsem kalmayacak. Ne boş bir ömür geçirdiğimi yalnız ikimiz biliyoruz. Aramızda... Sen de olmasaydın... Sırrımı tut. Kimseye söyleme yalnızlığımı. Yoksa utanırım. Acı bu. Yanıyor. Hem de çok. Tutar mısın beni? Yanıyorum. Lütfen tut beni. Ne yazdığımı bile bilmiyorum. Bir şeyler saçmalıyorum şimdi, aklıma ne gelirse döküyorum bilgisayara. Bilgisayar duygularımı sayıyor artık. Hammaddem boşluktan ibaret. Özümde hiçim zaten, kendimi bin bir renge boyasam ne çıkar? Alttan saydam kalbim görülür. Kendi ruhumun kabartılarına sıkıştım. Süzülüp ezilsem de çıkmıyor kalbimdeki pas. Çürüyen yaralardan beter sarardı yüzüm. Dudaklarının kıvrımlarını düşündükçe çarpılıyor gözbebeklerim. Sonsuza dek ağlayan bebeklerim. Ölümün kıyısına vuran dalgalar gibiyim. Gel git, gel git, gel git... Bana vurup canımı yakar mısın lütfen? Tenimde senin dövmen olsun, çıkmayan parmak izlerin. Yaralarla imzanı at tenime. Aklımı toplamam mümkün değil. Cayır cayır yanıyorum. Kaçmam gerek, kime, nereye, tanrı aşkına neredesin? Evrenin içinde kayboldun, nasıl bulurum ben seni, nasıl uzaklaştın böyle? Her sabah nefesinin bir benzerini ben nefes diye alıyorum. Olmuyor, havasız kaldı aşk. Boğuluyoruz. Ağır geceler gündüzlerin üzerine çöküyor. Kal-*

*kamıyoruz, uyanamıyoruz. Gece ve ben çok yalnızız. Uyuyamıyoruz da. İki arada bir derede kaldık. Alacakaranlık aşkımız.... Lütfen kurtar beni...*

Okumayı bitirdiğimde gözyaşsız bir ağlama krizine tutulmuştum. Hıçkırıklarımı duyan Aylin, dayanamayıp içeri dalmıştı. Ne ben ne de o, yüreğimi nasıl teselli edeceğimizi bilemiyorduk. Annemi istiyordum yanımda. Keşke yine yan odada kitabını okuyor olsaydı da, yanına kıvrılıp uzansaydım. Ama yoktu işte. Aylin vardı bir tek yanımda. Saçlarımı okşayarak beni teselli etmeye çalışıyordu. Ama gösterdiği şefkat hiçbir işe yaramıyordu. Sonunda o da pes edip, yarım saate yakın hiç konuşmadan susup oturmuştu yanımda. Böyle durumlarda ne denirse densin boş olduğunu o da biliyordu anlaşılan. Tam ihtiyacım olan buydu zaten, sessizlik ve yalnızlık... Aslında annemler iyi ki yoklardı. Bir de onlara laf anlatmakla uğraşamazdım şimdi. Hele yüzümdeki morluğu nasıl açıklardım onlara? Evet, sessizlik istiyordum... Sessizlik. Ama yanılmıştım. Aylin, sandığım gibi, neye ihtiyacım olduğunu anlamamıştı. Yeniden cır cır konuşmaya başlamıştı.

"Haydi ama, neşelen biraz! Hani seninle bir oyun oynardık eskiden..."

"Ne oyunu?" demiştim gözyaşlarımı silmeye çalışarak.

"'Diyelim ki' oyunu var ya, onu diyorum!"

"Gerçekten hiçbir şey oynayacak halim yok Aylin. Hele 'Diyelim ki'yi hiç oynayamam."

"Oynarsın oynarsın!" diye ısrar etmişti Aylin. "Hem birazcık aklın da dağılır. Kim başlasın? İyi, tamam ben başlayayım. Dur bakayım, ne olsun ne olsun... Hah, tamam! Dinle bak... Hey, dinliyor musun?"

"Tamam, söyle dinliyorum," demek zorunda kalmıştım sonunda. Aylin, oynamayı kafaya koymuştu bir kere.

"Diyelim ki, bir çocuktan hoşlanıyorsun. Adı da ne olsun... Ömer olsun mu?"

"Fark etmez."

"İyi o zaman, diyelim ki Emre, aman Emre nereden çıktı! Ömer diyecektim... Her neyse işte, bir çocuktan hoşlanıyorsun. Onun da senden hoşlandığını ama bir türlü açılamadığını düşünüyorsun. Sonra çocuk seni yemeğe çağırıyor. Hemen kabul ediyorsun tabii. Hatta o gece birbirinize aşkınızı itiraf edeceğinize inanıyorsun. Ama eve gittiğinde, Ömer seni Murat diye biriyle tanıştırıyor. Yemeğe Murat da davetli... Murat mı, o da nereden çıktı şimdi, diye sormayacak mısın?"

"Aylin, gerçekten hiç oynamak istemiyorum," demiştim son derece bezgin bir halde. "Sonra oynasak olmaz mı?"

"Aaaa, dur ama, işin en heyecanlı kısmı başlıyor!" diye itiraz etmişti. "Hem Murat'ın kim olduğunu merak etmiyor musun?"

"Etmiyorum."

"Oyunbozanlık etme Sade. Bak, dinle şimdi, sen Murat'ı görünce, onu Ömer'in en yakın arkadaşı sanıyorsun. Hatta Ömer seni dostlarıyla tanıştırmaya başladı diye seviniyorsun bile. Ömer bir ara mutfağa gittiğinde, Murat'la yalnız kalıyorsunuz ve ona yarım ağızla, biraz da çekinerek, Emre'yi sevdiğini itiraf ediyorsun."

"Ömer'i..."

"Ne? Ha evet, yine mi Emre dedim? Allah Allah! Neyse, sonuç olarak Murat'tan, Ömer'le sana aracılık etmesini istiyorsun. Fakat Murat sana Emre'nin arkadaşı değil, sevgilisi olduğunu söylüyor... Yani seninki 'gay'miş! Evet, işte durum bu... Şimdi asıl oyuna başlayalım. Söyle bakalım, bu durumda Sade ne yapar?"

Gerçekten de Aylin'in susmaya hiç niyeti yoktu. Neredeyse onu çağırdığıma pişman olacaktım. En ciddi yüz ifademi takınıp, "Hiç keyfim yok Aylin..." demiştim sertçe.

"Ama en sevdiğin oyun bu Sade!" diye hâlâ oynamam için ısrar ediyordu Aylin. "Haydi ama, aklını Ozan'dan başka bir şeylere vermen lazım! Bak, bu hikâyeyi beğenmediysen değiştireyim. Başka bir şey bulayım, bir saniye dur şimdi. Hah, tamam...! Bak, bir de bunu dinle. Diyelim ki, hayatının aşkını buldun."

"Diyelim ki demene gerek yok. Ben zaten buldum. Ozan'ı..."

"Yaa tabii. Amma da âşık! İçki içmesine engel oldu diye kız arkadaşına vuran ideal sevgili!"

Ozan'ı eleştirmesine dayanamıyordum. Hele de mektubu okuduktan sonra... "Tamam Aylin, lütfen kapatalım bu konuyu," demiştim sinirli bir şekilde.

"Bence de kapatalım. Hem açan sensin!" diye üste çıkmıştı Aylin. "Ben 'Diyelim ki' oynamaya çalışıyorum şurada... Neyse, dinle bak, daha güzel bir hikâye anlatıyorum şimdi. Diyelim ki, hayatının aşkı o gece sana, seni sevdiğini itiraf ediyor. Kocaman bir mutluluk bulutuna binmiş uçuyorsun sanki. Ama sevgilin o gece çok korkunç bir şey daha açıklıyor. Merak ettin mi neyi açıkladığını?"

"Hayır Aylin, etmedim!" demiştim sıkıntıdan patlayarak.

"Olsun, ben yine de söyleyeceğim. Sana AIDS virüsü taşıyıcısı olduğunu açıklıyor. Durum bu işte. Söyle bakalım, Sade bu durumda ne yapar? Seks olmadan, sadece duygusal aşkla mı yetinir? Ya da ölümü bile göze alıp, içgüdülerini mi dinler? Yalnız, cevap vermeden iyice düşün, çünkü sevgilinin taşıyıcı konumu her an sonlanabilir ve hastalık aktif hale geçebilir. Sevgilinin eriyip gidişine dayanamayacağını düşünüp, aşkını bastırmaya çalışarak ilişkini sonlandırır mısın? Yani onun yüzünden yaşayacağın acıdan kurtulmak için, onunla yaşayacağın mutluluktan vazgeçer misin? Yoksa, onunla acı çekmek bile onsuz olmaktan daha mı iyidir dersin? Yani yarını düşünmeden ânı yaşamayı mı seçersin? Sonradan pişman olmayı göze alabilir misin?"

"Aylin, yeterince sorunum var zaten!" diye patlamıştım en sonunda. "Neden, bu saçma oyunu oynayalım diye tutturuyorsun? Keyfim yok diyorum, anlamıyor musun? Lütfen yalnız bırak biraz beni!"

Sesimin gümbürtüsünden ben bile irkilmiştim. Bütün öfkem zavallı kıza patlamıştı. Yüzü küskün, kırık bir hal almıştı. "Tamam, özür dilerim, biraz sert çıktığımın farkındayım," diyerek gönlünü almaya çalışmıştım hemen. "Beni düşündüğün için uğraştığını biliyorum ama elimde değil işte! Lütfen kusuruma bakma Aylin, inan ne dediğimi bilmiyorum. Sinirlerim çok bozuk. Hele şu mektuptan sonra..."

Hâlâ konuşmuyordu. Herhalde benim son derece nankör olduğumu düşünüyordu. 'Ben, yalnız kalmasın diye iki gündür buradayım, onu oyalamak için yapmadığım şaklabanlık kalmadı. O ise bana bağırıyor,' diyordu belki içinden.

"Ne o, niye hiçbir şey söylemiyorsun? Küstün mü yoksa?" demiştim en sevimli halimi takınarak. "Lütfen, suratını böyle asma Aylin! Bak, zaten üzgünüm..."

Anlaşılan epey bir kırılmıştı. Arayı yumuşatmak için oyuna devam etmesini önermiştim ama pek niyetli olmadığını görünce, "İyi o zaman, bu sefer de ben başlayayım," demiştim.

"Diyelim ki, boşluğa düştüğü için ağır bir bunalım geçiren ve içkiyle iç sıkıntısını dindirmeye çalışan bir sevgilin var. Diyelim ki, ona ölümcül bir şekilde âşık olmana rağmen sevgilini bu dertten nasıl kurtaracağını bilemiyorsun. Diyelim ki, sana vurdu ve onu terk ettin ama bir yandan da sensiz iyice bunalıma gireceğini bildiğin için endişeden çıldırmak üzeresin... Diyelim ki..."

"Tamam Sade, yeter, anladım," demişti Aylin sonunda. "Özür dilerim. Gerçekten anlıyorum seni..."

İkimiz de susup kalmıştık. Benim tek istediğim, kalkıp Ozan'a gitmekti. Ama yüreğimi dinlemekle doğru olanı yapmış olur muydum, bilemiyordum. Aylin'e sorsam, ne diyeceği belliydi. Ona gidersen, sana yine vuracaktır, diyecekti. Bu alkolikler hep böyledir, önce döverler, sonra da vicdan azabı duyarlar, diye söylenecekti. Ama o alkolik değildi ki... Geçici bir dönemdi bu. Sıkıntısını gidermek için sarıldığı bir yılandı. Hepsi geçecekti... Geçecekti hepsi...

Tam Aylin'e dönüp, Ozan'ın yanına gideceğimi söylemeye karar verdiğim anda, o birden ayağa fırlamıştı. Gözlerini kocaman kocaman açıp, "Yarına teslim etmemiz gereken projeyi de unutmuşsundur sen şimdi!" demişti. Evet, yanılmıyordu. Beynimin ortasına bir vinç daha inmişti. Reklam Çözümlemeleri dersinin projesi, dönemin başında Ozan'la tanıştığımız günlerde verilmişti. Demek, ödevi bitirmemiz için verilen süre artık doluyordu. Yoksa, Ozan'la ilişkimizin süresi de mi doluyordu?

Birden, sanki ödevimi tamamlarsam, Ozan'la aramı düzeltebilirmişim gibi gelmişti. Hemen bilgisayarın başına geçmiştim. Aylin yardım etmeyi önermişti. Gerek olmadığını söylemiştim. Yapmam gereken birkaç küçük düzeltme vardı, o kadar. Ama Word sayfasını açıp da şimdiye kadar yazdıklarıma bir göz atınca, bütün öfkem beynime sıçramıştı. Ürünü sattırmak için söylemediğim palavra kalmamıştı! Oysa dönemin başında Özgür'e bu sektörle ilgili nefretini kusan ben değil miydim? Nasıl bir ikiyüzlülüktü bu? Sırf not almak için karşı çıktığım bu anlayışı nasıl kabullenebilirdim? Zaten ne anlamı vardı bütün bunların? Ozan yokken... Dersten kalsam, hatta okuldan atılsam bile ne yazardı? Sıfır alacağımı bile bile boş bir sayfa açıp yeniden yazmaya başlamıştım:

*Hocam,*

*Ben bu bölümde okumaktan nefret ediyorum ve reklamcı olmak istemiyorum. Sevgilim acıdan kıvrana kıvrana uykuya dalmış durumdayken ben onu terk ettim. O yüzden, hiçbir şey olmamış gibi, aptal bir parfüm reklamı hazırlayacak durumda değilim. Ben bu işi yapamam. Müzisyenim ben, reklamcı olamam. İçimde insanlara karşı çok yoğun bir sevgi taşırken, kimsenin kendine olan sevgisini yitirerek mutluluğunu kaybetmesini istemiyorum. Oysa reklamlar aracılığıyla ürünlerden kâr sağlanması, aslında insanların kendilerini sevmemelerine bağlı değil mi; çünkü insan ancak başka biri gibi görünmek isterse ya da kendinden memnun değilse, çeşitli malları tüketerek tamlanmaya çalışmaz mı?*

*İnsanlarınkine hiç benzemeyen hayatları, ideal mutluluk ve başarı simgesi olarak göstermemiz gerektiğini, izleyicilerin olmak istedikleri kişi ve oldukları kişi arasındaki farkı ne kadar çok artırırsak, ürün sahibi firmanın kârının da o kadar çok artacağını siz söylemiştiniz bize; çünkü insanlar aradaki farkı kapatmak için o üründen daha fazla tüketmeye başlarlar, yanılıyor muyum? Dersimi iyi öğrenmemiş miyim?*

*Ama ders mers umurumda değil artık. Beni isterseniz bırakın bu dersten, hatta okuldan atın, önemi yok. Başarı ve mutluluk yalnızca reklamlarda sunulan imajlardan ibaret değil. En azından, benim mutluluğumun onlarla uzaktan yakından ilgisi yok. Ama bu mesajlar tekrarlandıkça, tek gerçek ve doğru güzelliğin onlardan ibaret olduğu yanılsaması daha çok sağlamlaşacak. Bu işte benim de bir payımın olmasını istemiyorum.*

*Mutluluğun gerçek hammaddesini kendi içimize dalıp aramak varken, sahte beğeni kalıplarına sığmaya çalışarak mutluluk inşa etmeye çabalıyoruz. Sonuçta da kaçak, sahte malzemeyle yapılan inşaatlar gibi, en küçük bir sarsıntıda, acıda ya da bunalımda yıkılıverecek kadar zayıf, hastalıklı bir mutluluk yaratıyoruz. Ben daha fazla bu işe alet olmak istemiyorum.*

*Hocam, size şu anda okuduğunuz yazıdan başka bir ödev teslim edemeyeceğim, çünkü bu bölümden aldığım ders budur.*

Daha fazla dayanamayıp sayfayı kapatınca, bilgisayar ekranındaki duvar kâğıdıyla baş başa kalmıştım. Yani, Ozan'la benim en çok sevdiğimiz resmimizle... "Sen yavru ceylanım olacaksın, ben de seni yakalayacağım, tamam mı?" diyerek arkamdan koştuğu gün, beni belimden tutup yakaladığı anda Özgür patlatıvermişti flaşı. Tam bir Türk filmi karesi. Olsun, sonuçta bizim filmimizdi ya! Bir an için, resimdeki mutluluk kalbime pompalanmıştı. Ama çabuk boşalmıştı. Zaman geçmiyordu. Ozan aramıyordu. Aylin, yattığı yerde sızıp kalmıştı. Üzerini örtmüştüm hemen. Sonra da yatıp kendi üzerimi örtmüştüm. Oysa asıl ihtiyacım olan, acımın üzerini örtmekti. Tek çare de, geçici bir süre bile olsa uykuya sarılmaktı. Neyse ki sonunda, koyun saymak yerine, Ozan'la yaşadığımız yüzlerce olayı sayarak uykuya dalmayı başarmıştım.

Sabah kalktığımda Aylin çoktan uyanmış, kahvaltıyı bile hazırlamıştı. Yüzümdeki morluklarla okula nasıl gideceğimi soranlara ne diyeceğimi düşünmekten, bir damla yemek yiyecek halim yoktu. Aylin, ne olursa olsun okula gidip ödevimi teslim etmem gerektiğini söylüyordu. Ama ben sırf oyalanacak bir şeyler bulup evde yalnız kalmamak ve Ozan'ı düşünmekten biraz olsun kurtulabilmek için derse girmeyi istiyordum. Yoksa ödevi teslim etmek umurumda değildi. Zaten o ödevi okuyunca hocanın nasıl bir tepki vereceği malumdu. Yazıcıdan çıktısını aldığımda ödevin yalnızca bir sayfa olduğunu gören Aylin çığlığı basmıştı. Hele yazdıklarımı okuyunca, tıpkı kızını azarlayan bir anne gibi, "Sen ne yaptığını sanıyorsun?" diyerek karşıma dikilmişti. Belki de haklıydı. Bu dersten kalmak bana ne kazandıracaktı? Hocaya kafa tutmakla, boş bir kahramanlık hevesiyle, küflenmiş solcu ağızlarıyla elime ne geçecekti? Koskoca bir sisteme karşı ne kadar direnebilirdim, bu çarkın bir dişlisi olmaktan ne kadar kurtarabilirdim kendimi. Çoktan kaybedilmiş bir savaştı bu ve o anda fark etmiştim ki, aslında umurumda da değildi. Önemli olan tek şey Ozan'dı ve ikimizin mutluluğuydu. Popüler kültürmüş, medyadaki yozlaşmaymış, bilinç endüstrisiymiş, reklam karşılığında izler kitlenin satılmasıymış... Hiç ama hiç umurumda değildi artık. Ozan'a âşıktım ve canım yanıyordu. Bildiğim tek şey buydu işte. Ben Ozan'a âşıktım... Ozan'a âşıktım... Ozan'a âşıktım...

Aylin, tek sayfalık ödevimi çöpe atıp, ilk yazdığım asıl ödevin çıktısını almıştı. Sonra da apar topar otobüse binmiştik. Herkes, Ozan'ın yüzümde açtığı morluğa bakıyordu. Ya da bana öyle geliyordu ve tenime değen her bakış, yaranın verdiği acıdan daha şiddetli yakıyordu canımı. Ağlamaktan şişmiş gözlerim de cabasıydı. Okula vardığımızda etrafıma üşüşüp yüzüme ne olduğunu soran herkese, sanki diyecek daha klişe bir yalan yokmuş gibi, merdivenden yuvarlandım demiştim. Bir de 'kapıya çarptım' vardı tabii...

Evdeyken, okula gittiğimde yerin dibine gireceğimi, aşırı derecede utanca boğulacağımı sanmış olmama rağmen, sonuçta pek de umurumda olmamıştı insanların ne düşündükleri. Uyuşmuş gibiydim tüm duygu ve düşüncelere karşı. Okul, hayalet gibi gezinip durmuştu etrafımda. Aylin, çıkışta, son derece kötü göründüğümü, benim için endişelendiğini, eğer istersem bu akşam da yanımda kalabileceğini söylemişti ama ben gerek yok demiştim. Tek ihtiyacım olan, Ozan'dı; Aylin değil.

Neyse ki, eve döndüğümde tüm evrene karşı duyarsızlaşmış halimden beni kurtaran küçük bir sürpriz vardı kapıda. Ozan'ın bıraktığı yeni bir mektup...

*Su Perim, Sade'm...*

*Günler tanık, ne kadar çok uğraştığıma. Çalamıyorum işte, ne yazık! Senin müziğin tükenmez demiştin bana ama her tükenmez kalem nasıl tükeniyorsa, parmaklarımdaki melodiler de öylece uçtu gitti işte...*

*Sen gelirsin de, gözlerinden birkaç nota akıtırsın ve çalarsın beni belki de. Sol anahtarının sivri ucuyla, kazırsın ilham efendiyi dudaklarıma. Hani müzisyenim ya ben, hani baştan aşağı yüreğim ya ben, tutarım ellerinden, tek tek bütün şarkılarımı gezdiririm sana. Bu gece yüreğimde kal be sevgili misafir. Küçük çocuklar nasıl mutlu olursa, evlerine bir misafir geldiğinde, dönersen belki ben de çocuk olabilirim bu gece...*

*Basitlik oyunu oynayalım mı seninle? Karmaşıklığın göz kamaştırıcı lüksünden gidelim mi sessiz sakin yüreklerimize? İskambil kâğıtlarından yapılmış şatoları uçuralım bir nefesle, ne dersin? Kâğıttan insanları ıslatalım gözyaşlarımızla ve ikimiz kalalım yalnızca... Bestelerle yarattığımız yürekkondularımızda oturalım. Dalga geçelim nehirlerle. Bize gücünü göstermeye çalışan o çılgınlara, akıntının ne olduğunu gösterelim. Kalp kaymasının, yürek aşınmasının ninnisini duysalar yıkılır o seller, bilirim. Gel, onlara yüreğimizi gösterelim, korkup kaçışlarını seyredelim.*

*Basitliğime gelir misin bu gece? Saflığın doğum gününü benim yüreğimde kutlasak? Sen de kendini getirsen olur mu? Benim zayıf yanlarımın davetlisisin sen bu gece; güçlü yanlarımın davetsiz misafiri olur musun?*

*Uzun zamandır dinlenmeyen şarkılar, şarap gibi daha bir tatlanır ve son dinlenişte, paslanmış o eski heyecanları tattırır. Canım şarkım, Sade'm, nasılsın? Şimdi yüreğimde hiç dur-*

*madan SEN çalarken, sevgili şarkım, rahat mısın? Melodileri okşuyor musun eskisi gibi? Belki dönersin diye, iki gündür yüreğimde temizlik yapıyorum. Hiç içmiyorum Sade. Yemin ederim, bir yudum bile... Taze çiçekler, renkli mumlar aldım salona. Senin sevdiklerinden... Sade, lütfen geri dön. Sensiz bu savaşı kazanamam. İnsanlar hâlâ güç kavgasındalar; birbirlerinin kâğıt bebekleri olmayı sürdürüyorlar. Sensiz onların arasına karışamam. Çeşit çeşit kavgayı, öfkeyi, çirkinliği kesip birbirlerine giydirirlerken aralarında kendime yer açamam. Seni özlüyorum. Çünkü sen hep incecik ruhunu giyersin, kendi gözlerini takarsın. Dudağına biraz pembe gül, yanaklarına da biraz karanfil sürersin. Gözlerini güneşin batışına boyarsın, saçlarını geceye. Lütfen güzel şarkım, lütfen geri dön yüreğime.*

*Sen sesinle yüreğimi çalarken, ben de sana piyanoyla eşlik ediyorum şimdi. Dur bakayım, ne diyorsun? Evet, duyuyorum seni. Sade'm, ben de seni seviyorum.*

*Ama sen değil miydin, melek sessizliğinde ölümden kaçan? Ay parçalarını toplayıp güneş yapmaya çalışan; kendi bileklerini kesip kanını bana akıtan? Sen değil miydin, benim iplerimi çözüp kendini asan? Peki, şimdi niye dönmüyorsun? Her şey farklı olacak bu sefer. Güven bana lütfen!*

*Ben bir uyku misali yaşarken, saatlerce camdan bakıp, dökülen yapraklarımı toplayabilmek için bir yudum enerji bekliyorum. Ümitlerim sere serpe yerde sürünürken, yüreğimden dökülmeyen tek yaprağımsın sen.*

*Sonsuzluğa erebilmek için sevgimi oradan oraya sattığım zamanlar çok gerilerde kaldı artık. Çünkü güneş bana yardım edip ölü gözlerimi açtığında seni buldum ben.*

*Kocaman bir boşluk, küçücük bir umut ve işte ben. Kayıp mutluluklar şehrinde kayıp sevinçler ve kayıp bir ben. Yokluk içinde kaybolmuş birden, son umut, son şarkı gibidir diyen EY*

*Sevgili! Acıdan öcünü alırken lütfen benim canımı yakma!*

*Güneş kaybolmaya başladığında, sadece ellerimdeki mum ışığını bile görürsen gel. Çöküntülerim ve pembe görünümlerim kavga edip, mora dönüp acıdan yanınca, ben ve çöküntülerim "hiççe" bir şarkı tüttürürüz. Senceye benzer bir dille konuşur, bin bir renkli ateşlerde dans ederiz. Tıpkı şöminede çatırdayan odunlarınki gibi. Çığlıklar, haykırışlar arasında yok olan bir ağaç atığının dansı bu ve de bir yok oluşun sonu...*

*Dün ne oldu biliyor musun? Gök beni seyrederken dayanamadı, ağladı. Sırılsıklam oldu. Gözyaşlarından bir gökkuşağı oluştu ve ben gidip en güzel maviyle yakaladım onu. Sonra da bir ressama dönüştü. Yağmuru boyadı bulutlara ve ben bir şarkı çizdim güneş renkli, ay bakışlı. Şimdi gel de şarkımı bir ziyaret et. Gel de gökkuşağı tarlalarını yakala benimle...*

*Sabah resmine bakarken dünyanın bütün çölleri su olup içime aktı. Ardından sıradanlıklar beni ziyarete geldiler. Gözlerinde bir demet mavi gül, ellerinde özgürlük; bulutsuz akşamlarda tutsaklıktan kaçıp geldiler. Aralarından anlamsızlık, beni düşüncelere boğdu. Bin bir anlamdan kurtarıp, beni sıradanlıktan kovdu.*

*Dün cehenneme de bir yolculuk yaptım. Sırtımda gitarım ve düşlerimin ağırlığı... Onları gerçekleştirememenin suçluluğu, eline bir kamçı almış vuruyor bana, kendi kendime düşman ediyor beni. Sonra asiler basıyor rüyalarımı. Gerçeklerim zaten düşlerime kızgın, düşlerim dünyaya dargın... Benim en yakınım sensin, sevgili uzağım.*

*İstanbul'da güneş serserice doğuyor gittiğinden beri. İçimdeki boşluklara doğmayan asi güneş ışığımsın sen... Buz gibi donuyor o koca, kara delikler. Bu yüzden kıskanıyorum, beni hiç sevmeyen umut ışığını. Çürük, çarpık çurpuk, çamurdan, çatlamış, çökmüş, çaresiz bedenim, çalı çırpı gibi güçsüz, zayıf ve yorgun. İçimde sisler oynaşıyor; yoksa düşler mi?*

*"Kapkaranlık karanlık olur mu hiç?" diyorsan, o zaman gel de yüreğimi bir ziyaret et. Gel artık!*

*Sıkıntıdan kaçmalıyız, unutmalıyız, unutmalıyım. Bu, şeytanın oyunu. Hayır, yenilmemeliyiz! Dönmeyeceksen, hiç karşıma çıkmasaydın keşke, yakmasaydın suyu, buzu mavi, gülü kırmızı bıraksaydın. Güneşi boyamasaydın Ay'la ve sevmeseydin bütün bu yapılmamasıları yapanı seveni, hem de tüm fısıltıların gürültüsüyle seveni; beni!*

*Ben şeytanın gürültüsünde, ölümden kaçıyorum. Al ve götür beni melek sessizliğine; uçurumlar bittiğinde yanımda ol, lütfen dön artık Sade!*

*Soğukluğum suyun sessiz sakinliğinde seni bekliyor Sade. Sessizliğin çıkardığı gürültü, melodilerin katilidir benim yüreğimde. Kulaklarımı sağır edercesine haykırır soğukluğum; sıcaklığım acıdan donup kalınca ve suyun sessiz sakinliğinde boynunu büküp seni bekler Sade.*

*Denizler gider gelir, trenler dalgalanıp durulurlar benim istasyonlarımda. Sirenler eser arada bir. Pembe bulut yolcuları, mavi bulutla yolculuk ederler. Suyun sessiz sakinliğinde, boyunlarını büküp sadece Sade'yi beklerler.*

*Sarıcasına saran sarmaşıklar, sağırcasına duymazlar beni. Serbest bırakırlar melodilerin katilini. Sade, geri dönmezsen, içimdeki katil öldürecek beni. Yaşamam için dön lütfen biricik sevgili!*

Dönmemek elimde miydi sanki... Bir gece daha onu görmezsem arzumun şiddetinden aklımı yitirebilirdim. Sokağa çıkıp koşmaya başlamıştım. Evlerimiz arasında beş dakikalık mesafe olmasına rağmen, yol bir türlü bitmiyordu. Dünya ağır çekimde hareket ediyordu sanki. İyi sıkışmamış bir musluğun ucunda düşmeyi bekleyen ama bir türlü düşmeyen bir damla gibi... Sonunda düşen ben olmuştum zaten. Heyecandan birbirine dolanan bacaklarım yüzünden, Ozan'ın kapısının önüne kapaklanmıştım. Ama düştükleri zaman hiç bozuntuya vermeyen buz patencileri gibi de hemen ayağa kalkıp zili çalmıştım. Kalbim kulağımın içinde atıyordu. Aklımda binlerce siren çalıyordu. Evde olması için dua ediyordum. Ama saniyeler geçmiyordu. Aramızda duran kapı açılmıyordu. Her şeyin bittiğini ve evrenin üzerime yıkıldığını hissediyordum. Her yutkunuşumda bir balta saplanıyordu boğazıma. Ateşim yükseldikçe yükseliyordu. Havale geçiriyordu aşkım. İşte tam o sırada, kapıyı açıp, soğuk su gibi üzerime akmıştı Ozan. İçeri çekmişti beni. Yüzü yüzüme yapışıp kalmıştı. Nefesi esiyordu yanaklarımda. Tutkunun kokusunu duyuyordum. Aklımın yitip gideceği anların sinyalleri yanıp sönmeye başlamıştı bedenimde. "Seni seviyorum," demek istiyordum ama, dudaklarım açılır açılmaz onun dudaklarının arasında buluyorlardı kendilerini. Dilimden dökülecek kelimeler ağzının içine boşalıyordu. Bacaklarım titremeye başlamıştı. Elleriyle yüzümü tutmuştu. Gözlerine bakacak gücüm yoktu. Alev almıştı tenim. Son gücümle konuşmaya çalışmıştım. "Titriyorum," demiştim. Sıcak bir battaniye gibi sarmıştı beni. Yavaşça yere yatırıp üzerimi örtmüştü kendi bedeniyle. Öpüşleri, toprağa düşen cemreler gibi tenime damlarken, giysilerimizi çıkarmıştı usulca. Onu bir an önce içine almak için damar damar atan bedenim şaşkına çeviriyordu beni. Şimdiye kadar canlı olduğunu böylesine keskin hissetmemiştim hiç. Bir kalp atıyordu orada, bacaklarımın arasında, yepyeni bir canlının kıpırdanışını, deli bir hazla duymaya başlamıştım. Morfin dolu bir şırınga gibi ağır ağır girmişti içime. İlk sızıdan sonra, tüm vücuduma dağılan balımsı bir hazla uyuşturmuştu tenimi. Her girişinde biraz daha yoğun, biraz daha derinden, en yüksek dozlarda akıyordu içime. O müthiş altın vuruşa doğru...

Uyandığımda, yüzümü okşayan ellerini görmüştüm ilk önce. Sonra gülümseyen dudaklarıyla gözlerini... Teni huzur kokuyordu. Her zamankinden farklı bakıyordu bana. Küçük su perisine değil de bir kadına bakar gibi... O kadına ben de hayretle bakıyordum. Derinliği olan üç boyutlu bir bedenim vardı artık. Dün gece sevişen ben miydim gerçekten? Nasıl olmuştu da bunca zaman tanışmamıştım onunla? Ozan'ın içime girmesiyle dışarı çıkan bu yeni benle? Aldığım zevk, yaşadığım doyum gerçek miydi? O ana kadar cinselliğin, aşk yanında küçük ve değersiz olduğunu, aksi takdirde aşkın yozlaştığını savunmuştum ben oysa. Seksi küçümseyip aşkı yücelttikçe kendimi daha kaliteli, daha asil gördüğümden belki de. Sanki seks, bir iki dakikalık zevk için gereğinden fazla ilgi çeken, bayağı tarafıydı aşkın. Ama şimdi ayrılmaz bir bütün olmuştu aşkla seks, tıpkı Ozan'la ben gibi, tıpkı bedenim, aklım ve kalbim gibi.

# 6

O geceden sonra Ozan bir daha asla esrar içmeyeceğine dair bana söz vermişti. İçki aldığı zamanlarda da asla aşırıya kaçmayacaktı. Her şey yavaş yavaş yoluna giriyordu. Ama ben yine de onu merak etmeden duramıyordum. Henüz tam anlamıyla ona güvenemiyordum. O yüzden, bir iki haftadır kendi evime uğramaz olmuştum. Sürekli Ozan'la beraberdim. Bir an olsun gözümden ayırmak istemiyordum onu. Okula giderken beni geçiriyor, akşamları dört gözle eve dönmemi bekliyordu. Ben yanında oldukça, huzursuzluğun, sıkıntının, acının yanına yaklaşmadığını söylüyordu. Onu mutlu edebildiğim için sevinçliydim tabii, ama aşkının yoğunluğundan ötürü bazı endişelerim vardı. Tüm hayatını bana odakladıkça, sahip olduğu yetenekleri değerlendirmiyor, hepsini boşa harcıyordu. Piyano çalmak, yazı yazmak bir yana, arkadaşlarıyla dolaşmak, hatta Özgür'ü bile görmek içinden gelmiyordu. Benden bağımsız olarak yaptığı tek şey, kitap okumaktı herhalde. Tanrıya şükür, bu alışkanlığını yitirmemişti henüz. Bir de yemek yapmaya başlamıştı. Ben gelene kadar vaktinin çoğunu mutfakta akşam yemeğimizi hazırlayarak geçiriyordu. Parmaklarını yemek yapmak için kullandıkça deliye dönüyordum. Müzik yapmalıydı o, yemek değil. Ama öyle özenerek, öyle keyifle yapıyordu ki, sonuçta hiçbir şey diyemiyordum. Sofraya oturduğumuzda, yemeği beğenip beğenmediğimi anlamak için gözlerimin içine bakıyordu. "Parmakların piyano tuşlarına dokunmalı, domatese patlıcana değil!" diyemiyordum o güzel gözlerine. En yakın zamanda bu ev erkekliğinden sıkılmasını umut etmekten başka çarem yoktu.

Beni şaşırtan bir diğer şey de, Özgür'ün Ozan için duyduğu endişenin içtenliği olmuştu. Her ne kadar arkadaş olsalar da, onun bir dost duyarlılığına sahip olduğunu bilmiyordum. Fırsat buldu mu kafa çeken, zaman zaman homurdansa da genellikle hayatı ciddiye almayan, hiçbir konuya derin bir yatkınlığı ya da ilgisi olmayan, iyi niyetli ama biraz duygu kısırı biri gibi gelirdi bana. Onun herhangi bir insan için (bu kişi en yakın arkadaşlarından biri de olsa) kaygı duyup üzülebileceği aklımın ucundan geçmezdi. Ama üzülüyordu işte. Bununla da kalmayıp, dönemi bitirmesi için Ozan'ı mutlaka ikna etmemiz gerektiği konusunda ısrar ediyordu. Bense bunu başarabileceğimizden, dahası başarmamız gerekip gerekmediğinden bile emin değildim.

Sonuçta ne yapacağımıza karar vermek üzere bir kafede buluşmuştuk. Derslere devam zorunluluğu olmadığından, Ozan'ın dönemi bitirebilmesi için final sınavlarını vermesinin yeterli olacağını söylemişti.

"Ozan, isterse o parçaları şipşak halleder Sade. Zaten ben şimdi gidip hocalarıyla konuşacağım. Finalde çalınacak parçaların notalarını aldıktan sonra da, yemek yeme bahanesiyle akşam size uğrayıp, Ozan'ı ikna etmeye çalışırım..."

Benim için önemli olan, Ozan'ın ikna olması değil, yeniden arkadaşlarıyla görüşmeye başlamasıydı. O yüzden Özgür'ün bize uğraması işime geliyordu. Tabii bir şartla. Ozan'ın yanında hiçbir keyif verici maddeyi fazla kaçırmamalıydı. "Keyif verici madde" lafımı duyunca gülmeye başlamıştı Özgür. Sonra birden ciddileşip, "Ne o, adlarını söylemeye korkuyor musun?" diye sormuştu. "Keyif verici madde deyince tehlikesi mi azalıyor? Ama merak etme, bir süredir elimi eteğimi çektim o işlerden. Biliyorsun, finaller var. Keman çalarken ellerimin titrememesi gerek. Hoş, senin beni merak ettiğin yok zaten. Ozan'ın yanında kullanmayayım yeter, öyle değil mi? Kendi başımayken, komaya girene kadar zıkkımlansam da umurunda olmaz yani!"

Sitemleri içime oturmuştu. Bir şeyler söyleyip gönlünü almam gerektiğini biliyordum ama, ben daha sözlerimi toparlayamadan o, derse geç kaldığını söyleyip apar topar çıkmıştı kafeden.

Eve döndüğümde, Özgür'ü yemeğe çağırdığımı söyleyince biraz gerilmişti Ozan. Etrafında fazla insan görmek istemediğini biliyordum, ama daha fazla içine kapanmasına da göz yumamazdım. Zaten o da bir süre oturup düşündükten sonra, "Haydi, Özgür'e güzel bir şeyler hazırlayalım," diyerek gülümsemeye başlamıştı. Onu yemek yaparken seyretmek normalde sinirlerimi bozuyordu, ama bu sefer benim de yardım etmeme izin verdiği için keyiflenmiştim. Aşçıbaşı ve çırak rollerini üstlenerek, o haşladığı havuçları soyup kesmeye, ben de soğanları tavada kavurmaya başlamıştım. İlk defa deniyordu bu yemeği. "Tadı çok güzel olacak," deyip, büyük bir özenle uğraşıyordu. Kavurduğum soğanların üstüne havuçları döküp karıştırırken, yüzü garip bir mutlulukla pembeleşmeye başlamıştı. Bana dönüp, "Bak, bu soğanlarla havuçlar tıpkı senle ben gibi birbirlerinin içinde eriyecekler şimdi!" diyerek gülmüştü. Sonra da "beşamel sos" dediği o acayip sosu yapmaya koyulmuştu. Tam o sırada kapı çalınca birbirimize bakıp öylece kalakalmıştık. Özgür erkenden gelmeye karar vermişti anlaşılan. Koşup kapıyı açtığımda, yine o neşeli haliyle içeri dalıvermişti. Ama benim hiç neşelenecek halim yoktu, çünkü Ozan'ı yemek yaparken görünce işi gırgıra vurup onunla dalga geçmeye başlayabilirdi. Öyle de olmuştu zaten. Mutfağa dalıp kahkahayı basmıştı.

"Ne lan bu halin? Oğlum, bizim Sade seni parmağında oynatmaya başlamış. Helal olsun vallahi!"

Ozan'ın espri kaldıracak hali olmadığını düşündüğümden ortamın gerileceğinden korkmaya başlamıştım ama, sandığımın aksine, birbirlerine sarılıp, eski günlerdeki gibi gülüp eğlenmeye başlamışlardı.

Yemeğe oturduğumuzda, Özgür beşamel sosun lezzetini öve öve bitirememişti. "Oğlum, acayip yapmışsın ya, vallahi bayıldım!" deyip duruyordu. "Laf aramızda, yeniden bir araya gelmenize acayip sevindim. Sade'nin gittiği gün ne kötü olmuştun ya Ozan! Çok kötü içmiştik, deli gibi! Kızım, sen de bir daha bırakma şu çocuğu. Ben Ozan'ı hiç öyle perişan görmemiştim. Sabahın üçünde yıkılmış bir halde kapıma dayandığında..."

"Neyse canım, geçti gitti!" diyerek araya girmiştim hemen. "Şimdi beraberiz ya, gerisi önemli değil... Peki, sen neler yapıyorsun Özgür? Finaller yaklaştı herhalde..."

Özgür, lafı nereye getirmeye çalıştığımı anlayınca, okuldaki hocalardan, dönem sonu gösterilerinden, ilerideki mezuniyet töreninden falan konuşmaya başlamıştı. Eski günlerdeki gibi baş başa sohbet etmelerinin iyi olacağını düşündüğümden, çok önemli bir ödevim olduğu yalanını söyleyerek yatak odasına çekilmiştim. Ama aradan yarım saat bile geçmeden, Ozan odaya gelip, yanlarına gelmem için ısrar etmeye başlamıştı:

"Sadeciğim, ne olursun beni yalnız bırakma şu Özgür'le. Sürekli konuşuyor ve okula dönmem için saçma sapan bahaneler öne sürüyor. Kafayı takmış bir kere! Sanki mezun olunca bir şey değişecekmiş gibi..."

Anlaşılan Ozan'ı ikna etmek kolay olmayacaktı. Üstelik ben hâlâ bunun gerekli olup olmadığı konusunda kararsızdım. Aksi gibi, Ozan da yanıma oturup, "Sen bu konuda ne düşünüyorsun?" diye sormuştu. Gerçekten ne diyeceğimi bilemiyordum. Senelerce emek verip okuduktan sonra, mezun olması iyi olurdu belki ama, eğitime inancını ve saygısını yitirmiş biri olarak aldığı diplomanın ne anlamı olacaktı? Karşı çıktığı sisteme boyun eğişinin belgesi olmaktan başka?

"Niye daldın su perisi, söylesene, sevgilinin konservatuvar mezunu olmasını ister misin?"

"Sen nasıl istersen öyle olsun isterim."

"Oh ne güzel, bütün sorumluluğu bana at bakalım! İyi de güzelim, ben ne istediğimi bilmiyorum ki. Ayrıca, istediğim şeyin doğru karar olup olmayacağını da bilmiyorum."

"Senin ne yapman gerektiğine ben karar veremem Ozan. Ama lütfen, sevgilisinin kararlarına saygı duyan ideal âşık görüntüsü altında sorumluluk almaktan kaçındığımı düşünme."

"Yok be su perim. Şaka yaptım sadece. Tabii ki öyle düşünmüyorum. Tek düşündüğüm, Özgür'ü yalnız bıraktığımız için biraz ayıp ettiğimiz! Haydi, kalk gidelim yanına."

Döndüğümüzde, Özgür ceketini giymiş gitmeye hazırlanıyordu. "Seni yalnız bıraktık diye darıldın mı yoksa?" diye sormuştum. "Yok, daha neler! Ben öyle şeyleri kafaya takmam," diyerek geçiştirmişti. Ama tüm o neşeli, vurdumduymaz tavırlarına rağmen, yüzündeki burukluğu gizleyememişti. Bunu Ozan da fark ettiği için, "Seninle gelmemi ister misin?" diye sormuştu Özgür'e. "Biraz dolaşır, erkek erkeğe laflarız, ne dersin?"

"Yok, sağ ol dostum ya! İyiyim ben. Siz iki sevgili başbaşa güzel bir gece geçirin. Okulla ilgili söylediklerimi de tekrar düşün. Final parçalarının notalarını piyanonun üstüne bıraktım..."

Özgür gittikten sonra birkaç dakika hiç konuşmadan durmuştuk. Sonunda Ozan dayanamayıp, "Ben arkasından gidip bir bakayım bari," demişti. "Kafası bozuk gibiydi. Bir derdi varsa belki bana anlatır."

Ozan kapıdan çıkmaya hazırlanırken, ben de oyalanmak için televizyonu açmıştım. Kanallardan birine basmamla beraber de, olduğum yerde donup kalmıştım. Kırmızı renkli kocaman kalın harflerle ekrana yaklaşıp uzaklaşan "flash flash" yazıları ve "Dostluk Kulübü mü, uyuşturucu batağı mı?" sorusunu seslendiren o kalın, tok erkek sesiydi beni donduran. "Ozan, çabuk gel!" dememle beraber, kapıdan dönüp gelmişti Ozan. O anda alttan bir yazı geçiyordu:

"Veli Sert, yeni bir tarikat daha ortaya çıkardı. Dostluk Kulübü yalanının altında yatan gerçekler... Dostluk Kulübü, şimdiye kadar kaç genci ağına düşürdü? Bu işin arkasında hangi güçler var? Birazdan Veli Sert'le su üstüne çıkıyor..."

Ozan iyice afallamıştı. Hipnoza girmiş gibi, ekranda beliren kıza bakıyordu. Kapkaranlık bir arka plan ve sadece beyaz ışıkla aydınlatılan o solgun yüze... Tipik bir korku filmi mizanseni... Sonunda kız oldukça gergin bir halde ve fonda ürkütücü uğultular eşliğinde konuşmaya başlamıştı:

"Kutular dolusu CD ve VCD satıyorlardı. İçinde grubun

lideri Ateş'in verdiği konuşmalar ve o malum haplardan vardı. Haplardan yuttuktan sonra onu dinlemenin ve izlemenin çok daha etkili olduğu ve hapların Ateş ve diğer üyelerle bütünleşmeyi kolaylaştırdığı söyleniyordu. Günde en az dört saat, onun insanı baştan çıkaran sesini dinliyordum. Eve gider gitmez, yüzünü görebilmek için VCD'leri izliyordum. Ders aralarındaki, beş dakikalık zamanlarda bile hemen CD'leri dinlemeye başlıyordum. Bütün sözlerini, nefes alıp verdiği yerleri, vurgularını, tonlamalarını ezberlemiştim. Onun sesini duymak, yüzünü görmek varken, arkadaşlarımla vakit geçirmek çok boş ve anlamsız geliyordu. Hepsinden yavaş yavaş kopmaya başlamıştım. Onlarsa halimi epey merak ediyorlardı. Bu da bana ayrı bir zevk veriyordu. Hayatımda ilk defa diğerlerinden farklı ve özeldim. Onların bilmediği bir dünyanın gizemine sahiptim. Kendimi çok güçlü, hatta kutsal hissediyordum. Daha sonra bu bende iyice takıntı haline gelmeye başladı. Ateş hakkında fanteziler kurmaktan başka bir şey yapamaz hale geldim. Artık ne televizyon izlemek, ne bir yere gitmek ne de ailemle görüşmek ilgimi çekiyordu. Her saniye, onu dinlerken yaşadığım kendinden geçme halini, sevme coşkusunu arzuluyordum. Tabii bol bol da hap tüketiyordum. Dionysos bizim sembolümüzdü. Evrendeki yaşam enerjisinin, aşkın ve coşkunun tanrısıdır o. Uyuşturucu aldıktan sonra dans ederek, dönerek, kendimizden geçiyorduk ve kutsal birliğe ulaştığımıza inanıyorduk. Yaşadığım mutluluk patlamalarının nedenini Ateş'in öğretilerine bağlıyordum, haplara değil. Ama haplar o çılgın coşkuyu verirken bir yandan da beynimi çökertiyorlardı. Okula da doğru dürüst gitmemeye başlamıştım. Hem aklımı toparlayamıyordum hem de hap almadığım zamanlarda içimde berbat bir sıkıntı oluşuyordu. Bunun nedenini, Dostluk Kulübü dışındaki dünyanın kötülüğüne ve çirkinliğine bağlıyordum. Oysa gerçek neden, beynimin içine eden haplardı. Arzuladığım şey de aslında Dostluk Kulübü ya da Ateş değil, hapların yarattığı sahte mutluluk hissiydi. Tabii bütün bu haplar ve CD'ler bana pahalıya patlıyordu. Beş kuruş param kalmamıştı. Aileme bir sürü yalan söyleyip, onlardan para sızdırıyordum. Yaptığımız ödemelerin Dostluk Kulübü'nün yaygınlaşması ve daha fazla insanın mutluluğa kavuşması için harcandığı söyleniyordu. Ama bütün bunlar yalandı tabii. Tüm para uyuşturucu mafyasına gidiyordu. Bu işin arkasında çok tehlikeli şeyler dönüyor. İnanın, annem ve babam olmasaydı ve benim yardımıma koşmasalardı ne yapardım bilemiyorum."

Bir VTR daha girmişti araya. Ozan da ben de kızı pürdikkat dinlemiştik ama herhangi bir yorum yapamayacak kadar şaşkındık. Dostluk Kulübü'nün, insanları uyuşturucunun ağına düşürüp para kazanmak için kurulmuş bir örgüt olduğuna inanmamız zordu. Belki de inanmak istemediğimizden... Bora da onlardan mıydı yani? Uyuşturucu kullandıklarını o "aşk" denen içki sayesinde biz de anlamıştık ama, işin mafyaya kadar vardırılması biraz abartılı gelmişti bize. VTR'ye *Şeytan* filminden aldıkları görüntüleri yerleştirmeleri de cabasıydı. Kukuletalı, uzun siyah çarşafları üzerlerine geçirip ateş etrafında dönüp duran o korkunç tipleri, pek çok izleyici Dostluk Kulübü üyesi sanacaktı. Bir yandan da ani kesmelerle, bizim de gitmiş olduğumuz o büyük villanın dış görüntüsünü giriyorlardı. Arkadaki ses soruyordu:

"Tarikat liderlerinden biri olduğu iddia edilen Ateş, bu evi alacak parayı nereden buldu? Aileler, çocuklarınıza sahip çıkın!"

Veli Sert belirmişti ekranda. O bilindik babacan tavrıyla konuşmaya başlamıştı. Arka planda da bidonların üzerine kuş gibi tünettirdiği konukları görülüyordu.

"İşte sevgili dostlar, gençlerimiz hangi vicdansızların eline düşüyor, gördünüz! Ama onlara söylüyorum, o vicdansız alçaklara... Duysunlar beni! Hepsinin ipliğini pazara çıkaracağım buradan. Tüm gerçekler ortaya çıkacak. Evet, şimdi konuklarıma dönüyorum. Bu konuyla ilgili çok önemli açıklamalarda bulunacak değerli dostlarım var. İlk önce Aydınlık Üniversitesi Felsefe Bölümü'nden Dr. Nihat Alıç'a sormak istiyorum... Hocam, konuyu biliyorsun. Dostluk Kulübü adı altında gencecik çocuklara, bizim çocuklarımıza uyuşturucu satıyorlar, zehirliyorlar. Bir de abuk sabuk bir felsefeleri var. Dyonisos mionisos, bir şeyler... Hocam, sen bize anlayacağımız dilde bir anlatabilir misin, nedir bu adamların felsefesi?"

Oldukça zayıf, minyon bir adamdı felsefe hocası. Giydiği şık takım elbise, üzerine oturduğu teneke bidonla çok garip bir ikili oluşturuyordu. "Öncelikle, herkese merhabalar," diyerek söze başlamıştı. "Veli Bey, aslında biz buna felsefe diyemeyiz. Yani bu tarz ezoterik ya da mistik grupların..."

"Vallahi hocam, biz öyle alengirli laflardan anlamayız," diye lafa girmişti hemen Veli Sert. "Sen şimdi bize bir anlatıver bu mistik, ezoterik dediğin şeyleri."

Sandığımın aksine, lafının bölünmesinden ötürü hiçbir rahatsızlık göstermeyen felsefe hocası, üniversitedeki derslerden birini verirmişçesine söze yeniden başlamıştı:

"Ezoterizm, eski Yunanca'da 'içeri almak' anlamına gelen *eisotheo* sözcüğünden türetilmiş bir sözcük..."

"Ya hocam, bırak eski Yunanca'yı falan şimdi. Basit bir tanımı yok mudur bunun?"

"O zaman şöyle açıklayayım: Mistisizm, ki biz buna gizemcilik de diyoruz, insanın tanrıyı akıl ve deney aracılığıyla değil, duygu ve sezgilerine dayanarak, kendi içinde aramasıdır. Hatta son evrede amaç, Tanrı'nın varlığında eriyerek, kişiliğin yok edilmesidir. Bu kişiler genellikle dünyadan elini eteğini çekmiş bir şekilde yaşarlar."

"Yahu hocam, Allah aşkına bizim anlayacağımız dilde konuş. Sen iyice aklımızı karıştırdın ya!"

"Yani, Mistisizm daha çok bireysel düzeyde kalırken, Ezoterizm dışa kapalı örgütsel bir yapıdadır. Genellikle de bireyin toplumdan ve ailesinden uzaklaşmasını, sağlıklı bir psikolojik ve sosyal yaşam sürmesini engellerler..."

"Hah, şimdi orada dur hocam," diye yine lafa girmişti Veli Sert. Sonra da biraz önce karanlık odada konuşan, şimdiyse stüdyoda oturan kızın yanına gitmişti.

"Merhaba Ayşeciğim, biraz önce izledik seni. Kendini rahat hissediyor musun? Burada her şeyi açıkça konuşabilirsin. Kimseden korkmana gerek yok. Artık Veli Ağabey'in yanında, tamam mı?"

"Tamam, Veli Ağabey," demişti kız, karanlık odadakinden çok daha rahat ve kendine güvenen bir tavırla.

"Ayşeciğim, sen aslında gayet kültürlü, aklı başında, üniversitede okuyan bir hanım kızımızsın. Nasıl oldu da seni ailenden, okulundan, dostlarından kopardılar? Hatta, ilaçların etkisinden kurtulmak için bir süre de hastanede yatmak zorunda kaldın..."

"Evet, Veli Ağabey. Üstelik ben hastanedeyken, benim için telepati seansı yapmışlar..."

"O neymiş öyle?"

"Güya güçlerini birleştirip bana iyi enerjilerini yollamışlar, bir an önce iyileşmem için! Telepatik güçlerinin olduğunu sanıyorlar!"

Birden Ozan ayağa kalkıp, "Yeter artık, ben bunları dinlemek istemiyorum!" diye bağırmıştı. Sonra da televizyonu kapatıp öfkeyle odasına gitmişti. Ama ben merakımı yenemediğimden, onun yanına gitmek yerine, tekrar televizyonu açıp programı izlemeye koyulmuştum.

"Bizi arayın!" diye sesleniyordu Veli Sert. "Bu konuyla ilgili konuşmak isteyen, özellikle de bu kulüple ilgisi olan ya da kulüpten kendini kurtarmış olanlar varsa bizi arasınlar. Dostluk Kulübü'nün o lider bozuntusuna ve yardımcılarına ulaşmaya çalıştık ama, programımıza gelmeyi bırakın, telefonlarımızı bile açmadılar. Ayrıca, biraz önce ekranda izlediğiniz, grubun toplandığı o lüks villa da boşaltılmış durumda. Arkalarında hiç iz bırakmadan kaçıp gitmişler. Ama adaletin elinden kaçamazlar. Ben Veli Sert'sem bu işin sonunu bırakmam. Savcılık da şu sıra harekete geçmek üzeredir..."

Araya reklamlar girmişti. Bankalar, çikolatalar, deterjanlar, hoplayanlar, zıplayanlar, neşeyle ellerinde tuttukları ürünleri kameraya doğru uzatanlar, göz kırpanlar, bağıranlar ve bitmek bilmeyen bir görüntü bulamacı... Hangi dünyaydı burası? Neredeydim ben böyle? Ben bile gerçek değil miydim yoksa?

Kafam allak bulak olmuştu. Ama *Veli Sert'le Yüzleşme*'nin kaldığı yerden başlamasıyla beraber, yine ekrana odaklanmıştım. Hatta bir an için onu aramayı düşünmüştüm. Ama ne diyecektim? Hem başıma bela almak istemiyordum. Bu tarz şeylere bulaşıp bir de polisle, medyayla, mafyayla falan uğraşacak halim yoktu. Kalkıp, Ozan'a bir göz atmaya gitmiştim. Odasının ışığı yanıyordu. Kapıyı açıp usulca başımı içeri uzatmıştım. Bilgisayarda bir şeyler yazıyordu. Dikkatini dağıtmamak için kapıyı sessizce örtüp yeniden televizyona dönmüştüm. Felsefe hocası bu sefer de Panteizm'den bahsetmeye başlamıştı:

"Dostluk Kulübü denilen bu grupta panteist bir anlayışın hâkim olduğunu görüyoruz. Biliyorum Veli Bey, siz şimdi 'O nedir, açıkla,' diyeceksiniz, siz demeden müsaadenizle ben hemen açıklayayım: Panteizm'de evren ile tanrı, bir ve aynı şey sayılır. Yani her şey birdir, görünüş ve çeşitlilik aldatıcıdır. Evrendeki her şey, tek varlığın, yani yaratıcının tezahürleridir. Bireyin inisiyasyon, yani bir 'iç' gerçekleşme ve kendinden geçme sonucunda, tanrıyla bir olmayı deneyimleyebildiği iddia edilir. Dyonisos kültünde de bu var. Mevlâna'da da..."

"Lütfen Mevlâna'nın adını bu şeytan işlerine karıştırmayın!" diye aniden atlayıvermişti bir ses. Ses diyorum, çünkü kamera sesin sahibini ancak cümleyi söyledikten sonra çekmeye başlamıştı. Karikatürize edilen dinci tiplemesinden oldukça farklı bir görünüşü vardı adamın, ama ekranda beliren yazıdan hangi gazetede çalıştığını okuyunca, ben onu 'dinci' olarak tanımlayıp hemen kalıba dökmüştüm. Üzerine sıradan bir kot ve kazak geçirmiş olması da önyargılarımı yıkmaya yetmemişti. Felsefe hocası ise, iktidarı gazeteciye kaptırmanın telaşıyla tekrar sözü kapıvermişti:

"Bakınız, böyle celallenmenize bir anlam vermem mümkün değil, çünkü burada Mevlâna'ya veya öğretisine bir şey söylüyor değiliz, sadece birtakım benzerlikleri ortaya koyuyoruz. Örneğin müzikli dinsel danslar, ilkel dinlerde, Kızılderili kültüründe ve sema geleneklerinde de var. Dyonisos kültündeki, dönerek ve dans ederek kendinden geçme ve tanrıyla bir olma anlayışı, bunlarla benzer özellikler taşıyor."

Hocaya iyice sinirlenen gazetecinin yüzü kıpkırmızı olmuştu. "Ne benzerliği efendim!" diye bağırmıştı. "Bu adamlar egzazzi denilen..."

"Ecstacy!" diye düzeltivermişti hemen hoca.

"Sözümü kesmeyin lütfen! Bakın ben sizi dinledim, siz de beni dinleyeceksiniz! Bu adamlar uyuşturucu kullanarak ve alkol alarak kendilerinden geçiyorlar. Bunun dinle, Mevlâna'yla ne alâkası var? Mevlâna Celaleddin-i Rumi, Allah aşkıyla kendinden geçer, uyuşturucuyla değil!"

"Efendim, Mevlâna'ya bir şey dediğimiz yok. Siz kendi kendinize olay çıkarıyorsunuz!"

"Bak, yine sözümü kestin. Önce dinlemesini öğren!"

"Lütfen üslubunuza dikkat edin! Ben size 'siz' diye hitap ediyorum. Siz bana 'sen' diyemezsiniz!"

Bütün bu ağız dalaşının arasında, yaramaz çocukları azarlayan yuva öğretmeni havasıyla Veli Sert lafa girmişti:

"Tamam, alalım mikrofonları konuklarımızdan. Tamam... Tamam! Boşuna konuşmayın, mikrofonlarınızı kestik. Sesiniz şu anda yayına gitmiyor!"

Veli Sert, konuklarının ellerinden oyuncaklarını aldıktan sonra kameraya dönüp, "Evet, dostlar, gördüğünüz gibi tartışma kızışıyor," demişti. Tam o sırada, kendini yoga ve meditasyon hocası olarak tanıtan bir adam mikrofonu kapıp konuşmaya başlamıştı:

"Veli Bey, Dostluk Kulübü denilen bu grubun ayinlerinde uyuşturucu kullanılması yeni bir şey değil... Zerdüştizm'den, Şamanizm'den tutun da, ilkel Kızılderili ve Uzakdoğu öğretilerine kadar pek çok dinsel ayin sırasında halüsinojen madde kullanıldığı bilinmektedir. Örneğin, Zerdüşt ayinlerinde içilen 'Homa' adlı içkinin uyuşturucu ya da efor verici maddeler içerdiği söylenir. Dostluk Kulübü'ndeki uygulamalarda pek çok farklı öğretiden esinlenildiği konusunda ben de Nihat hocama katılıyorum. Örneğin Zerdüşt dininde ateş, Ahura Mazda'yı simgeler. Yani tanrıyı... Bakınız, dikkatinizi çekerim, grubun liderinin adı da Ateş'miş. Hindistan'da Parsiler de hâlâ ateşe tapınıyorlar. Tabii ateş, günahlardan arındırma gibi sembolik bir anlama da sahiptir..."

"Aman hocam, derin konulara daldırmayın şimdi bizi. Bırakın zerdüşü merdüşü de konumuza dönelim..."

Tüm bu curcuna arasında kafam uğuldamaya başlamıştı. Birden annemle babamın yanımda olmalarını istemiştim. Onlara sığınıp tüm bu gürültüden kurtulmak... Hatta anneme hemen telefon açıp, bütün yaşadıklarımı, bedenime yaptıklarımı, Dostluk Kulübü'ne gittiğimi, hatta Ozan'la seviştiğimi bile anlatmak istemiştim. Ama kadıncağız kahrolurdu. Hemen atlar gelirdi herhalde. Gerçekten de gelir miydi? Peki ya babam?

İçimi büyük bir hüzün kaplamıştı. Ozan'ın dışında da birilerinin beni sevdiğini, beni düşündüğünü, üstelik bunu hiçbir karşılık beklemeden yaptıklarını hissetmeye ihtiyacım vardı. O anda unutmuş olduğum televizyonu fark etmiştim yeniden. Kıza ulaşmak isteyen olursa diye bir e-mail adresi veriyorlardı. Öyle bir niyetim yoktu ama yine de bir kağıda yazıp not etmiştim adresi. Sonra da programı izlemeye daha fazla dayanamayıp Ozan'ın yanına gitmiştim. Ama o yatmamıştı, hâlâ bilgisayarla uğraşıyordu. Rahatsız etmek istemediğimden, iyi geceler dileyip uzanmıştım. Onun birtakım işlerle uğraştığını görmek beni mutlu ediyordu. Gün geçtikçe kendini toparladığını düşünüyordum ama galiba yine yanılmıştım...

Sabaha karşı uyanmamı sağlayan, onun çığlıkları olmuştu. Tüm çabama rağmen bir türlü sakinleşmiyordu. "O yapıyor bunları bana, o yapıyor!" diye avaz avaz bağırıyordu. "İçime sıkıntı yolluyor o!"

Kendini yataktan atarak bir yerlere kaçmak istemişti. Ama panikten ayaklarına söz geçiremeyince yere yığılıvermişti. Sıkıca tutup sarılmıştım ona. Kollarımın arasında elektrik çarpmışçasına titriyordu. Sudan çıkınca nefes alamayıp çırpınan, ölüm yolcusu bir balık gibi... Ve hiç durmadan aynı sözleri sayıklayıp duruyordu:

"O yapıyor bunları bana Sade. Uzak dur ondan. Lütfen kurtar beni."

"Kim yapıyor, ne yapıyor Ozan? Sakin ol bebeğim, bak geçecek şimdi. Ben yanındayım bak! Kimse bir şey yapamaz sana. Duyuyor musun?"

"İnan bana Sade, o yapıyor bunları. İçime sıkıntı yolluyor. Beste yapmama da engel oluyor. Seni benden uzaklaştırmak için. Beni delirtmek için!"

"Kim yapıyor Ozan, söylesene!"

"O, Ateş denen... O büyücü, o adi yaratık... Telepati yoluyla düşüncelerime hâkim oluyor. Seni de elde etmeye çalışmıştır mutlaka, ama sen güçlüsün. Ondan etkilenmezsin. Oysa ben çok zayıfım. Ne yapacağız Sade, ne yapacağız, ne olur söyle!"

Ona böyle bir şeyin olamayacağını, Ateş'in de bizler gibi sıradan bir insan olduğunu anlatmaya çalışmama rağmen, gördüğü kâbusun etkisinden bir süre daha çıkamamıştı. Dört beş tane sigarayı yutar gibi içtikten sonra ancak sakinleşebilmişti. Daha doğrusu bedeninin çırpınacak daha fazla gücü kalmadığı için sakinleşmek zorunda kalmıştı. Ama ruhunun hâlâ yangın yeri gibi olduğunun farkındaydım.

Yarı baygın şekilde tekrar yatağa yatırmıştım onu. Ateş ateş yanan teni avuçlarımın içinde titreyerek sönüyordu ve gözleri benim gözlerimde donup eriyordu. Yüreğinden kayan sağır çığlıklar eşliğinde uykuya daldığında bile hâlâ elimi sıkıyordu. Usulca parmaklarını gevşettikten sonra, elimi kaydırmıştım avcundan. Ne yapacağımı bilemiyordum. Evin içinde deli gibi dolanmaya başlamıştım. Ruhum daralıyordu. Bir sigara yakıp tenimde söndürmemek için zor tutuyordum kendimi. Mutlaka oyalanacak bir şeyler bulmalıydım. Binlerce düşünce bombardımanının altında, bilgisayarın başına oturmuştum. Acaba internete mi girseydim? Gerçi girip de ne yapacaktım? Yine de tıklayıvermiştim "Bağlan" butonunu. Aradan bir saniye bile geçmeden de vazgeçip, "İptal" butonunu... O bilindik, "Sayfa görüntülenemiyor" başlıklı gıcık yazı çıkıvermişti hemen. Sol tarafta ise, "Geçmiş" bölümü açık kalmıştı. Son girilen sitelere takılmıştı gözlerim. Anlaşılan Ozan epey bir gezinti yapmıştı internette. Merak edip sitelerin adlarına bir göz atınca, o saçma sapan fikirlerle kafasının neden bu kadar çok karıştığını anlamıştım. Telepatiyle, düşünce gücüyle ilgili ne kadar site varsa hepsine girmişti. Programdaki kızın telepatiyle ilgili sözlerini duyar duymaz, telaşlanıp televizyonu kapatması da bundandı demek.

Bu halleri beni iyiden iyiye telaşlandırıyordu. O yatağımızda sıkıntı içinde uyuklarken, ben de ne yapabileceğimi düşünüp duruyordum. İlk önce, Ayşe denen o kıza e-mail atıp olanları anlatmayı düşünmüştüm. Belki Ayşe, Ateş'in böyle bir şey yapmayacağı konusunda onu ikna edebilirdi. Ama sonra bu fikrimden vazgeçmiştim, çünkü kızla görüştüğüm için bana kızabilir, hatta onu elâleme alay konusu yaptığımı bile iddia edebilirdi. Ya da benim Ateş'in suç ortağı olduğumu düşünebilirdi. Hem Ayşe, Ateş'in insanların düşüncelerine hükmetme gibi bir gücünün olmadığını söyleyince hemen inanacak mıydı sanki ona? Peki, ne yapmalıydım o zaman? Bir doktora götürmeye çalışsam, onu deli yerine koyduğumu söyleyip küserdi. Ayrıca psikiyatrlardan daha önce fayda görmediğini pek çok kereler söylemişti. Böyle de bırakamazdım ki onu. Tüm olanlar benim suçumdu. Gerçi Ozan'ın, Dostluk Kulübü'nde konuşulanlardan bu kadar etkileneceğini bilemezdim ama yine de hiç tanıştırmamalıydım onu Bora'yla...

Sonuçta aklıma başka bir fikir gelmediğinden, tüm yaşadıklarımızı ve Ozan'ın gördüğü kâbusu anlattığım bir e-mail atmıştım kıza. Saat sabahın beşi olduğundan hemen yanıt almayı beklememiştim tabii, ama sandığımın aksine, yarım saat içinde yanıt gelmişti. Programdan çıktığından beri e-mailleri okuyup cevaplandırdığını, elinden geldiğince bana yardım etmek istediğini ve eğer istersem onu arayabileceğimi yazmıştı Ayşe. Arayıp aramamak konusunda kararsız kalmıştım. Ama sonunda kaybedecek bir şeyim olmadığını düşünüp numarayı çevirmeye başlamıştım. Sesi biraz yorgun ama yardıma hevesli geliyordu. Yarın bize uğrayabileceğini ve Ozan'la yüz yüze konuşursa belki onu rahatlatabileceğini söylemişti. Ben de kabul etmiştim tabii.

Öğlen on iki gibi kalkmıştı yatağından Ozan. Sakinleşmiş görünüyordu ama bir sıkıntı atağı daha yaşamış olmasının verdiği yorgunluk üzerine çökmüştü. Ona kızın geleceğini söyleyememiştim. Ne tepki vereceğinden korkmuştum. Zaten konuşmaya uygun bir fırsat bulamadan kız damlayıvermişti hemen. Kapı çalındığında ödüm kopmuştu. Ya Ozan çok kızarsa, ya kız tam bir yalancıysa, Veli Sert'in ekibini de yanında getirdiyse diye düşünmeye başlamıştım. Neyse ki, Ayşe yalnız gelmişti. İçeri girerken oldukça rahat görünüyordu. Bense epey bir gerilmiştim. Hâlâ Ozan'a ne diyeceğimi düşünüyordum. Salona girdiğimizde beklediğimin aksine Ozan gayet kibar ve doğal davranmıştı. Yalnızca biraz şaşırdığını söylemişti. Ama kızgın ya da öfkeli görünmüyordu. İçime su serpilmişti.

Ayşe, "Ne kadar da güzeller," dediği puflardan birine oturmuştu hemen. Sonra da Ozan'a bakarak, "Benim adım Ayşe," diye lafa girmişti. "Dün, yani aslında bu sabah, Sade bana bir e-mail attı. Sanırım Ateş'in sana telepati yoluyla sıkıntı yolladığını görmüşsün kâbusunda."

Sonra bana dönüp, "Bu arada, ismini doğru söylüyorum, değil mi Sade?" diye sormuştu.

"Evet," demiştim. "Bildiğin Sade işte, sade kahve gibi..."

"Çok hoş! Bu arada, ne diyordum? Ha, evet Ozan, Sade bana dün gördüğün kâbusu anlattı. Ben de hem sizinle tanışmak hem de yapabilirsem eğer, kuşkularını biraz olsun dindirebilmek için geldim."

"Bir sorun yok ortada," demişti Ozan, olduğundan çok

daha rahat görünmeye çalışarak. "Aptal bir kâbustu işte, o kadar!"

"Kızmadın bana, değil mi Ozan?" diye sormuştum. "Ben sadece, Ayşe'yle tanışmamızın ikimiz için de iyi olabileceğini düşünmüştüm."

Daha sözümü bitirmeme fırsat kalmadan, yapmacıklı bir genişlikle, "Yok canım, niye kızacakmışım, iyi oldu, sohbet ederiz biraz," demişti Ozan. Ama böyle bir işe kalkıştığım için, üstelik gördüğü kâbusu da bir yabancıya anlattığım için bana sinir olduğunu biliyordum. Ayrıca, Ozan'ın sandığı gibi, Ayşe'nin boş boş sohbet edip gitmeye hiç niyeti yoktu. Lafı fazla uzatmaya gerek duymadan merakla sormuştu:

"Peki, sana kulüpten ayrılacak ya da kulüple ilgili bilgileri açıklayacak olursan başına büyük felaketler geleceğini, içine sıkıntılar gireceğini falan mı söylemişlerdi?"

"Yok," demişti Ozan. "Bana kimse öyle bir şey dememişti. Zaten ben kulübün üyesi bile olmamıştım daha. Sade'yle yalnızca bir kez gittik oraya. Sonra ben okulu da bırakıp yapacak iş bulamayınca bir boşluğa düştüm. Geçmişte de bir depresyon geçirdiğim için her şeyin yeniden başlamasından korktum. Çok fazla içki içtiğim zamanlarda aklım pek çok mantıksız düşünce üretiyor. Ateş'in telepatiyle içime sıkıntı yollayacağı düşüncesi aslında ilk kez orada, senin için telepati seansı yaparlarken takılmıştı aklıma. Yani sanırım sendin o, çünkü dün programda hastanede yattığını falan anlatmıştın. Bir de sen söyleyince sanırım etkilendim. Net'e girip bu konuyla ilgili birkaç bilgi alayım derken, iyiden iyiye telaşlandım sanırım. Telepatiyle, cinlerle, kötü ruhlarla ilgili o kadar çok site var ki..."

Derin bir soluk alıp susmuştu Ozan. Konuşurken kanında kalan son enerji kırıntılarını harcıyormuş gibi bir hali vardı. Kahvaltı da etmemişti...

"Yorgun görünüyorsun Ozan," demişti Ayşe. "İştahsız mısın?"

"Sadece keyifsiz..."

"Olsun, gerçek yorgunluk sahte enerjiden daha iyidir!"

Onlar konuşmaya devam ederken, ben de portakal suyu getirmek için mutfağa gitmiştim. Sabahtan sıkmıştım portakalları, stresimi atmak için bulduğum yeni bir yoldu bu. Elektrikle çalışmayan o ilkel, küçük alet bu işe yarıyordu işte.

Bardaklarla beraber salona döndüğümde Ozan, "O kadar garip bir şey ki bu..." diyerek konuşmayı sürdürüyordu. "Yani bu telepati meselesinin çok saçma olduğunun bilincindeyim ama yine de korkmadan duramıyorum. Böyle abuk bir şeye inandığım için öyle kızıyorum ki kendime.... Sanırım bu aralar sinir sistemim çok zayıf düştü. Rahatlamak için kullandığım hiçbir maddeyi artık kullanmadığım için işim daha da zorlaştı. Bazen çok koyu panikler yaşıyorum..."

"Belki beynindeki serotonin dengesi bozulmuştur," demişti Ayşe.

"Serotonin mi, o da ne?"

"Bunlar birtakım hormonlar... Nasıl anlatsam? Senin aşırı heyecan, çarpıntı, terleme eşliğinde yaşadığın o panik ataklarına neden olan adrenalin deşarjına, serotonin salınımındaki aşırılık neden oluyor işte. Yani galiba öyle. Tam bilmiyorum. Ama kullandığın maddelerin etkisi olmuştur mutlaka."

"Sen bu konuda iyice profesyonelleşmişsin anlaşılan," demişti Ozan. "Tıpkı bir doktor gibi konuşuyorsun. Ama neyin neden olduğu hiç umurumda değil. Önemli olan ne hissettiğim... Açıkçası pek de iyi hissettiğimi söyleyemem. Ayrıca benim öyle aşırı bir bağımlılığım falan yok. Arada sırada içkiyi fazla kaçırıyordum, o kadar. Zaten artık içmiyorum da."

"Bu arada, ucuz kurtulduğunu söylemek istiyorum," diye tekrar lafa girmişti Ayşe. "Çünkü tam da bizim gibi, geçmişinde birtakım sıkıntılar yaşamış olan, kendini yalnız hisseden, sevilme ihtiyacı duyan insanları seçiyorlar üyeliğe. Bizlerin bu tarz şeylerden daha çabuk etkileneceğimizi, tekrar depresyona girmekten ve iç sıkıntısı çekmekten ne kadar korktuğumuzu gayet iyi biliyorlar ve bu korkumuzu kullanıyorlar."

"Yani Ateş'in herhangi bir gücü yok, değil mi?" diye sormuştu Ozan. "Yaşadığım buhranları o yolluyor olamaz, değil mi?"

Gayet aklı başında konuşurken aniden böyle çocukça sorular sorması aşırı derecede moralimi bozuyordu. "Ateş'in tabii ki gücü var, ancak bu doğaüstü bir güç değil!" diyerek araya girmiştim. "İnsanları kandırıp, kendine bağlamayı çok iyi beceren bir üçkâğıtçının gücü bu."

Ama Ozan rahatlayacağı yerde, "Onun bana sıkıntı göndermiyor olması, benim sıkıntı çektiğim gerçeğini değiştirmez ki!" diye haykırmıştı. "Demek ki, ben gerçekten kafayı yedim. Demek ki..."

"Sakin ol, Ozan!" diyerek sertçe sözünü kesmişti Ayşe. "Çektiğin korkuları ben de yaşadım. Anlamıyor musun, içindeki sıkıntıyı kendin yaratıyorsun. Onun sana sıkıntı yolladığını düşünüp, gerçekten de öyle hissetmeye başlıyorsun. Zaten hep senin benim gibi insanlar kanıyor onlara. Yani içkiye ve diğer maddelere eğilimi olan insanların ruhsal açıdan zayıf düştükleri anları kollayıp ağlarına düşürüyorlar. Ben de yaşadım bunları diyorum sana. Öyle berbat günlerdi ki... Zaman kavramını yitirmiştim iyice. Belirli belirsiz saatler içinde gelip gidiyor, dolaşıyor, tatiller yapıyordu zaman. Uyuşturuculara boğuyordum kendimi. Bir gün iyileşeceğim umuduysa beni hep yüzüstü bırakıyordu ve bunu, sanki beni kendime rezil etmek için, 'Oh işte, yanıldın,' dercesine, büyük bir zevkle yapıyordu."

Ayşe konuşurken, Ozan'a portakal suyundan bir iki yudum içirmeye kalkışmıştım ama o, elimi itip, "Ben içerim, tamam, iyiyim Sade," demişti. Ayşe de içeceğinden bir iki yudum aldıktan sonra devam etmişti:

"Uyuşturucu bağımlısı deyince, çocukken aklımda nasıl bir resim belirirdi, biliyor musunuz? İyi insanların ayak basmadığı arka sokakların birinde, çöp tenekelerinin arasında, üzerinde yırtık pırtık giysilerle, ağzında tek tük kalmış çürük dişleriyle, saçı sakalı birbirine karışmış, kollarından birinden iğne sarkan zavallı bir evsiz... Ama büyüyünce gerçek bir bağımlıyla tanıştım. Aynanın diğer tarafından bana bakan ikizimle..."

"Ben uyuşturucu bağımlısı değilim!" diyerek itiraz etmişti Ozan.

"Senden bahseden kim? Ben kendimden bahsediyorum! Yüreğime bulaşıklar, tozlar birikmişti sanki, çöpler doluşmuştu. En sıradan işleri bile yapacak halim kalmamıştı. Hayatım uyuşma eyleminin çevresinde dönüp durur olmuştu. Uyuşturucular kölelerini birbirinden ayırt etmez, eşit tutarlar. Çok demokratik ve adildirler. Belki de 'adil' sözcüğündeki 'l' harfini fazladan söylüyorum. Yok ama yok, haklarını vermek lazım, söz konusu bağımlılık oldu mu; ırk, din, dil, sosyal statü ayırt etmeksizin, herkesi kucaklamaya bayılırlar. Kötü bir evlilik gibidirler. Önce cicim ayları yaşatırlar. Sonra gerçek yüzleri ortaya çıkar. Senden özgürlüğünü alırlar. Evden kaçıp gitsen bile bir gün mutlaka evine dönersin, belki gitmişlerdir diye. Ama onlar hiç gitmez. Hep beklerler seni, sadık bir eş gibi... Ta ki onlardan kaçmak yerine onları tamamen hayatından çıkarana kadar..."

Birden yüzü buruşmuştu Ayşe'nin. Rengi sararmıştı. "Ne zaman geçmişi hatırlasam böyle oluyorum," diyerek hızlı hızlı nefes almaya başlamıştı. Sonra da, "Kusura bakmazsanız, rahatlamak için meditasyon yapmam gerek," deyip aniden yere oturmuştu. Bağdaş kurup gözlerini kapatmıştı. Yavaş ve derinden nefes alıp vermeye başlamıştı. İki elini birden göğsünde birleştirmişti. Sonradan anlattığına göre buna "gassho pozisyonu" deniyordu. Ellerini iyice yukarı kaldırıp beklemeye başlamıştı. Bu şekilde, kâinattaki ışık yağmurunun üzerine aktığını hayal edip, titreşimi hissettiğini söylüyordu. Ardından da, parmaklarını vücuduna dönük şekilde tutarak ellerini aşağıya salmıştı. Üzerine yağan evrensel enerjinin, ellerinden emilerek bütün vücuduna yayıldığını anlattıktan sonra da, ellerini yavaşça dizlerinin üstüne indirip, aynı dua eder gibi, parmaklarını yukarı ve birbirine yakın bir şekilde tutmuştu. Bunun, düşüncelerini karın bölgesine indirerek beynini boşaltmaya ve dinlendirmeye yaradığını söylemişti:

"Derin derin nefes alırken, enerjinin başımdan girip karnıma kadar indiğini, oradan da tüm vücuduma, hatta her bir hücre ve organıma yayıldığını hissediyorum."

Sonra tekrar, gassho dediği o pozisyona gelip, ellerini hızla aşağıya doğru silkelemeye başlamıştı.

Biz hâlâ şaşkın şaşkın Ayşe'ye bakarken, o çoktan işini bitirip ayağa kalkmıştı bile. "Oh, kuş gibi hafifledim," demişti. Bu hareketleri dilersek bize de öğretebileceğini, bunları her zaman her yerde, özellikle negatif bir şey hissettiğimizde, kızdığımızda, üzgün olduğumuzda veya korktuğumuzda rahatlıkla yapabileceğimizi söylemişti.

Ben biraz daha portakal suyu getirme bahanesiyle mutfağa kaçmıştım. Ardımdan Ozan gelmişti. Son derece kaygılı bir ifadeyle, "Sence tırlatmış mı?" diye sormuştu bana. Açıkçası, ne düşüneceğimi bilemiyordum. Ayşe'nin, gayet aklı başında bir şekilde konuşurken, (üstelik de Dostluk Kulübü'nden bu kadar ağzı yanmış biri olarak) aniden yere oturup, evrensel enerji yağmurunu bedenine indirmek için garip bir meditasyon yapmaya başlaması beni şaşırtmıştı tabii. Ama her şey inanç meselesi değil miydi zaten? Ayşe evrensel enerjinin içine aktığına, onu tüm olumsuzluklardan koruduğuna ve iyileştirdiğine inandığı sürece, bütün bunlar onun gerçeği sayılmaz mıydı? Ozan'a dönüp, "Kızcağız, kendini iyi hissettiren, zararsız bir yöntem bulmuş işte," demiştim. "Bence onu eleştirmek bize düşmez."

Ozan dediklerime hak vermekle kalmayıp, muzır muzır gülümsedikten sonra, "Haydi, biz de deneyelim," demişti. "Ayşe bize de birkaç hareket göstersin. Bir denemekten ne çıkar?"

Salona döndüğümüzde Ayşe huzurlu bir şekilde gülümsüyordu. Tıpkı Dostluk Kulübü'ndekiler gibi... Yaptığı meditasyonu bize de öğretmesini rica ettiğimizde fazla vaktinin olmadığını, o yüzden gitmesi gerektiğini söylemişti ama, dışarıdaki işi fazla uzun sürmeyeceği için, dönüşte tekrar uğrayıp hareketleri gösterebilecekti. Biz de olur demiştik tabii. Tam kalkmaya hazırlanırken gözleri Ozan'ın piyanosuna takılmıştı. Birkaç saniye dalıp gittikten sonra hangimizin çaldığını sormuştu. Ozan'ın çaldığını öğrenince de, bunu tahmin ettiğini söylemişti. Belki bozulmalıydım bu söze. Piyano çalabilecek bir tip değil miydim ben yani? Ama haklıydı Ayşe. Müziğin halesi Ozan'ı sarmıştı. Ozan'ın gözlerindeki büyü, yüzündeki esrarengiz sis bende yoktu. Piyanist olan oydu...

"Senden bir şey yapmanı rica edeceğim Ozan," demişti Ayşe. "Yani eğer istersen. Ama hemen hayır deme, tamam mı?"

"Sana piyano çalmamı isteyeceksen, lütfen yanlış anlama ama şu anda hiç..."

"Yo yo, bana bir şey çalmanı istemiyorum. Bu çok daha önemli bir rica. Pek çok insanın hayatını ilgilendiren bir konu... Öyle bakmayın yüzüme, garip bir şey istemeyeceğim, merak etmeyin. Benim uyuşturuculardan kurtulmamı sağlayan rehabilitasyon merkezinden söz etmiş miydim size?"

"Lafın nereye geleceği şimdi belli oldu işte!" demişti Ozan öfkeyle. "Bak, ben bağımlı değilim. Sen şimdi içinden 'hep öyle derler,' diyorsundur ama ben gerçekten değilim."

"Ben bağımlısın demedim ki zaten!" diye itiraz etmişti Ayşe. Ama Ozan onu dinlemeden konuşmasına devam etmişti:

"Arada bir fazla kaçırdığım oldu tabii. Ama istediğim zaman, hiçbir şey kullanmadan günlerce durabilirim. Kendi seçimim bu. Şu ara zor bir dönem geçirdiğimi kabul ediyorum. Bazı sıkıntılar yaşıyorum. Ama neyse ki Sade var. Onun sayesinde..."

"Ozan, sanırım beni yanlış anladın. Rehabilitasyon merkezinden bahsetmemin nedeni, seni tedavi görmeye ikna etmek için değil."

"Öyle mi? Neden peki?"

"Orada bizlere piyano çalar mısın, diyecektim. Bu gerçekten muhteşem olur. Yardıma ihtiyacı olan pek çok genç var orada. Yalnızca doktorlar ya da ilaçlar, düzelmek için yeterli değildir biliyorsun. Onların morale de ihtiyaçları var. Ayrıca klasik müziğin insanın ruhunu dinlendirdiğini tıp da kabul ediyor. Müzikli terapileri duymuşsundur. Ben sana terapi yap demiyorum tabii ama, en azından haftada bir gelip onlara piyano çalarsan..."

"Sağ ol ama bunu yapmak istediğimi sanmıyorum. Normalde yapardım, gerçekten yapardım. Birilerini mutlu etmek hoşuma giderdi. Ama kimseye moral verecek ya da senin deyiminle pozitif enerji verecek durumda değilim. Şu sıra kendi açığımı kapatmam gerek."

"Hemen karar verme lütfen, bir düşün olur mu? Ben de yöneticilerle konuşayım bu konuyu. Orayı bir görsen, bayılırsın. Özel bir merkez. Ne yazık ki, sadece parası olanlar tedavi görebiliyorlar. Bu yöneticilerin suçu değil tabii. Öyle bir yerin işletilebilmesi için çok para gerek. Yine de çok zor durumda olan üç dört kişiye bedava bakılıyor. Gerçekten harika doktorlar var."

Ozan umursamaz bir tavırla, "İyi, ne mutlu size," demişti. Ama Ayşe heyecanından bir şey kaybetmeden konuşmayı sürdürmüştü:

"Ben orada gönüllü olarak çalışıyorum. Sosyal aktiviteler düzenliyoruz. Bazen, eski bir bağımlı olarak, onlarla konuşup dertleşiyorum, çünkü aynı şeyleri ben de yaşadım. Benim düzelmiş olduğumu görmek, onlara ümit veriyor. Kendilerinin de iyileşebileceği ümidini... Doktorlar, kitaplardan okuyarak, gözlemler yaparak anlamaya çalışırlar hastaları. Oysa ben onları aynı şeyleri yaşadığım için anlarım. Kitap okumama gerek yok... Geçmişim nereye gitsem benimle geliyor. O acı çeken kız hep benimle olacak. Ondan kaçmaya, onu öldürmeye hiç çalışmadım zaten. Çünkü ne zaman elim içkiye gitse, gelip elimi tutan, tekrar içmemi engelleyen odur. 'Söyle, benim yerimde mi olmak istiyorsun?' der o sararmış çökmüş yüzüyle... Kesinlikle içmeyeceğime emin olduktan sonra da sessizce kaybolur. Acıların bile bir sonu vardır Ozan ve en son noktaya geldiğinde, öleceğini sanmana rağmen bir de bakarsın ki, ışık seni bekliyor. Çünkü çekebileceğin daha fazla acı kalmamıştır artık. Acının bile sonu vardır Ozan, her şeyin sonu olduğu gibi..."

Ayşe'nin gözleri dolmuştu. Ama huzurlu bir gülümseme vardı dudaklarında. "İkiniz de çok şanslısınız," demişti. "Birbirinize duyduğunuz aşkın enerjisini buradan hissedebiliyorum. Benim hiç sevgilim olmadı. Âşık oldum ama karşılıklı aşk nasıl bir şeydir bilemiyorum. Tek bildiğim, birbirinize sahip çıkarsanız, aranızdaki ışığın tüm karanlığı aydınlatabilecek kadar yoğun olduğu..."

Sözleri garip bir şekilde etkilemişti beni. Sanki uzaklardan gelip bize kaderimizin beraber çizildiğini ve sonsuza dek birbirimize ait olacağımızı bildiren bir bilge gibi konuşuyordu. Öyle garip bir sıcaklık kaplamıştı ki içimi, kalkıp sarılmıştım Ayşe'ye. O da bana... Sonra da *Alice Harikalar Diyarında*'daki tavşan gibi, "Geç kaldım, geç kaldım!" diyerek ayağa kalkmıştı. Kapıdan çıkana kadar da o garip öğütlerini vermeyi sürdürmüştü:

"Uzayda uçsuz bucaksız enerji havuzuna doğru sarmal halinde yükseltin ışığınızı! Dönüşüne uzayda devam etsin. Çoğalsın çoğalsın ve size geri dönsün. Tüm vücudunuzu temizlesin. Her türlü negatif enerjiyi emerek, sizi sıkıntılardan, endişelerden arındırmasına ve bunları vücudunuzdan atmasına izin verin. Hayalinizde bir çukur oluşturun, oraya bütün negatif enerjiyi gömün... Hoşça kalın, hoşça kalın! Sizi seviyorum..."

Kapıyı kapattığımızda bir oh çekmişti Ozan. Ama aslında ikimiz de mutlu olmuştuk Ayşe için. Kalpten inanabileceği bir anlam bulması güzel şeydi doğrusu. Ama, "Haydi sar beni!" demekle de sarmazdı ki bu enerji insanı!

"Varsın sarmasın," demişti Ozan. "Bir tek ben sarılayım sana. Aşkımızdan daha büyük enerji mi var?"

Cevap veremiyordum çünkü dudaklarını minik öpüşlerle tenime damlatmaya ve bir enstrüman gibi bedenimi çalmaya başlamıştı. Dilediği tüm sesleri çıkarttırabilirdi artık bana. Majör dokunuşlarının ayrı, minör dokunuşlarının ayrı tadı vardı ve biz her seferinde yeni baştan besteliyorduk aşkımızı.

Bir iki saat sonra Ayşe tekrar uğradığında bile, biz hâlâ bestemizin etkisindeydik. Başka bir işle uğraşacak halimiz kalmamıştı. Ama Ayşe'ye de git diyemezdik tabii. Sırf bizim için geri dönmüştü kız. Mecburen katlanacaktık artık meditasyon yapmaya. "Hem belki işe yarar da kaybettiğimiz enerjiyi geri alırız," diye kulağıma fısıldamıştı Ozan. "Ayşe gittikten sonra yeniden kaybetmek için!"

Biz aramızda kıkırdayıp dururken, kızcağız gayet ciddi bir şekilde, meditasyon için uygun yer aramaya başlamıştı. Sonunda da, minderlerin olduğu köşeyi boşaltıp yere oturuvermişti.

İlk olarak, "Haydi başlayalım artık!" komutunu almıştık ondan. Ben filmlerden gördüğüm üzere bağdaş kurmuştum. Yoga yapanlar hep öyle oturur diye. Açıkçası hiç rahat edememiştim. Oldum olası bağdaş kuramazdım zaten. Ayşe bunu yüzümdeki ifadeden anlayıp, rahat edeceğim şekilde oturmam gerektiğini söyleyince, ayaklarımı uzatıp sırtımla duvar arasına bir minder koymuştum. Ozan da aynen benim gibi yapmıştı. Ayşe ise bağdaş kurup, "Şimdi evrensel enerjiyi soluyup vücudumuzun her tarafına ileteceğiz," demişti. "Böylece vücudumuzu tertemiz bir ışıkla tüm negatif enerjiden arındırmış olacağız. Biten piller nasıl şarj ediliyorsa, biz de kendimizi şarj edeceğiz yani."

Tam o sırada zil çalmıştı. "Özgür gelmiştir," diyerek kapıya koşmuştu Ozan. "Dün gece program yüzünden arkasından gidemedim diye sabah arayıp bize çağırmıştım."

Yüzündeki gülücüklere bakılırsa, dünkü keyifsizliği geçmişti Özgür'ün. Hele bizim meditasyon yapmak üzere olduğumuzu duyunca iyice keyiflenmişti. "Dalga geçmek için çok iyi malzeme çıkar bundan," diyerek sırıtmaya başlamıştı. Tabii bunun üzerine Ayşe'nin attığı o sert bakışı saymazsak, ikisinin tanışma faslını kazasız belasız atlattıktan sonra hep beraber gassho pozisyonunu almıştık. Özgür hariç tabii. O yalnızca oturup dalga geçmeyi planlıyordu.

Ayşe, ilk önce kollarımızı kaldırıp ışık titreşimlerini hissetmemizi söylemişti. Ama benim tek hissettiğim, kollarımı uzattıkça ağrıyan belimdi. İkinci olarak da, ellerimizi yavaşça indirip karnımızdan nefes alıp vermemizi söylemişti. Tam olarak ne demek istediğini anlamamıştım ama müzik eğitimi almış olduğum için, diyaframdan nefes almayı kastettiğini düşünüp, onun deyimiyle karnımdan nefes alıp vermeye başlamıştım.

"Nefesi içinize alırken, ışığın vücudunuzun her bir parçasına ve her hücresine ulaştığını, daha sonra vücuttan dışarı çıktığını hayal edin. Işık, vücuttan dışarı çıkarken beraberinde negatif ve kötücül enerjiyi de alıp götürecek..."

Söylediklerini aynen uygulamaya çalışıyordum ama bir türlü kutsal ya da mistik bir ışık hissedemiyordum. Gerçi Ayşe ilk başta tam anlamıyla bunları hissedemeyebileceğimizi, zaman geçtikçe kendi bedenimizi yavaş yavaş bu ışığı almaya açık hale getirebileceğimizi söylemişti ama, kendimi bir türlü yaptığım işe veremiyordum. Gözlerim böyle yarı kapalı halde karnımı şişirip indirirken, ne bileyim işte, komik geliyordu bunlar bana. Oysa Ayşe, son derece ciddi bir şekilde komutlarını vermeye devam ediyordu:

"Nefesinizi alırken enerjinin kök çakranızdan girdiğini ve yukarı hareket ederek taç çakrasına gelip durduğunu ve bütün vücudunuza dağıldığını düşünün..."

"Ne ne ne? Kök mü, taç çakrası mı?" diyerek sessizliğin içine dalıvermişti Özgür sonunda. Şimdiye kadar susmuş olması bile bir mucizeydi. Meditasyonu bölündüğü için Ayşe'nin keyfi kaçmıştı tabii. "Ohoooh! Siz daha hiçbir şey bilmiyorsunuz ki!" diye çıkışmıştı. "Ama hata bende, seansa başlamadan önce çakralarla ilgili bilgilerinizi falan incelemem gerekirdi."

"Kusura bakma, çok cahiliz biz!" demişti Özgür hafif alaylı bir şekilde. Ama Ayşe anlamazdan gelerek, bizi çakralar hakkında bilgilendirmeye devam etmişti:

"Evrensel bir yaşam enerjisi var, tüm dünyayı çalıştıran. Bu büyük enerjiyle bağlantımızı sağlayan, diğer bir deyişle bu enerjiden beslenebilmemizi sağlayan enerji merkezlerine çakra diyoruz. Bunlar bedenimize gelen enerjilerin giriş kapısıdır. Enerjinin beden içerisinde dolanımını sağlayan enerji kanallarımız da vardır. İşte bu kapılar tıkanırsa ya da kanallar bükülür veya daralırsa, enerji rahat hareket edemez. Bir elektrik süpürgesini düşünün. Hortumu bükülürse emiş gücü de azalır. Çakralar..."

"Bir çakradır gidiyor..." diyerek yeniden Ayşe'nin sözünü kesmişti Özgür. "Ne bu ya, al bu takatukaları takatukacıya götür der gibi!"

"Ne alâkası var Özgür?" diye çıkışmıştım sonunda. Ozan ise yanımda sessiz sessiz kıkırdıyordu.

"Peki Ayşe Hocam, çakranın Türkçe'de tam bir karşılığı var mıdır? Engin bilginle bizi aydınlatabilir misin?" diye dalga geçmeyi sürdürmüştü Özgür. Kızla böyle uğraşması canımı sıkmaya başlamıştı. Ama Ayşe de pes edeceğe benzemiyordu. Sırf onu gıcık etmek için, ciddi ciddi çakranın ne olduğunu anlatmaya başlamıştı:

"Benim meditasyon hocam, çakra kelimesinin kökeninin Sanskritçe'den, yani eski Hint dilinden geldiğini söylemişti. Türkçe'ye 'tekerlek' veya 'çark' olarak çevirebiliriz. Zaten çakraları bedeni saran çarklar, hareler ya da Satürn'ü çevreleyen sarmallar gibi düşünün. Tabii, insan zihinsel olarak bu enerjiye açık olmalı ki, evrenle düzgün bir enerji alışverişinde bulunabilsin..."

Bu son sözlerini sanki bize taş atarcasına, zihinsel olarak bu enerjiye kendimizi yeterince açmadığımızı ima edercesine söylemişti. Ben de daha fazla alınmasın diye, onu destekleyecek birkaç laf etmeye çalışmıştım:

"Aslında çok haklısın Ayşe. Yani ben sözlerine değer veriyorum, inan. Besinlerden aldığımız bedensel enerji gibi, yaşamdan aldığımız manevi bir enerji olduğuna inanıyorum ben. Az yediğimizde bedenimiz nasıl zayıf düşüyorsa, ruhsal açıdan az beslendiğimizde yaşam enerjimiz düşüyordur mutlaka, öyle değil mi?"

"Evet evet," diyerek sözlerimi pek de dikkate almadan tekrar lafa girmişti Ayşe. Anlaşılan sözlerimin içtenliğine inanmamıştı. Ya da bir an önce aklındakileri söyleyip gitmek istiyordu.

"Dünyaya gelirken beraber getirdiğimiz bir yaşam enerjisi var aslında ama, sürekli sermayeden yiyerek harcamada bulunmanın sonu nasıl maddi iflassa, bunun sonu da manevi iflastır. Örneğin, Ozan'ın bu ara yaşadığı sıkıntıların nedeni, yaşam enerjisinin düşmüş olmasına bağlı. Enerjinin dolaşımında bir tutukluk ya da kanallarda bir tıkanıklık varsa, bedensel ve ruhsal hastalıklara daha açık olursunuz. Ama enerjiniz yüksek olur ve rahatça akarsa, o zaman huzura kavuşursunuz. O aşağılık Dostluk Kulübü'nde bize hapları yutturduktan sonra, hep beraber Ateş'in sayesinde Evrensel Kutsal Çember'in içine gireceğimizi ve bunun sadece iyi enerji ve niyetin içeri girmesine izin veren bir koruma çemberi olduğunu söylerlerdi. Şimdi meditasyon konusunda ilerledikçe, aslında hep meditasyon tekniklerini kötüye kullanarak bizi kandırdıklarını anlıyorum. Önemli olan, insanın doğal olarak, kendi ışığı sayesinde evrensel enerjiyle bağlantı kurabilmesi. Öyle değil mi?"

"Bence biraz da tercih meselesi," demişti Ozan. "Bazısı uyuşturucunun verdiği mutluluğu gerçek bulur, bizim gerçeklik dediğimizi de sahte. Kontrolü kaybetmeden ve bağımlı olmadan uyuşturucu kullanan pek çok insan var..."

"Ama bir kullanıcının da her an kontrolü kaybetme riski var," diye karşılık vermişti Ayşe. "Yani her kullanıcıda potansiyel bir bağımlı gizlenir. Kişinin zayıf ânını yakalayınca da kontrolü eline geçirir. Tek gerçek mutluluk, bilincin açıkken duyduğun mutluluktur."

Ozan, "Ben yine de..." diye tam söze başlamışken, Özgür

girmişti lafa. Bütün o neşeli hali silinmiş, yüzü öfkeye bulanmıştı. "Baksana Ayşe, insanın içi çürürken bilincinin açık olmasının ne anlamı var, söyler misin bana? Örneğin ben! Ruhumu canlandıracak, onu ayağa kaldırıp dans ettirecek bir şeyler bulabilseydim, yapay uyarıcıların peşine düşmezdim, anladın mı?"

"Demek sen de kullanıyorsun... Gerçekten üzgünüm, çok üzgünüm!"

"Ne abartıyorsun ya! Öyle üzülecek bir şey yok. Arada bir takılıyoruz işte, o kadar... Hafif şeyler..."

"Bunun hafifi olmaz Özgür!" diye aniden patlamıştı Ayşe. Gerçekten de endişeli gözüküyordu. Çıkardığı sesin şiddetinden kendi de korkup daha sakin bir şekilde konuşmaya çalışarak, "Yani olur ama, her hafif dediğin madde daha tehlikeli olanlara giriş kapısıdır," demişti. "Sigara da yasaklanmalı zaten! Ama sana şunu söyleyeyim, haz verdiğini sandığın bu sanrılar eninde sonunda yiyip bitirecekler seni. Bütün bunlar acı çekmeye karşı duyduğun korku yüzünden!"

İkisinin de sesleri yükselmeye başlamıştı. Oturup sakince konuşmalarını söylememize rağmen, bizi dinlemeye hiç niyetleri yoktu. "Sen bana korkak diyemezsin!" diye bağırıyordu Özgür. "Ya da de anasını satayım! Hiç umurumda değil! İster acı çekme korkusu de, ister haz düşkünlüğü... Bildiğim tek bir şey var. Dünya çok keyifli bir yer olsaydı, kimse keyif verici madde kullanmaya gerek duymazdı, tamam mı? Kendimi bu umutsuzluktan, bu coşku yoksunluğundan, bu duygu kısırlığından kurtarmak için bulduğum tek yolu elimden almaya ya da beni eleştirmeye kimsenin hakkı yok. Çünkü bu acıyı ben, yalnızca ben çekiyorum ve onun nasıl yok edileceğine karar vermek de yalnızca benim hakkım!"

"Ama bu haz gerçek değil. Yarattığın dünya gerçek değil!"

"Hep de böyle derler! Varsın olmasın, zaten gerçek olmasını isteyen kim? Alın, gerçekliğiniz sizin olsun! Ben ötelerde olmak istiyorum, anlıyor musun, gerçeğin ötesinde! O aşırılıkları, deli imgeleri, sınırsız hazzı yaşamayı seviyorum ben. Sizin o çiğ gerçekliğiniz bana hitap etmiyor. Herkesin gördüğünden, bildiğinden, duyduğundan fazlasını istiyorum. Kendime ait bir dünya yaratabildiğim sürece nefes alıyorum ben. Yaratıcılığımın gıdası da bu uyarıcılar işte."

Özgür sustuğunda evde anormal bir boşluk yankılanmıştı. Kimse tek kelime etmiyordu. Anlıyordum Özgür'ü. Ne hissettiğini biliyordum. Ona sarılıp, içindeki yırtıkları kendi mutluluğumla yamamak istiyordum. Ama ben kımıldayana kadar, o kapıyı vurup çıkmıştı evden. Geriye biz kalmıştık. Birbirimizden kopuk, ayrı duygu ve düşünce boyutlarında... Ozan koltuğa gömüldükçe gömülüyordu. Kalkıp Özgür'ün arkasından gitmesini bekliyordum ama bir türlü kalkmıyordu. Sonra bana dönüp, "İyi ki varsın Sade," demişti. "Her gece, seninle bir gün daha geçirebilmek için uyuyorum. Ama Özgür'ün uyumak için hiçbir nedeni yok. Ya da uyanmak için..."

"Ben de gideyim artık," demişti Ayşe silik bir sesle. Yüzünden düşen bin parçaydı. Zaten hepimizin morali son derece bozulmuştu. Kapıdan çıkarken Ozan'a dönüp, "Lütfen, şu piyano işini tekrar düşün," diyerek ruh gibi merdivenlerden inip gitmişti.

Baş başa kalmıştık işte... Berbat bir sessizliğin ortasında... Bir şeyler parçalanmıştı sanki. Onun da son derece üzgün olduğunu biliyordum. Öyle miydi gerçekten de? Yüzünde acayip bir ifade vardı, ne olduğunu bilemediğim, daha önce hiç görmediğim...

Hırs mı, acı mı, mutluluk mu? Ne desem de şu kasvetli sessizliği bozsam diye düşünürken, o hızla ayağa kalkıp piyanosunun başına geçmişti. Günlerdir ilk defa... Onu yeniden müzikle barışık görmek... Mutluluktan nefesim tıkanmak üzereydi. Gelip geçici bir heves olmamalıydı bu. "Ne olur, çalmaya devam etsin!" diye yalvarıyordum içimden. Ne yazık ki, dileğim kaale alınmadı. Ozan, üç beş dakika sonra çalmayı bırakıp yanıma oturmuştu. Elimi sıkıca tutup, "Sade, senden bir şey rica edeceğim," demişti. "Lütfen, yarın bir ara Özgür'le konuşur musun? Bu günlerde onunla hiç ilgilenemiyorum. Eskiden yediğimiz içtiğimiz ayrı gitmezdi, ama artık onunla vakit geçirebilecek enerjiyi içimde hissedemiyorum. Açıkçası, senden başka kimseyle vakit geçirecek gücüm yok. Lütfen konuş onunla. Bak, kapıyı da vurdu gitti. Koşup gideyim arkasından diyorum ama bir şeyler beni tutuyor. Kimseye destek olacak gücüm yok."

"Tamam canım," diyerek sıcacık avuçlarını öpmüştüm. "Ben yarın konuşurum onunla. Sıkma canını böyle şeylere. Hem her zamanki Özgür işte! Aniden parlar, sonra yine o neşeli haline dönüverir!"

Ertesi gün, Ozan'a söz verdiğim gibi, Özgür'ü aramıştım. Sesi biraz telaşlı gibiydi. Dün gece aşırı tepki gösterdiğini, normalde "o salak kızın" sözlerinin kendisini asla sinirlendiremeyeceğini söyleyerek, direkt savunmaya geçmişti. "Biraz dertleşmek ister misin?" diye sorduğumda da önce mırın kırın etmiş, sonra da, "Aslında aklım biraz karışık, konuşmak belki iyi gelebilir," diyerek teklifimi kabul etmişti.

Geçen seferki kafede buluşmuştuk yine. Daha merhaba, nasılsın demeye kalmadan, "Garip bir korku içindeyim Sade," diyerek lafa dalmıştı. "Bilmiyorum, çok kötü bir şey bu. İçim, içim... içim acıyor. Korkuyorum ama neden korktuğumu bilemiyorum."

Bir iki kez güçlükle yutkunup, "Tükürük bezlerim bile bıktılar benden," demişti. "Grevdeler galiba, beni protesto etmek için tükürüklerimi serbest bırakmıyorlar. İyi de, tükürüklerimin benden yana oldukları ne malum? Belki bezler ellerinden geleni yapıyordur da, namussuz tükürükler su koyuyordur. Su! Evet, su içmeliyim, dilim damağım kurudu."

Masanın üzerinde su göremeyince hızla sağa sola bakarak garson aramaya başlamıştı. Sonra birden gözleri yere takılmıştı, üç beş saniye dalıp gitmişti.

"Özgür...? Hey, duyuyor musun? Niye sustun birden? İçimdeki sıkıntı diyordun..."

"Ha... evet, şey... Su var mı ya, ben bir su isteyeyim," diyerek arkaya doğru dönmüştü. Etrafta hiç garson görünmüyordu. Hepsi yer yarılmıştı da içine girmişti sanki. Tekrar bana dönüp, "Hep böyle olur zaten. İhtiyacın yokken hepsi etrafında dolanır, ihtiyacın olduğunda da bir Allahın kulunu bulamazsın!" demişti. Ben birden köşedeki garsonu görünce parmağımla onu işaret edip, "Bak, orada bir tane var," demiştim. Garson da tam o sırada bizim masamıza doğru yürümeye başlamıştı. Yanımızdan geçerken Özgür'ün silik işaretini görmemişti, yürüyüp gitmişti. Özgür'ün işaret parmağı havada kalmıştı. Birden gözüme o her zamanki fırlama Özgür gibi değil de, öğretmenin dikkatinden kaçan çekingen bir öğrenci gibi görünmüştü. Yüzü kızarmıştı. "Bu garsonlar böyledir işte, parmağını gözlerine sokmazsan dikkat edip de bakmazlar!" diye söyleniyordu. "Neyse, böyle normal müşteriler gibi garsonlara veryansın etmek biraz rahatlattı sanki beni..."

"Nasıl yani, normal müşteri değil miyiz biz?"

"Ben aslında normal bir müşteri gibi görmüyorum kendimi, çünkü yemek yemeğe değil, dün gece yaşadığım olayı seninle paylaşmaya, senden destek almaya geldim. Yemek, şu anda düşündüğüm en son şey."

"Özgür, korkutma beni. Başın dertte falan mı yoksa? Ozan'la alâkalı bir sorun yok değil mi?"

"Allah aşkına, bir gün de şu Ozan'ı sokma muhabbete ya! Benim kendi derdim olamaz mı yani? Yok canım, sana bir şey anlatılmaz! Ne diye seni çağırdım ki. Git, sen Ozan'la ilgilen. Ben kendi başımın çaresine bakarım!"

Yüzünün o küskün hali, dudaklarını büzüşü içimi acıtmıştı. "Özgür, özür dilerim," demiştim hemen gönlünü almaya çalışarak. "Söz, Ozan'dan bahsetmeyeceğim. Yani Ozan seni üzecek bir şey mi yaptı acaba, diye soracaktım ben aslında ama doğru ifade edemedim herhalde..."

"Kıvır bakalım!"

"Özür diledim ya Özgür. Haydi lütfen, paylaş benimle derdini. Gerçekten elimden ne gelirse yaparım."

Normalde suratını asıp bozuk atmayı sürdürecek bir yapısı olmasına rağmen, o anda konuşmaya öyle açtı ki, özür dilememi fırsat bilip hemen yumuşamıştı. "Ya, nasıl anlatayım Sade?" diye yeniden başlamıştı söze. "Dün gece şey oldu... Sizden çıktıktan sonra, saat on bir gibi falan... Evde oturuyordum... Of, anlatmak istemiyorum ya, boş ver, konuyu değiştirelim."

"Özgür, saçmalama da anlat!"

"Aaaa, garson geliyor bak! Haydi su isteyelim."

"Başlatma ya garsonundan şimdi! Özgür anlatacak mısın, kalkıp gideyim mi?"

Özgür derin bir of çekmişti. Sonra da dirseklerini masaya koyup elleriyle yüzünü örtmüştü. Bir iki saniye öylece kalakalmıştı. Tekrar ellerini açtığında, hafif kızarmış yüzü, endişeli bakışlarımla çarpışmıştı. Elimi uzatıp yanağını okşamıştım, sanki küçük yaramaz oğlumu okşarmış gibi. Elimden yanağına akan şefkati o da hissetmiş olacak ki, birden elimi sıkıca kavrayıp, "Biliyor musun Sade," demişti. "Sen ileride harika bir anne olacaksın!" Hiç beklemediğim bu söz karşısında bir an için afallamıştım. Anne olmak, bir çocuğun sorumluluğunu almak... Ozan'ın ve benim çocuğumuzun... Gözümde ne kadar canlandırmaya çalışsam da olmuyordu. Üstelik huzursuz etmişti bu düşünce beni. Elimi Özgür'ün elinden çekip işi hafif espriye vurarak, "Ben olsam olsam berbat bir anne olurum," demiştim. Ama yüzümde usulca belirmiş olan o annelere özgü şefkati tam anlamıyla silemediğimin farkındaydım. Özgür de işi iyice uzatıp, bir yandan da sırıtarak, "Sade Anne, Sade Anne" diye tekrarlamaya başlamıştı.

"Vallahi şu anne lafını kesmezsen kalkıp giderim Özgür!" diye çıkışmıştım.

"Şaka yaptığımı biliyorsun," demişti alttan almaya çalışarak. "Alınganlık yapma lütfen!"

Ama ben sinirlenmiştim bir kere. "Ne yapmamı bekliyorsun peki?" demiştim sertçe. "Üstelik bir türlü konuşmuyorsun da. Yok suydu, yok garsondu, lafı geveleyip duruyorsun yarım saattir."

"Tamam tamam, sinirlenme!"

"Ne oldu Özgür, gerçekten endişelenmeye başlıyorum artık. Anlatsana!"

Özgür etrafta kimsenin bizi dinlemeye meraklı olmadığını bilmesine rağmen, yine de yan masalara şöyle bir göz atmıştı. Sonra da sesini iyice kısarak, "Dün gece sizden çıkıp eve döndüğümde..."

"Ne, ne diyorsun, duymuyorum ki!

"Dün eve döndüğümde, diyorum, zaten sizde olanlardan dolayı biraz keyifsizdim. Canım sıkılıyordu. Öylesine televizyona bakıyordum. Kanalları değiştiriyordum falan. Bütün hafta sonu da dışarı çıkmadan boş boş oturmuştum. Hatta sizi de aramıştım dışarı çıkalım diye, ama ikinizin de cebi kapalıydı. Ev de cevap vermiyordu."

"Bilmem... Neredeydik acaba. Hatırlamıyorum."

"Neyse işte, dün gece canım çok sıkılıyordu."

Hafifçe gülerek, "Orayı anladık!" demiştim.

"Biraz kafayı da çekmiştim. Sonra annem telefon etti."

"Annen mi?"

"Evet, annem. Neden şaşırdın?"

"Yok şaşırmadım da, annenden bahsettiğini ilk defa duyuyorum."

"Öyle mi, bilmem, farkında değilim. Annem... Annemden bahsetmemek için özel bir çaba falan harcadığım yok. Bahsetmediysem de, gerek duymamışımdır o yüzden."

Sesi biraz öfkeli çıkmıştı. Neden sinirlendiğini anlayamamıştım. Biraz alttan almaya çalışarak, "Tamam Özgür, neden savunmaya geçiyorsun ki?" demiştim. "Ben de bir şey demedim zaten..."

"Bak, neden savunmaya geçtiğimi sorarak, aslında savunmaya geçmemi gerektirecek bir durum olduğunu ima ediyorsun. Oysa yok. Sanki insan biraz sıradışı oldu mu ailesinde illa sorun olması gerekiyormuş gibi!"

Yüzü iyice kızarmıştı. Onun sinirlenmesi beni de sinirlendirmişti.

"Ya, ben bir imada falan bulunmadım ki Özgür!" demiştim sertçe. "Yine alınganlık yapıyorsun..."

Bu sefer o alttan alıp, "Yok, ben aslında senden değil, çoğunluktan bahsediyorum," demişti. "Sen de bilirsin, insanlar kendilerinden farklı kişilerin mutsuz aileleri olduğunu sanırlar. Onlara göre çocuk bu yüzden sapıtır, topluma aykırı yaşar. O çocuğun kendi karakterinin bu olduğunu, bunun sapıtmak değil bir varoluş seçimi olduğunu akıllarına bile getirmezler. Benim ailem çok iyidir mesela."

"İzmir'deydiler, değil mi?"

Cevap vermeden önce bir iki saniye düşünüp yüzünde hafif bir gülümsemeyle, "Evet, oradalar," demişti. "Hep oradalar. Sonsuza dek oradalar..."

Hafif bir özlem oturmuştu gözlerine.

"Annem öyle tatlı bir kadındır ki..." demişti gülümsemeye devam ederek. "Seni tanıştırmak isterdim Sade. Etrafımda koşturup durur. Öyle müzikten falan anlamaz ama, keman çalmaya başladığımda hemen işini gücünü bırakır, saatlerce beni dinler. Acayip bir gurur parlar gözlerinde. Kâinatın en iyi müzisyenini dinlediğini düşünür. Bazen yanlış notalara basarım, ritmi tutturamam ama o hiç fark etmez bile. Sadece gülümser... Acayip güzel de yemek yapar. Ne istersem yapar. Hele bir mozaik pasta yapar ki parmaklarını yersin. Babam da az marifetli değildir hani. Arada mutfağa girip pilav milav yapar. Pilav yapmak da epey zordur aslında..."

"Karnın acıktı galiba!" demiştim hafif gülümseyerek.

"Yok ya, ondan değil. Annemden bahsederken ilk aklıma gelen şey yaptığı yemekler de ondan galiba. Feministler duysa kızarlar bana ama ne yapayım! Liseden sonra babamla evlenmişler işte... Bildim bileli de halinden memnundur. Evde olmayı seviyor annem. Hiçbir zaman büyük hedefleri olmamış..."

Özgür konuşmaya devam ederken dalıp gitmiştim bir ara. Gözümde canlanan sıcak yuva manzarası son derece sevimli olmasına rağmen, o manzaranın içine kendimi koyunca çok çirkin bir görüntü oluşmuştu. Dışarıdan bakınca sevimli, içine girince boğucu...

"Ben dayanamazdım herhalde," demiştim birden. "Yani böyle bir yaşam beni tatmin eder miydi...? Sanmıyorum."

"Yok, sen dayanamazdın," demişti o da, kendinden son derece emin bir şekilde. "Ama annem kendine göre mutlu. Belki senden daha mutlu. Babamı her sabah aynı kelimelerle, 'İşin sıhhatin rast gitsin!' diyerek yolcu etmek, sonra dönüşünü beklemek yetiyor ona. Ama bizim gibilere yetmez."

Yetmez miydi gerçekten? Ozan'a duyduğum sınırsız aşka

yaslanıp, sadece onunla beraber olmak yetmez miydi? Evde oturup onun yolunu gözlemek, o yeni besteler yaparken bir kenara kıvrılıp hayran hayran onu izlemek, hayatımı sadece ona adamak... Evet, yetmezdi. Aşkımın şiddeti ne olursa olsun, kendimi dilediğim şekilde var edemedikten, değişik şekillerde yeniden üretemedikten sonra yetmezdi. Ama o yanımda yoksa da, var olmak yetmezdi...

"Laf nereden geldi buralara Allah aşkına?" demişti Özgür. Ben de hayal boyutundan düşüp onun karşısındaki yerime geri dönmüştüm.

"Evet, gerçekten de nereden geldik bu konuya? Hani sen bana derdini anlatacaktın? Önce su falan deyip geçiştirdin, sonra da aile konusunu açıp..."

"Tamam tamam, anlatıyorum. Aslında öyle belirli bir şey olmadı. Ama ne bileyim işte... Annem aradı ve şey dedi... 'Benim büyük kemancım neler yapıyormuş bakalım,' dedi. 'Büyük kemancı,' dedi, anlıyor musun? Büyük kemancı!"

Birden gözleri dolmuştu. Gözyaşlarını zaptetmeye çalışmadan da konuşmaya devam etmişti:

"Ve ben o sırada bilmem kaçıncı biramı devirmiştim... ve... ve... annem benim büyük bir kemancı olduğumu sanıyordu Sade!"

Onu böyle görmek şaşkına çevirmişti beni. Küçük, korunmasız bir bebek gibiydi. Uzattığım peçeteyle gözlerini siler silmez, "Mezun olduğum zaman ne yapacağım ben?" demişti fazla bağırmamaya çalışarak. "Kompozisyona kabiliyetim de yok. Keman çalmaktan başka bir şey yapamam ve onu bile çok iyi yapamıyorum. Müzik okuyorum ama müzik yapmıyorum. Aradaki farkı anlıyor musun? Kendim bir şeyler yaratamıyorum. Ancak yaratılmış şeyleri çalabilirim, o kadar. Bunun ne anlamı var? Konservatuvarın ilk aylarında transpozisyon ve armonizasyon sınavlarına nasıl canla başla çalıştığımı hatırlıyorum da, şimdi öyle saçma geliyor ki... Bach üslubundaki koro melodilerini armonize edebilmek için döktüğüm terler... Allahım, hepsi boşa zaman harcamaktan ibaretmiş meğer! Ben daha ritim ve perde modülasyonlarını ezberlerken, Ozan birbirinden enteresan, son derece orijinal kompozisyonlara imza atıyordu. Hem de polifonik karakterde! Peki, ya ben ne yapıyorum? Ben polifonik değilim, anlıyor musun? Tek sesliyim ben. Yalnızca keman çalarım."

"Özgür, sen çok özel bir insansın..."

"Özel miyim? Nerem özel Allah aşkına? Konservatuvardaki onlarca keman öğrencisinden ne farkım var? Numarayı bırak Sade. Sen de biliyorsun. Sıradan bir yetenek benimkisi. Enstrümanımı iyi çalıyorum ama bunun daha ötesine geçemeyeceğimi biliyorum. Yeteneğimin sınırlarını zorlamayı daha önce çok denedim. Olmuyor Sade. Benim için daha ötesi yok. Artık en son sınırdayım ama bu yeterli değil, biliyorum. İyi bir kemancı olsam da büyük bir kemancı asla olamam, vasatın ötesine geçemem. Boy uzatmak için vitaminler yutmanın, durmadan basket oynamanın ancak bir yere kadar etkili olabilmesi gibi bir şey bu. Boyun 1.70 ise bütün bu çabalar sayesinde en fazla 5-6 santim daha uzarsın belki ama asla 1.85 olmazsın. Ama Ozan gibiler bu işe başlarken zaten 1.85 boyla başlıyor, anladın mı? Müzik boyu çok uzun onun, benimki ise... Ben asla Ozan gibi çalamam. Ne kadar çabalarsam çabalayayım yapamam bunu. Ama duygularımın yoğunluğu en az onunkiler kadar şiddetli. İşte sorun da burada zaten. Yeteneğimin dar hacmi duygularımın yoğunluğunu taşıyamıyor. Hissettiklerimi kemana dökememek, beynimin içinde duyduğum sesi kemandan çıkartamamak beni çileden çıkartıyor!"

Böylece içindeki tüm öfkeyi kusup koymuştu önüme. Donup kalmıştım. Bu konuda Özgür'e nasıl yardımcı olabilirdim ki? Çarşıya gidip yetenek alamazdım ya. Vasat mıydı gerçekten de? Biraz daha çalışsa aşamaz mıydı kendini? Onun yeteneksiz olduğunu kabul etmek istemiyordum. Yeterince çalışmıyordu, uğraşmıyordu; moral bozukluğuyla koyvermişti kendini. Belki Ozan'ı onu çalıştırmaya, ona destek vermeye ikna edebilirsem, yeteneğini yeniden canlandırabilirdi. Hem bu Ozan'ı da oyalar, belki onda yeniden piyano çalma arzusu doğururdu. Yoksa ben yine mi Ozan'ı düşünüyordum? Amacım Özgür'den çok, Ozan'ın mutluluğu muydu?

Ertesi gün, Özgür bize gelmişti. Ozan'ın içinin nasıl daraldığını ve hiç ders çalıştıracak havada olmadığını bilmeme rağmen, Özgür'ü çalıştırmayı kabul etmesi şaşırtmıştı beni. Bütün gün boyunca zor bir parça üzerinde durmuşlardı. Ama hâlâ tam anlamıyla çalmayı becerememişti Özgür. Parçanın sonuna doğru, oldukça hızlı çalınması gereken ve kompozisyonun tepe noktasını oluşturan zorlu bir pasaj vardı. Hep orada takılıyordu. Kendi ödevimle ilgileneceğime benim de kulağım Özgür'deydi. O pasaja geldiği anda içimden, "Allahım, lütfen bu sefer yapsın," diye mırıldanıyorum. Ama bir türlü yapamıyordu. Sanki benim dersime odaklanabilmem de onun parçayı doğru çalabilmesine bağlıydı. Sonunda dayanamayıp yanlarına gitmiştim. Varlığımı belli etmemeye çalışarak bir köşeye oturmuştum. Özgür yeniden başlamıştı çalmaya. Ozan, kaşları çatık bir şekilde gözlerini yere odaklamıştı ve son derece ciddi bir ifadeyle, müziğin ritmine tempo tutan bir metronom gibi elini dizine vuruyordu. Ve o malum bölüm geldiğinde, ikimiz de soluğumuzu tutmuştuk... Tamam, oluyordu bu sefer, evet... evet... veeeee... Kahretsin! Parmakları keman telleri üzerinde teklemişti yine. Sonra da müziğin ahengini bozan acayip bir notaya âdeta çığlık attırmıştı. Tam o anda Ozan, elini dizine öfkeyle vurup, "Hayır hayır, orası do majör!" diye kendi kendine söylenmişti. Yüksek sesle bağırıp Özgür'ün moralini bozmak, cesaretini kırmak istemiyordu ama, Özgür hata yaptıkça içten içe sinirlendiği de belliydi. Buna rağmen aşırı bir sabır gösteriyor, bir kez olsun Özgür'e sesini yükseltmiyordu. Bir süre sonra da kalkıp piyanonun başına geçmişti. Özgür tam yanında, ayakta duruyordu. Beraber aynı şarkıyı çalmaya başladılar. Ruhlarının iç içe geçişini dinliyordum. Beni dışarıda bırakmışlardı. Orada olduğumun farkında bile değildiler. Kendimi çocukların oyununa ortak olmayı beceremeyip, onları yalnızca uzaktan izlemekle yetinmek zorunda kalan bir orta yaşlı gibi hissediyordum. Zaten sonunda iyice sıkılıp yatmaya gitmiştim. Nasılsa varlığım da yokluğum da fark etmiyordu.

Sabah uyandığımda, Ozan yanımda yoktu. Yatağın ona ait olan tarafi hiç bozulmamıştı. Alelacele kalkıp salona gitmiştim. Başını piyanoya yaslamış, öylece uyuyakalmıştı. Saçlarını okşayarak uyandırmıştım onu. Her yeri tutulmuştu ama yine de gülümsüyordu. Gözlerinin içine bakıp, hafif kızmış gibi yaparak, "Dün gece ikiniz de beni unuttunuz!" demiştim, bana ait olmayan yapmacık bir cilveyle. O ise, gülümseyerek kucağına oturtmuştu beni. Sonra da, "Kıskandın mı?" diye sormuştu. Nasıl titriyordu içim ona her bakışımda! Kırılmaya hazır, camdan bir hayal kahramanı gibi başını göğsüme yasladığında... Dudakları boynumdan aşağı akmaya başladığında...

"Özgür dün gece üç dört gibi gitti," demişti ben onun dudaklarını düşünürken. Anlaşılan, benden çok Özgür meşgul ediyordu kafasını. "Eski günleri hatırladım dün gece," demişti. "Hep böyle beraber çalışırdık. Daha doğrusu, ben onu çalıştırırdım."

"Gerçekten yeteneği yok mu Özgür'ün?"

"Vasatın üzerine çıkamaz," demişti, öğrencisini çok sevmesine rağmen ona fazla yardım edemeyeceğini bilen bir hoca edasıyla.

"Durum bu kadar umutsuzsa ne diye o kadar çok çalıştınız dün gece?"

"Anlamıyorsun! Beraber müzik yapmaya ihtiyacımız vardı. Yoksa yeteneğinin sınırlı olduğunu ben de o da zaten biliyorduk. Bu yeni fark ettiğimiz bir şey değil ki. Konservatuvarda onun gibi yüzlercesi var..."

Bana, "Anlamıyorsun!" demişti. "Anlamıyorsun!" Demek ben, onun Özgür'le özel bağını anlamıyordum ha? İçime oturmuştu bu söz. Sinirlendiğimi anlamasın diye yüzümü pencereye dönüp dışarı bakmaya başlamıştım. Yanıma gelmesini bekliyordum ama oturduğu yerden kalkmamıştı. Bir süre sonra da kendi kendine mırıldanarak, "Nisan en acımasız aydır..." demişti.

Bense hâlâ dalgın bir halde pencereden bakıyordum. Ozan'ın mırltısıyla birden kendime gelmiştim. Yüzümü ona çevirerek, "Efendim? Ne dedin, anlamadım!" demiştim.

O da benim gibi dalıp gitmişti. "Ha? Bir şey mi dedin?" diyerek yanıtlamıştı beni.

"Sen bir şey demedin mi? Ne dedin diye sormuştum."

"Ben mi? Ha, yok bir şey ya... Nisan en acımasız aydır dedim. Bir şiir mısrası... Özgür'ün hislerini yansıtan bir şiir."

"Özgür'ün hislerini mi? Neymiş peki Özgür'ün hisleri?"

Ozan dalgın bir tavırla konuşmayı sürdürerek, "Önemli değil ya," demişti. "Sadece bu şiir beni çok etkiler."

"Kimin şiiriymiş bu söylesene, merak ettim."

Ozan kelimeleri ağzında yuvarlayarak bezgin bir halde, "Yabancı bir şair. Tanımazsın herhalde," demişti. "Bir İngiliz şairi... T. S. Eliot."

Hafif bozularak, "Niye tanımayayım canım?" demiştim. "Adını duymuştum."

"Duymuş olman normal aslında. Epey büyük bir şairdir Eliot," demişti. Aynı anda da gözlerinde kuvvetli bir ışık parlamıştı. Eliot'tan bahsetmek heyecanlandırmıştı onu:

"Acayip, karmaşık şiirler yazar Eliot. Parçalanmış şiirler... Okuyucu da o parçaları birleştirir ve büyük bir bozyapı tamamlamışçasına tatmin olur. Aslında tam da tatmin denemez buna. Hem karmaşayı çözdüm diye sevinirsin, hem de sona vardığın için garip bir hüzün kaplar içini."

Özgür'den bahsederken bu konunun nereden çıktığını anlayamadığımdan, dudaklarıma şaşkın bir ifade takılmıştı. "Eliot'tan bahsederken canlanıverdin!" dememe kalmadan da, Ozan yine o dalgın ve durgun haline dönmüştü. Susup kalmıştı. Önce kafasını toparlamaya çalıştığını, birazdan konuşacağını sanmıştım ama nafile. Sonunda dayanamayıp ben sormuştum:

"Peki, nisan niye en acımasız aymış?"

"Efendim?"

"Nisan niye en acımasız aymış diyorum. Ozan, ne oldu sana böyle? Özgür'ün durumuna çok mu üzüldün? Bir lafı on kere tekrar ettiriyorsun. Kafan çok dağınık galiba..."

"Bilmem, belki... Ne sormuştun?"

"Bak, yine yapıyorsun aynı şeyi," demiştim. Canım sıkılmıştı. Beni dinlemediğini, önemsemediğini hissetmiştim. "Şiiri sormuştum ama önemi yok, boş ver!"

"Tamam tamam, hatırladım. Nisan en acımasız aydır diyordum, çünkü... Yani bu nasıl açıklanır bilemiyorum ki..."

Birkaç saniye düşündükten sonra devam etmişti:

"Hani bahar geldiğinde içi kıpır kıpır olur insanın. Doğayla beraber sen de canlanırsın. Yaşama arzun alevlenir. Anlatabiliyor muyum?"

Dikkatle onu dinliyordum. "Evet evet, anlıyorum, devam et," dercesine hızlı hızlı başımı sallamıştım. Ozan birkaç saniye daha durduktan sonra, kendini ifade ederken zorlandığını belli eden bir ifadeyle kaşlarını çatıp yüzünü buruşturmuştu:

"Ama bu yaşama arzusu acı da verir insana Sade, çünkü bir şeyler yapman gerektiğini hissedersin. Mutlu olmak için, kendini değiştirmek için harekete geçmen gerekir. Çünkü olmak istediğin yerde değilsindir aslında. İşte bunu fark ettirir insana nisan... Özgür de nisanın pençelerine takıldı, anladın mı?"

Yine anlıyorum dercesine başımı sallamıştım ama Ozan bana bakmıyordu. Kendini en doğru şekilde ifade edebilme sıkıntısıyla, düşünceli gözlerini uzaklara dikmişti. Bir dakikaya yakın hiç konuşmadan durmuştu. Yine onun konuşmaya devam etmeyeceğinden şüphelenmeye başlamıştım ki, o başka boyutlardan haber getiren bir kâhin edasıyla yeniden söze girmişti:

"Garip bir kış uykusuna yatmışsındır. Hislerini dondurarak kendini acıya karşı koruduğunu sanırsın. Ama sonra nisanla beraber hislerinin üzerindeki don erimeye başlar ve sen yeniden yaşamla temas edersin. Bu hem büyük bir coşku verir sana, hem de kalkanını yitirdiğinden ötürü daha korunmasız ve incinmeye hazır bir hale gelirsin. Anlıyorsun, değil mi? Yani demek istediğim... Gömüldüğün toprağı delerek tekrar yeryüzüne çıkmaya karar vermek cesaret ister, çünkü... çünkü güneş kadar fırtınayla da karşılaşabilirsin. Oysa toprağın altındayken, duyguların ölüyken rahatsındır. Sonra nisan gelip aklını çeler. Acımasızca çeler aklını..."

Bir iki dakika hiç konuşmadan durmuştuk. Onun kendi duygularını Özgür'e yansıttığını düşünüyordum. Nisan verse verse Ozan'la bana acı verirdi, o deli dolu, uçuk kaçık Özgür'e değil... "İnan şaşkınım," demiştim. "Açıkçası, ben Özgür'ün bu kadar derin düşünebileceğini sanmıyorum."

Bana, "Sen Özgür'ü nereden bileceksin ki!" dercesine bir bakış attıktan sonra, "Belki de onun hep kış aylarına denk geldiğin içindir," demişti. "Ama artık nisan geliyor..."

Yüzüne hüzünlü bir gülümseme oturmuştu. Bir süre, ünlü bir ressamın büyülü bir portresini izler gibi bakmıştım onun yüzüne. Sanki biraz daha iyi bakarsam hayatın anlamını nereye sakladığını görebilecektim. Tam adını koyamadığım garip bir ifade vardı yüzünde. Çaresizlik mi? Endişe mi? Yoksa korku mu?

Birden, "Korkuyor musun Ozan?" demiştim.

"Ha? Korku mu? Nereden çıktı bu soru şimdi?"

"Korkuyor musun?"

"Neden korkuyor muyum?"

"Nisandan!"

Küçük bir gülümseme daha kaymıştı yüzüne. Yarım bir kahkahadan sonra da, derin bir nefes alıp, "Biraz korkuyorumdur belki," demişti. "Aslında daha nisana üç dört ay var ama... Yani evet korkuyorum! Sen korkmaz mısın hiçbir şeyden?"

Utangaç bir ifadeyle, "Aslında çok korktuğum bir şey var," demiştim. Sonra korkumun şiddetini belli etmemek için gülmeye başlamıştım.

"Neden güldün? Komik bir şey mi?" diye sormuştu Ozan.

"Yo komik değil de, pek korkulacak bir şey olmadığı için güldüm herhalde."

"Nisandan korkmak kadar saçma değildir, merak etme. Haydi söylesene neden korktuğunu! Dalga geçmem, merak etme."

"Ya boş ver, gerçekten... Yani aslında tahmin edemeyeceğin bir şey değil. Sensiz bir hayat yaşamaktan korkuyorum. Evet, tek korkum bu. Sana bir şey olursa ben..."

"Sade, sana bir şey söyleyeceğim."

"Beni sevdiğini mi söyleyeceksin? Ben de seni seviyorum birtanem!"

"Yok, hayır. Yani tabii ki seni seviyorum da, ben şey diyecektim... Ayşe'nin dediği şu iş var ya... Galiba... Yani ben işi kabul etmeye karar verdim."

Donup kalmıştım. Bu habere sevinmeli mi yoksa üzülmeli miydim? Oyalanacak bir şeyler bulmasını, piyanoyla yeniden haşır neşir olmasını isteyen ben değil miydim? Öyleyse niye böyle afallamıştım? Bir şeyler söylemem için gözlerimin içine bakıyordu ama ben ne diyeceğimi bilemiyordum. En sonunda da sadece, "Gerçekten mi? Emin misin?" diyebilmiştim.

"Niye çok şaşırdın?"

"Şaşırdım mı? Yok, şaşırmadım. En doğru kararı verdin. Gerçekten..."

Ses tonumdaki yapmacıklı sevinç gözünden kaçmamıştı. "En doğru kararı verdin," derken, aslında kafamın karışmış olduğunu biliyordu. Ama kendi kafası daha karışık olduğundan, benim samimi olduğumu var saymak işine geliyordu.

"Bu öğleden sonra bir uğrayacağım oraya Sade. Ortam hoşuma giderse..."

"İstersen benim okuldan dönmemi bekle, beraber gidelim. Ne dersin?"

"Hayır, tek başıma gitmek istiyorum!"

Donuk, hissiz sesi, kalbime bir şırınga gibi saplanmıştı. Ama yüzümdeki parçalanmışlığı görünce, daha fazla dayanamayıp ellerimi tutmuştu. "Korkuyorum Sade," demişti titreyen sesiyle. "Sana bağımlı olmaktan korkuyorum, anlıyor musun? Baksana, artık sensiz hiçbir şey yapamıyorum. Okula gittiğin zamanlarda sıkıntılarım başlıyor. Ne yapacağımı bilemiyorum. Oyalanmak için belki bir şeyler bulabilirim. Ama oyalanmak istemiyorum ki. Yaşamak istiyorum. Anlamlı şeyler yapmak, doymak... Ama sen giderken tüm anlamları da yanına alıp götürüyorsun. Kendime güvenim hiç kalmadı. Sensiz sakat gibiyim. Eskisi gibi olmak istiyorum. Bu beni sevmiyorum. Sen de artık bir erkeğe değil, hasta bir çocuğa bakar gibi bakıyorsun bana!"

Öyle mi yapıyordum gerçekten de? Ne hissettiğimi, ne yaptığımı ben de bilemiyordum artık. Kendimden çok Ozan'ı anlamak için çaba veriyordum. Şimdiye kadar anladığım kadarıyla da Ozan tek başına bir şeyler yapabileceğini kanıtlamak istiyordu. Onu kendime âşık ettiğim için içten içe bana sinirlendiğini de biliyordum. Bu öfke aşkının önüne geçer de artık benimle olmak istemezse diye korkmaya başlamıştım. Bir yandan ona hayran olmak, onun gücünden güç almak, sırtımı ona dayamak istiyordum, bir yandan da bu kırılgan ve güçsüz haliyle beni hiçbir zaman terk edemeyeceği için hep böyle kalsın istiyordum. Bana muhtaç olması, kendimi önemli ve vazgeçilmez hissetmemi sağlıyordu belki de. Ama asıl önemli olan onun mutluluğuydu. Her ne pahasına olursa olsun, acılarının dinmesi bana yeterdi. Gerçekten yeter miydi? Onu başka birinin kollarında görmeye dayanabilir miydim mesela? Başka biriyle mutlu diye sesimi çıkarmadan geri çekilebilir miydim? Bu yüce gönüllülük mü, yoksa bir rakiple mücadele etmekten korkmak mı olurdu? Hele bu rakip müzikse... İşte bu halimden nefret ediyordum! Ortada fol yok yumurta yokken, şöyle olacak böyle olacak diye kuruntu yapıp duruyordum. Huzursuzluğumun tek iyi yanıysa, beni üretken kılmasıydı. Özellikle Ozan uyuduğu zamanlarda, hemen elime kâğıt kalemi alıp tüm duygularımı yazmaya başlıyordum. Özgürce üretebilmek ve Ozan'ın tepkilerinden etkilenmemek için, yazdıklarımı okutmuyordum ona. İhtiyacım olan, tamamen sade ve duru bir iç boşalımıydı.

Ozan'ın rehabilitasyon merkezine, piyano çalmaya gittiği o ilk gün, yine yazılarıma ve gitarıma sığınmıştım. Korkunç bir yalnızlık çökmüştü tenime. Tüylerimde ürperecek güç kalmamıştı. Kapıdan çıkarken, okula başlayan küçük bir çocuk gibi, heyecan ve korkuyla karışık duygular yaşamıştı. Bense ondan beter durumda olmama rağmen, zorla neşeli görünmeye çalışmıştım. Her zamanki gibi ona destek olmam, güçlü görünmem gerekmişti. O gittiğinde ise, zaptetmeye çalıştığım tüm zayıflığım ve korkaklığım tepeme binmişti. Evin içinde dolanıp Ozan'ın dönmesini beklerken, zaman ile aram iyiden iyiye bozulmuştu. Sanki sırf bana inat olsun diye kımıldamadan olduğu yerde duruyordu zaman. Ben okuldayken Ozan'ın, can sıkıntısıyla dönüşümü bekleyişinin öcünü alıyordu sanki benden. Sonunda ilham perileri halime acıyıp beni zamanın pençelerinden kurtarmışlardı. Arka arkaya iki yeni beste doğurmuştum. Ama kararlıydım, bunları çalmayacaktım Ozan'a, tıpkı yazılarımı göstermediğim gibi... Gitarımla olan beraberliğim sonucunda doğan bebek şarkılarımı kimseyle paylaşmaya niyetim yoktu.

Saat 23.00'ü gösterdiğinde Ozan hâlâ dönmemişti. Telaşlanmaya başlamıştım. Gözlerimi kapatıp uyumak, böylece zamanın ağır adımlarının etimi çiğnemesini durdurmak istiyordum. Ama olmuyordu. Uyku kapılarını kapatmıştı bana. Ozan'ı istiyordum. Yeter ki gelsin, diyordum. Ne isterse yapacaktım. Yeni bestelerimle yazılarımı bile paylaşmaya hazırdım. Ve sonunda bütün bu ölümcül bekleyişin ortasına hızla düşüvermişti zilin sesi. Kapıyı nasıl açtığımı hatırlamıyordum bile. Tek bildiğim, boğulmak üzereyken yeniden oksijene kavuşan biri gibi onu nefes nefes içime aldığım, göğsüne yaslanıp öylece kalakaldığımdı. Güçsüz hissediyordum kendimi, o güçlendikçe... Yüzü nasıl da ışıldıyordu. Gözlerindeki mutluluk canımı acıtıyordu. Ellerimden tutup, coşkuyla anlatmaya başlamıştı olanları. Ne kadar eğlendiğini, hem tedavi görenlerin hem de çalışanların onu nasıl güzel ağırladığını, piyano çalarken herkesin onu pürdikkat dinlediğini...

"Sade, her şey inanılmazdı! O kadar güzel bir yer ki... Kocaman bir bahçesi var. Doktorlar ve hemşireler son derece güler yüzlüler. Beni Mozart'mışım gibi karşıladılar. Herkes etrafıma toplandı. Bütün o insanları görmeliydin! Çaldığım müzikle öyle rahatlattım ki onları... Hatta pek çoğu gelip, içlerine huzur verdiğimi, acılarını hafiflettiğimi söyledi. Bir tanesi de yüzümün tıpkı bir meleğinkine benzediğini, yaptığım müziğin tanrının sesi olduğunu söyledi. İnanabiliyor musun buna? Tanrının sesi, dedi!"

İnanamıyordum. Benim yüzümdeki hüznü okuyamadığına, onu özlerken nasıl acı çektiğimi göremediğine inanamıyordum. Bunca saat eve dönmeyince meraktan deliye döneceğimi düşünemeyip beni bir kez olsun aramamış olmasına, cep telefonunu kapalı tutmasına inanamıyordum. Sıkıntılı dönemlerde yutulan anti-depresanlar gibi, ihtiyacı kalmadığında beni kutuma geri koyup ilaç dolabının bir köşesine atmasından korktuğumu anlamıyor muydu?

# 7

Ertesi gün okula gittiğimde, geceden kalma yalnızlığım tüm tenime sinmişti. Ama dersten çıktığımda onu karşımda görünce gözlerim yeniden parlayıvermişti. Yüzündeki neşeyle beni baştan aşağı yıkamaya gelmişti Ozan. Gerçekten de, damarımdaki kirli kan onu görür görmez temizlenmişti. Sımsıkı sarılmıştı bana. Ama bir gariplik vardı sarılışında. Aynı gariplik gülümseyişini de örseliyordu. Ama o bir sorun olmadığını söylüyordu. Taksim'de çok sevdiği bir kafeye götürmeye gelmişti beni, o kadar.

Meyhanelerin olduğu Nevizade Sokağı'ndan içeri girdiğimizde henüz akşam olmamıştı. Ortalıkta fazla insan yoktu. Ama garsonlar meyhanelerden çıkıp, "Buyurun, buyurmaz mısınız? Oturmak ister misiniz?" gibi, her zamanki ısrarlarına başlamışlardı. Köşedeki şaka malzemeleri satan dükkânın yanından geçerken, o iğrenç oyuncak yılanları ve plastik kusmukları görmek canımı sıkmıştı. Midemin bulandığını bile bile, her seferinde niye bakıyordum onlara, bilemiyorum. Bu da yetmezmiş gibi, kızgın yağda kızaran midyelerin berbat kokusu burnumu kırıyordu. Hızlı adımlarla ilerleyip bir an önce oradan uzaklaşmak istiyordum. Ozan'ı da çekiştirmeye başlamıştım. "Tamam, az kaldı," demişti Ozan. "Birazdan oradayız."

Nevizade'nin en arka kısımlarında, gözlerden ırak bir apartmandan içeri girmiştik. Girişte kocaman, antika bir ayna vardı. Şöyle bir aynaya göz atıp, tahta merdivenlerden yukarı kata çıkmıştık. Tekrar ahşap bir kapı çıkmıştı karşımıza. Yana doğru çekerek açılan kapılardandı. Ozan arkamda duruyordu. Kapıyı açmamı bekliyordu. "Nasıl bir yer burası? Sanki kapıyı açınca beni şok edecek, gizli bir bahçeyle karşı karşıya kalacakmışım gibi bir his yayıldı içime." Ozan gülümseyip önüme geçmişti. Kapıyı çekip açmıştı. Tatlı bir müzik dökülmüştü önce üzerime. Hemen kanım ısınmıştı mekâna. Fiskos koltuklar, ahşap zemin, duvarda yağlıboya resimler... İç kısma doğru ilerledikçe, dar bir geçitten ikinci bir odaya çıkılıyordu. Köşede küçük bir Amerikan bar duruyordu. Önünde birkaç yüksek tabure. Pek fazla müşteri de yoktu. Ama esas dikkati çeken, pencere yanındaki piyanoydu. Ozan'ın burayı sevmesine hiç şaşırmamıştım. Başımla piyanoyu işaret ederek, "Biraz çalsana," demiştim coşkuyla.

"Yok be su perim, utanırım şimdi."

"Utanılacak ne var? Bence müşterilerin de çok hoşuna gider."

"Yok, boş ver. Belki sonra."

Piyanonun en yakınındaki ikili koltuğa oturmuştuk. Portakal suyu istemişti. Ben de soda. Sürekli gözlerime bakıyordu. Yüzümü inceliyordu. Sanki uzun süre karşılaşmayacakmışız gibi, görüntümü hafizasına depoluyordu. Bir şey söylemek ister gibi bir hali vardı. Ama konuşmuyordu. Portakal suyu geldiğinde, bir yudum bile içmeden bardağı sağa sola çevirmeye başlamıştı. İçimi bir huzursuzluk kaplamıştı. Ne oldu diye sorup duruyordum. Birkaç kez daha üstelememden sonra, ağzındaki baklayı çıkarmıştı sonunda.

"Amerika'ya ailemi ziyarete gideceğim."

Anlayamıyordum sözlerini. Şaka mı yapıyordu? Yanlış mı duyuyordum?

"Ozan, şaka yapıyorsun değil mi?"

"Özledim onları. Uzun zaman oldu görmeyeli."

Öfke, acı, çaresizlik renk renk, gözlerimde patlamaya başlamıştı. Öylece kalakalmıştım. O bir türlü yüzüme bakamamıştı. Başını eğmiş duruyordu. Bir krizin yaklaşmakta olduğunu hissediyordum. Ağır bir ağlama krizinin. Bir ay... otuz gün... Ama ben... Ben onsuz duramazdım! Yoksa durur muydum? Ne vardı bunda? Çabucak geçip giderdi. Ölüm yoktu ya ucunda! Tutuyordum kendimi. Sakin görünmeye çalışıyordum. Elimi tutmuştu. Sonra da başını göğsüme dayayıp ağlamaya başlamıştı. Yüzünü öpüp okşamak, ona sıkı sıkı sarılmak istemiştim ama yapamamıştım. Felç inmişti sanki bedenime. Sonunda başını kaldırıp gözlerimin içine bakmıştı. Ağlayınca daha da mavileşiyordu gözleri.

"Ne olur Sade, beni anlamaya çalış. Bunu yapmak zorundayım. Her şey daha iyi olacak. Lütfen kırılma bana."

"Ne zaman gidiyorsun?"

"Yarın sabah."

"Yarın sabah mı? Nereden çıktı bu karar? Neden bana hiçbir şey söylemedin?"

"Senden ayrılmak zaten çok zor Sade. Lütfen bana destek ol. Bunu yapmak zorundayım."

"Zorunda mısın? Niye zorunda olasın ki? Ne olur gitme Ozan. Beni yalnız bırakma, ne olur! Annemler de yok zaten. Lütfen..."

Daha fazla tutamamıştım kendimi. Ben de ağlamaya başlamıştım sonunda Gözyaşlarımız birbirine karışmıştı. Etraftaki herkes bize bakıyordu. Oradan ayrılmak istemiştim hemen. Eve dönene kadar ikimizin de ağzından tek kelime söz çıkmamıştı. Eli elimden bir an olsun ayrılmamıştı. Kapıdan içeri girdiğimizde tüm gücümü ve irademi yitirmiş durumdaydım. Beni ayakta tutan tek şey, Ozan'ın gitmekten vazgeçebileceği ihtimaliydi. Yoksa olduğum yere çöküp kalırdım.

Üzerimi çıkartıp pijamalarımı giydirmeye başlamıştı. Küçük bir çocuğa dönüşmüştüm. Yalnızlıktan korkan küçük bir kız çocuğuna...

"Yani gerçekten gidiyor musun yarın sabah?"

"Evet."

"Kaçta?"

"Sekizde."

"Bu gece benimle kal bari. Evine gitme. Sabah seninle beraber havaalanına da gelirim."

"Eve dönmek zorundayım su perim. Valiz hazırlamam lazım. Hem şimdi vedalaşmamız daha iyi olur. Sabah seni görürsem dayanamam, binemem o uçağa."

"Binme zaten!"

"Lütfen Sadeciğim... Affet beni ama mecburum buna. Eminim ileride beni anlayacaksın."

"Hayır, anlamıyorum. Anlamayacağım da!"

"Su perim... Haydi sarıl bana. Sarıl bana..."

"Beni devamlı arayacaksın, tamam mı?"

"Tamam bebeğim, her gün arayacağım seni."

"Annende mi kalacaksın, babanda mı?"

"Annemde."

"Annenin numarasını ver o zaman bana. Ben de ararım seni."

"Yok, sen arama. Yani boşuna masraf olmasın. Ben ararım seni."

"Saçmalama, masraf düşünecek halim mi var benim!"

"O zaman cepten ararsın. Şimdi ben de hatırlayamıyorum numarayı."

"Tamam, cepten ararım... Ozan, bari ben uyuyana kadar gitme."

"Tamam canım. Sen de yat bakalım artık. Yum gözlerini..."

Nasıl uyuyacaktım? Aklım başımda değildi. Doğru düzgün algılayamıyordum olanları. Acısı sonradan çıkan yaralar gibi, yarın daha kötü canımı yakacaktı gidişi, biliyordum. Yanıma uzanıp saçlarımı okşamaya başlamıştı. Nefesi boynuma değiyordu. Yarın nefesini duymayacaktım yani, öyle mi? Nasıl bırakabilecekti beni? Nasıl ayrılacaktı benden? Bir hava akımının içinde savrulup gittiğimi hissediyordum. Gözkapaklarımı güçlükle aralıyordum.

Ve sabah olduğunda o yoktu....

Ama dayanmalıydım. İlk günü atlatırsam her şey daha kolay olur diye avutuyordum kendimi. Yavaş yavaş alışırdım nasılsa. Sayılı gün çabuk geçerdi. Ya da beni ezerek üzerimden geçerdi. Bol bol uyumak çare olur muydu acaba? Şimdi gözlerimi yumup uyusam, bir ay sonra kalksam, olmaz mıydı? Nasıl geçirecektim bunca günü?

Saat ona geliyordu. Camdan dışarı bakmıştım. Çok hafif kar yağıyordu. Hiç okula gidesim yoktu. Canım kahvaltı yapmak da istemiyordu. Annemi çok özlemiştim. Şimdi yanımda olsaydı inip ona poğaça alırdım eskisi gibi. Daha bir ay önce ona poğaça alacağım diye tepetaklak düşüp belimi incitmiş olmama rağmen gidip yine alırdım.

Nasıl olmuştu o olay? Sanırım bütün gece devamlı kar yağmıştı, yerler buz tutmuştu. Her sabah yaptığım gibi, markete inip kola ve ekmek alacaktım, tabii anneme de poğaça. Aşırı kola içtiğim için her akşam babamdan fırça yememe rağmen vazgeçmiyordum koladan, annemin poğaçalardan vazgeçemediği gibi. Lisedeyken, okulun karşısındaki pastaneden gelen sıcak poğaça kokusu karşısında arkadaşlarının poğaçaları midelerine indirmeleri, buna rağmen kendisinin poğaça alacak parasının olmayışı öyle bir içine oturmuştu ki, yıllardır her sabah ona poğaça almama rağmen, asla yemekten bıkmazdı. En pahalı yiyecekleri yese de, en lüks restoranlara gitse de, sabah oldu mu yine canı poğaça isterdi. Benim canımsa o sabah her gün olduğundan daha çok istemişti Ozan'ı, çünkü araya bir sürü iş girmiş, dört gün süreyle birbirimizi hiç görememiştik. Aklımı başka hiçbir şeye odaklayamaz hale gelmiştim. Annem üzerimdeki dalgınlığı fark ederek ya da sadece annelik içgüdüsüyle, yerlerin kaygan olduğunu ve dikkatli yürümem gerektiğini söylemişti. Kulak arkası etmemiştim sözlerini. Gerçekten de dikkatli yürümeye çalışmıştım. Yavaş yavaş, kısa ve sağlam adımlarla. Markete girdiğimde bile yürüyüşüm değişmemişti. Ama beynimde Ozan'ın görüntüleri son sürat koşuyordu. Bedenimin yavaşlığıyla içimdeki Ozan'ın hızı arasındaki dengesizlik düz yolda bile düşürebilirdi beni. Zaten aklımı tamamen Ozan meşgul ettiği için, iki üç kez yanlış reyonların arasına girmiştim. Neredeyse, kolaların olduğu reyondaki kocaman "indirim" yazısını bile görmeyecektim. Tabii indirimi görünce, her zamankinden biraz daha fazla kola ve iki ekmek alıp çıkmıştım dışarı. Yürürken poşetlerin ağırlığı kollarımı rahatsız etmeye başlamıştı. Adımlarımı hızlandırıp bir an önce eve varmak istemiştim. Ama üç beş adımdan sonra gelen adımlarımı havada atmıştım. Yerle yeniden temasa geçene kadarki o kısa an içinde öncelikle geriye doğru, kafa üstü düşmekte olduğumu fark etmiştim. Ardından da başımı korumam gerektiği, aksi takdirde beyin kanaması geçirebileceğim düşüncesini sığdırmıştım o kısa âna. En sonunda da, anneme poğaça almayı unuttuğum çarpmıştı aklıma. İkinci çarpışma belim, başım ve buzlu kaldırım taşları arasında gerçekleşmişti. Sırtüstü serilip kalmıştım. Elimdeki poşetler de benim gibi yatıyorlardı yerde. Yine de fazla bir acı hissetmiyordum. Sakindim. "Evet, bekliyordum ve oldu işte," dercesine sakindim. Yanımdan tek tük insanlar geçip gidiyordu. Belki de, "Kimseye ihtiyacım yok, ben kendim kalkarım," diyen bir ifadem olduğu için yardım etmiyorlardı. Yavaşça doğrulmuştum. Poşetlerimi tekrar alıp yürümeye başlamıştım. Yürüdükçe incinen yerlerim yüksek sesle inliyorlardı. Gerçekten de canım yanıyordu. Yaşlar kendilerini göz çukurlarımdan atarak, patır patır yanaklarıma düşüyorlardı. Canım yandığından değil, sinirlerim bozulduğu için ağlıyordum. Sokak kapısından içeri girerken, bir an önce anneme nazlanmak istiyordum. Diğer taraftan da onun üzülmesini istemediğimden, gözyaşlarımı silip, hiçbir şey belli etmek istemiyordum. Asansörden inene kadar ne yapacağıma karar veremememe rağmen, sonunda gözyaşlarımı silip, düştüğümü anneme söylememeyi seçmiştim. Ama tabii annem kapıyı açar açmaz kollarına atlayıp ağlamaya başlayan yine ben olmuştum.

Esas şimdi ağlamam gerekirdi. Ne annem yanımdaydı, ne babam ne de Ozan. Gerçekten gitmiş miydi yani? Bir ay boyunca hiç göremeyecek miydim onu? Neyse ki, telefon denen alet vardı. Hiç olmazsa sesini duyacaktım. Hatta hemen duymalıydım. Uçak kaçta inerdi acaba? İner inmez beni arar mıydı? Aradan daha iki saat geçmiş olmasına rağmen, yine de cebini aramak geliyordu içimden. Saçmaydı, biliyordum ama kendime karşı koyamıyordum. Ne umduğumu bilemiyorum.

Bir mucize olmasını ve sesini duymayı belki de... Mantıksızlığın tam ortasındaydım. Ama inanılmaz bir şey olmuştu işte. Telefon gerçekten de çalmaya başlamıştı! İçimde parlak bir sevinç patlamıştı aniden. Sonra da aynı hızla cehennemin dibini boylamıştı, çünkü melodiyi odanın içinde duymaya başlamıştım. Ozan cebini burada unutmuştu. Yani ancak o aradığı zaman görüşebilecektik. İpler onun elinde olacaktı. Ben de ipte sallanan idam mahkûmu.

# 8

Günlerim sabah akşam Ozan'ın telefonunu beklemekle geçiyordu. Tek mutluluğum onun sesini duyabilmek olmuştu. İlk günü atlatınca işlerin kolaylaşacağı yolundaki savımın gerçekçi olmadığı da her geçen saniye daha fazla kanıtlanıyordu. Özlemim büyüdükçe, acım canıma kıyıyordu. Geceleri bana uyku kolay kolay gelmiyordu artık. Haplar gerekiyordu uyumam için. Birkaç saatlik uyku bile kârdı bana. Böylece, panik ve yalnızlık dolu sonsuz saatlerin hiç olmazsa birkaçından kurtulmuş oluyordum. "Fazla uykunuz varsa bana verin lütfen! Allah rızası için biraz uyku..." diye yalvaracaktım neredeyse, sokağa çıkıp. Mutluluk diyeti yapıyordu kalbim. Huzur yetersizliğinden bir deri bir kemik kalmıştım. Küçüldükçe küçülüyordum. Mutluluk gelse bile içine almazdı artık benim bu eciş büçüş halimi.

Gündüzleri okulda oyalanmaya çalışıyordum. Akşamları da bir şeyler yazarak vakit geçiriyordum. Ozan'la tanışmadan önce de karalardım bir şeyler. Ama çoğu zaman, elimde kalem, öylece oturur kalırdım. Kalem beyaz kağıda değmemek için diretirdi sanki. İnatçı, huysuz bir çocuk gibi, "Yazmam, yazmayacağım!" diye başını iki yana sallardı. Saatlerce otursam da en ufak bir şey yazamayacağımı o da ben de bilirdik. Oysa yazacak bir şeylerim olması gerekirdi. Acaba vardı da, yaşarken sonuna kadar tükettiğim için mi geriye yazacak bir şey kalmıyordu, tatsız tuzsuz bir posadan başka? Yoksa, olayları yüzeylerinden kayarak yaşadığım için mi kalemime hiçbir anının kokusu, rengi bulaşmıyordu? Ya da Ozan'dan önce gerçekten de yoktu yazacak bir şeylerim.

Ama şimdi de, Ozan yoktu. Okula git gel, ders çalış, televizyon izle, arkadaşlarla gezmeye çık arada bir... Hafta sonları daha çok yaşlanıyordum. Evde oturup hiçbir şey yapmadan zamanımı geçirmenin ağırlığı tüm bedenimi ağrıtıyordu... Oysa her zaman anlamlı bir şeyler yapmak isterdim. Boşluğa katlanamazdım. Şimdi ise, amaç trafiğine kapalı yoğun sıkıntılı bir döneme çarpıp kalmıştım. Korkuyordum. Benim, Ozan'ın ve Özgür'ün ortak yönüydü belki de bu. Sıradan bir hayat yaşamaktan korkmak... Mutlu olamamaktan... Normal yaşam sınırlarının ötesinde sihirli duyumlar keşfetmek için aşeriyorduk. Ne zaman televizyonda bir dizi izlesem, garip bir vicdan azabı duyardım içimde. Bütün gün evde oturup televizyon izleyen ev kızlarına benzemekten korkardım. Adam karısına bağırırdı. "Yeter artık, başımı şişirdin Bayan Personel Müdürü!" diye söylenirdi. Niye izlediğimi bilmezdim. Hep aynı adamla kadın, hep aynı kavga, aynı sözler... Bağımlılık mı? Dolmayan hayatıma soktuğum diziler? Başkalarının maceraları üzerinden almaya çalıştığım tatmin? Ben kendi kavgamı yaşamalıydım, kendi aşklarımı. TV kahramanlarının yaşamlarından beslenen bir asalak olmamalıydım. Ama yaşamımı yapacak malzeme bulamazdım bazen elimde. Tıpkı şu anda bulamadığım gibi. Amaç yok, Ozan yok, aşk yok... Yalnızlık var, TV var, geçmeyen saatlerle uykusuzluk var, korku var...

Son zamanlarda nasıl da kötüleşmişti Ozan. Zayıflıyordu, üşüyordu, sık sık hastalanıyordu. Son hastalandığında da, uzun süre düzelememişti. Sürekli gözleri sulanıyor, hapşırıyor, ardından da burnunu çekiyordu. Hep aynı sırayla, otomatiğe bağlanmış gibi. Ona bakınca benim de gözlerim sulanıyordu. Bir an için göz göze gelmiştik. Bana seslenecek gibi olmuştu. "İçimin nasıl sıkıldığını söylesem mi Sade'ye?" diye düşünmüştü sanki ama sonra vazgeçmişti. Söyleyince hiçbir şeyin değişmediğini daha önce binlerce kez gördüğü için belki de... Esnemeye başlamıştı. Belli ki uykusu gelmişti. Ama kalkıp evine gitmek istemiyordu. Yalnızken daha çok yanıyordu canı. Bunalımdan, iç sıkıntısından korkuyordu. Kendinden korkuyordu. Ona bakarken, yaşama sevincinin kalbinin ortasındaki küçük bir cam şişede durduğunu, ama kapağı açık unutulmuş parfümler gibi hızla uçup gitmekte olduğunu görüyordum. Azaldıkça azalan mavi bir iksir... Onu asıl dehşete düşüren de buydu zaten. Sevinçsiz yaşamda kalmak.

Mutfağa gidip, yaptığım mozaik pastadan kestiğim kocaman bir dilimle geri dönmüştüm. Pasta yemeyi çok severdi. Gözlerinin içi parlardı. Ama o gün, istemediğini söylemişti. İştahsızlığı sürüyordu. Kilo kaybettiğinin farkındaydım. Küçük oğlu doğru beslenmediği için endişelenen bir anne gibi davrandığımı söylediği için artık üstelemiyordum onu. Ben okuldayken sıkıldığı için bütün gün atıştırdığını, üstelik her öğlen aşağıdaki hamburgerciye inip o büyük mönülerden yediğini, akşama da bir şey yiyecek halinin kalmadığını söylüyordu. Acaba gerçekten de kuruntu mu yapıyorum, diye düşünüyordum. Ama kısa bir süre sonra, hamburgerciye gitmediğini, bana yalan söylediğini öğrenmiştim. Sinemaya gittiğimiz gün anlamıştım bunu. Filmden sonra her zamanki hamburgercimize gitmiştik. Ozan kıpır kıpırdı o gün. Garip bir umut ışığı parlıyordu yüzünde. Hayatında yepyeni bir şeyler olabileceği umudu... Heyecanlı bir şeyler... Ta ki hamburgercinin kapısına gelinceye dek. Sıcak ekmek ve et kokusu, etrafında dönen standart hayat mönülerinden birini yaşamak zorunda kaldığını ve bunun daima böyle olacağını hatırlatmıştı belki de ona. Yüzü düşüvermişti yeniden. İfadesindeki mutsuzluk, siparişleri alan kızın neşesiyle tam bir tezat oluşturuyordu. "Nerelerdesiniz, gelmiyorsunuz kaç gündür! Alışmıştık size," diye gülümsemişti kız. Gözleri pırıl pırıl yaşam doluydu... Daha fazla somurtamayıp Ozan da gülümsemişti. "Evet, bir süredir uğrayamıyorduk," demişti. O anda beynime sivri bir iğne saplanmıştı. Hani öğlenleri burada yemek yiyordu? Burada yemiyorsa, ne yiyordu peki? Yoksa hiçbir şey mi? Peki, neden? Allak bullak olduğumu fark etmişti. Yüzüme bakıyordu bir şeyler söylemeye çalışarak, ama kız tam o sırada araya girip, "Artık gelirsiniz inşallah," demişti cıvıltılı sesiyle. Sonra da, her zaman aynı şeyi yediğimizden olsa gerek, bize hiç sormadan, "İki hamburger mönü lütfen," diye bağırmıştı arkaya doğru. Müşterisinin ne yediğini ezbere bilmenin gururuyla... Gerçekten mutlu muydu acaba? Sabahtan akşama kadar sipariş alıp, hamburgerleri hep aynı şekilde, aynı paketlere, aynı tepsilere koyarak geçirdiği ömründen nasıl bir doyum alıyordu? "Peki, ya hep aynı hamburgerleri yiyerek ömrünü geçiren bunca insana ne demeli?" demişti Ozan. Biz de onlardan biri değil miydik? Sormaya cesaret edememiştim. Sorsaydım bile ne o yanıt vermeyi, ne de ben o yanıtı duymayı kaldırabilirdik.

# 9

Ozansız geçirdiğim on beşinci günün sonunda, daha fazla dayanamayıp evine gitmeye karar vermiştim. Ama eve vardığımda kapıyı açıp açmamak arasında kalmıştım. Anahtarı elimin içinde sıkıyordum. Piyanosuna dokunmak, yatağına uzanmak, giysilerini tenime değdirmek ona yaklaşmamı sağlar mıydı? Biraz olsun açlığımı dindirir miydi? Yoksa kocaman bir pastadan küçük bir lokma alıp da doyamamak gibi, daha da mı azardı açlığım?

Sonunda dayanamayıp kapıyı açmaya karar vermiştim. Elim ayağım titriyordu. Evinin kokusu, onun kokusu, başımdan aşağı dökülüyordu. On beş gün sonra ilk kez yine buradaydım işte. Yıllarca yurtdışında yaşayıp vatanına dönen bir gurbetçi gibi... Dizlerimin üzerine çöküp ellerimi halının üzerinde gezdirmeye başlamıştım. Piyanonun yanındaki minderlere oturmayı çok sevmeme rağmen, bir süre yerimden kalkıp gidememiştim oraya. Halıdaki şarap lekesine takılmıştı gözlerim. Beni öperken elini çarpıp devirmişti şarap kadehini. O ânı hayal ederek, öpüşünü yeniden hissetmek üzereydim ki, tam o sırada kapıdaki anahtar sesiyle irkilmiştim. Arkamı döndüğümde Ayşe'yle göz göze gelmiştik.

Ne işi vardı onun burada? Nasıl elini kolunu sallayarak içeri girebiliyordu? Anahtarı nereden bulmuştu? İkimiz de şaşkınlıkla birbirimize bakıyorduk. Yüzü kıpkırmızı kesilmişti. Yine de şaşkınlığını yenerek sessizliği bozan ilk o olmuştu.

"Merhaba," demişti çekinerek.

"Merhaba."

"Sanırım burada ne aradığımı merak ediyorsundur. Açıkçası, bunu sana nasıl açıklayacağımı bilemiyorum."

"Elindeki bavul ne?"

"Elimdeki bavul..."

Lafları ağzında geveleyip duruyordu. Öfke beynimi eritiyordu. Neydi bütün bu olanlar? Neler oluyordu? Ozan'la ne tarz bir ilişkisi olabilirdi Ayşe'nin? Yoksa... İkisi... Ozan bunu bana yapabilir miydi? Beni onunla aldatıyor olabilir miydi? Amerika'ya gidiyorum diye yalan söyleyerek onun yanına mı taşınmıştı yoksa? O yüzden mi annesinin telefonunu bana bir türlü vermiyordu? Yok, hayır. Olamazdı. Ozan'ın beni sevdiğini biliyordum. O benden başkasını sevemezdi. Sevemezdi. Asla! Peki, o zaman ne işi vardı bu kızın burada? Bir de utanmadan yanıma gelip, yere çökmüştü. Sonra da kolunu omzuma atıp, "Buraya niye geldiğimi ne olur sorma Sade," demişti. "Gerçekten açıklayamam. Ama şunu bil ki, Ozan'ın sana duyduğu aşktan şüphe etmeni gerektirecek hiçbir durum yok ortada."

"Ne demek oluyor bütün bunlar? Anahtarı nereden buldun? Lütfen kolunu omzumdan çeker misin? Ozan nerede? Amerika'da değil, değil mi? Bana yalan söyledi, değil mi?"

"Lütfen Sade, sakin ol. Bunların açıklamalarını Ozan sana mutlaka yapacaktır. Ama ben yapamam. Ne olur, ısrar ederek beni de zor durumda bırakma. Ozan'a söz verdim. Konuşamam. Ben sadece şu bavula birkaç temiz çamaşır falan koyup gideceğim. Tamam mı?"

"Tamam mı? Hayır, tamam değil! Hiçbir şey olmamış gibi çekip gidebileceğini mi sanıyorsun? Nerede o? Ozan nerede, söyle çabuk!"

"Sade, nasıl anlatmalı bilemiyorum, bilemiyorum..."

O "Bilemiyorum," dedikçe, kanım beynime sıçrıyordu. Gözlerimden alev çıkıyordu. İnfilak etmek üzereydim. Aniden yerimden fırlayıp mutfağa koşmuştum. Keskin bir bıçak olmalıydı çekmecede. Onu bulmalıydım. Hemen! Şimdi! Öfkemi kesmeliydim. İşte, oradaydı bıçak. Aceleyle kazağımın kolunu sıvamıştım. Tenimi baştan aşağı kesmeye hazırdım. Tam o sırada Ayşe içeri girip üzerime atılmıştı. Bıçağı elimden alıp yere fırlatmıştı. Kendimde değildim. Deli gibi ağlıyordum. Ayşe bana sıkıca sarılmıştı. Sakinleşmem için yalvarıyordu. Sonra koluma girip salona götürmüştü beni. Minderin birine oturtmuştu. Diğerine de kendi oturmuştu. Elimi tutup, bana her şeyi anlatacağını söylemişti. Tek şartı sakin olmamdı.

"Demin yapmış olduğun hareketi sorgulamayacağım Sade. Ama anlattıklarım karşısında benzer bir tepki gösterirsen, yemin ederim, seni döverim. Anlaştık mı? Tamam, o zaman dinle beni. Ozan Amerika'da değil. Bizim rehabilitasyon merkezinde kalıyor. Sana birkaç gün önce şiddet uyguladığını anlattı bana. O günden sonra tedavi olmaya karar vermiş. Benden yardım istedi. Sana gerçeği anlatmadı çünkü utanıyor. Tedavi görecek kadar bağımlılık sorunu olduğunu bilmeni istemiyor. Onu hastanede, hasta konumunda görmeni istemiyor. Utanıyor işte. Seni üzmekten de çekiniyor tabii."

"Doğru mu bu söylediklerin? Peki, nasıl şimdi? Durumu nasıl, iyi mi? Lütfen, beni yanına götür! Bensiz yapamaz o. Bana ihtiyacı vardır. Yalvarırım götür beni!"

"Durumu gayet iyi. Birkaç kez kokain kullanmış ama bağımlılık gelişmemiş. Zaman zaman aşırı alkol aldığı da malum, ama doktorlara göre yoksunluk sendromu yaşatacak kadar ciddi bir durumu yok. Esrar da aynı şekilde... Ama psikolojik açıdan çok zayıf düşmüş. Merkeze yatmaya karar vermeseydi, bir panik ânında yüksek dozda uyuşturucu alıp hayatını kaybedebilirdi."

Ölecektim. Tam o anda ölecektim. Cehennem kazanı kalbimin orta yerinde yanıyordu. Bütün bu duyduklarımı kaldıracak gücüm yoktu.

"Sade, iyi misin? Bakışların beni korkutuyor. Ozan'ın şu anda durumu gayet iyi, inan bana. Her akşam yemekten sonra bize piyano da çalıyor. Bedava konser veriyor yani. Yetkililer de karşılığında ondan tedavi ücreti almıyorlar. Ama seni çok özlediğini biliyorum. Her an senden bahsediyor. Merkezdeki tüm doktorlar, hastabakıcılar, tedavi olanlar adını ezberledi vallahi!"

Mutlu mu olmalıydım? Sonuçta tedavi oluyordu. Kurtulacaktı. Her şey daha güzel olacaktı. Ama niye benimle paylaşmamıştı, niye benden saklamıştı bütün bu olanları? Ben niye bunca zaman bekleyip tek bir söz bile etmeden onun gözümün önünde acı çekmesine izin vermiştim? Ne biçim bir sevgiliydim ben? Nasıl bu kadar bencil olabilmiştim? Ne yapacaktım şimdi?

"Kurtulacak, değil mi? Durumu iyi, değil mi?"

"Sade, dedim ya, durumu çok iyi. Yoksunluk sendromu göstermiyordu bile. Madde almayınca ciddi krize giren pek çok insan önce detoksifikasyon bölümüne alınır. Yani vücut önce zehirden arındırılır ve yoksunluk belirtileri giderilir. Bu dönemde bedensel sıkıntılar oluyor tabii. İnsanların buna direnç göstermesi ve pes etmemeleri gerekiyor. Ama esas tedavi bundan sonra başlıyor. Yani vücudun zehirden arındırılması bağımlılığın tedavi edildiği anlamına gelmez. Ama sen bunlarla kafanı yorma zaten. Dedim ya, Ozan'ın ciddi yoksunluk krizleri yoktu. Direkt terapiye alındı. Psikolojik destek alması şarttı, o da bunu yapıyor zaten. Ama anlattıklarım aramızda kalacak, tamam mı Sade? Bu gerçekten çok önemli. Sırrını açığa çıkararak ona ihanet ettiğimi düşünebilir. Bu da üzerinde hoş bir etki yaratmaz. Zaten hassas bir dönemde, biliyorsun!"

"Peki, ben ne yapacağım? Nasıl davranacağım? Ya yanlışlıkla bir şey söylersem de benim yüzümden yeniden uyuşturucuya başlarsa?"

"Her zaman uyuşturucuya yeniden başlama riski var tabii. Ama Ozan sana çok şey borçlu, çünkü hayata bağlanmasına ve uyuşturuculardan tamamen kurtulma isteğini duymasına neden olan kişi sensin. Seninle olmayı uyuşturucularla olmaya tercih ettiği için tedavi oluyor, anlamıyor musun? Sen onu, her zaman yaptığın gibi sevmeye devam et. Bol bol sev onu. Zaten ne geliyorsa başımıza sevgisizlikten geliyor. Anlaştık mı?"

Evet, anlaşmıştık. Sonraki günlerde Ozan her telefon ettiğinde, hiçbir şey bilmiyormuşum gibi davranmıştım. Sesimdeki gerginliği hissetmesin diye, sürekli gülerek konuşmaya çalışıyordum. Uyuşturucuların getirdiği sahte rahatlığı unutmaya çalışarak geçirdiği sancı oburu saatlerden kurtulmak için kim bilir ne çok acı çekiyordu... Hele bana Amerika'daymış gibi, gezdiği yerlerden, annesi ve babasıyla yaptığı sohbetlerden bahsetmiyor muydu, işte o zaman ağlamamak için kendimi zor tutuyordum. Zaten bir türlü affedemiyordum kendimi. Ne iyi bir sevgili, ne de iyi bir dost olabilmiştim ona. Dırdır edip onu sorgularsam benden soğur diye, sırf kendimi düşündüğüm için neredeyse ölümüne neden olacaktım. O da benden değil, Ayşe'den yardım istemişti tabii. Oysa daha işin başındayken engel olmalıydım ona...

Onsuz geçirdiğim son gece, Kitle İletişim Kuramları hocasının verdiği makaleleri okuyarak oyalanmaya çalışmıştım. İki gün sonra sınav vardı zaten. Ama yine de dikkatimi verememiştim yazılara. İçim acıyordu. Ozan'ın hemen o an gelmesini istiyordum. Bir buluşma sahnesi canlanıyordu gözümde. Ozan gelip belimden sarılıveriyordu. Sürpriz yapmak için bir gün erken geldiğini söylüyor, sonra beni öpüyor, öpüyor, öpüyordu. Gülümsemesini özlemiştim. Gözlerini, tenini, her şeyini. Öyle derinden istemiştim ki, bu hayalin gerçek olmasını... Hemen şimdi yanımda belirivermesini. Olabilir miydi acaba? Gerçekten sürpriz yapıp bu akşam gelebilir miydi? Birden öyle hevese kapılmıştım ki, neredeyse kalkıp saçımı başımı yapmaya başlayacaktım. Ama sonra evin sessizliği ve elimdeki bitmek bilmeyen ders, beni gerçeğe dönmem konusunda uyarmıştı. Zar zor iki sayfa daha okuyabilmiştim. Ama aklım yine Ozan'a, bundan sonra bizi nelerin beklediğine, ona nasıl davranmam gerektiği konusundaki belirsizliklere kaymıştı. Beynimi rahatlatıp bu düşünce saldırısından kurtulmak için yine uykuya sığınmaktan başka çarem yoktu. Zaten günlerdir uykusuz geçirdiğim gecelerin ağırlığı gözkapaklarımın üzerine çoktan çökmeye başlamıştı. Kesik kesik, sıkıntılı ve huzursuz bir uykudan sonra sabahın köründe ayaklanmıştım. Korkunç rüyalar gördüğümü hatırlıyordum ama ne gördüğümü hatırlayamıyordum. Kafamı dağıtmak için okula gitmem iyi olurdu belki ama günlerden cumartesiydi ne yazık ki. Sinemaya giderek oyalanmayı düşünmüştüm bir ara, ama gösterimde doğru düzgün film yoktu. Çaresiz, evin içinde dönüp dolanmaya başlamıştım. Puf ve minderlerin yerini belki on kez değiştirdikten, halıyı iki üç kez elektrik süpürgesiyle temizledikten ve eşyaların tozunu defalarca aldıktan sonra bile heyecanım dinmemişti. Saat ilerlemiyordu. Akşam olmuyordu. Gerçi artık alışmaya başlamıştım bu yoğun bekleyiş durumuna. Yirmi dokuz gündür okuldan dönüp eve geldiğimde beni boğarcasına saran, bu durumdu işte. Yaşam her zamankinden daha saçma, daha anlamsız görünüyordu gözüme. Ama onu, gelişine saatler kala beklemeye çalışmak şüphesiz en zoruydu. Her an kulağım kapıda, telefon zilinde dolanıp duruyordum. Ara sıra da camdan sokağa bir göz atıp, tekrar dolanmaya devam ediyordum.

Saçlarımı beş altı kez yapıp bozduktan sonra bile, aynadaki kızın görünüşünden memnun olmamıştım. Onlarca kıyafet değiştirip kararsız kalmam da cabasıydı. Sonunda iyice sinirlenip her şeyi fırlatıp atmıştım. Onu en sade halimle karşılamaya karar vermiştim. Başka çarem de yoktu zaten, çünkü ruj sürmeye kalksam taşırıyor, rimel sürsem akıtıyor, giydiğim çorabı kaçırıyordum. Elim ayağım tamamen kontrolden çıkmıştı. Markete gidip onca özenle yaptığım alışverişe rağmen, doğru düzgün yemek de yapamamıştım. Oysa daha bir gün önce, çok güzel bir sofra hazırlayıp, mumlar yakıp, harika yemekler pişirip, sakin bir şekilde onu bekleme planları yapıyordum. Şimdiyse ortada hiçbir şey yoktu. Aslında çok şey vardı. Darmadağın ettiğim mutfağı, etrafa saçtığım makyaj malzemeleriyle kıyafetleri bir an önce toplamalıydım.

Tam birkaç kazağı yerden alıp katlamaya başlamıştım ki, kapı çalıvermişti. O olabilir miydi? Erken gelmiş olabilir miydi? Yok canım, o olamazdı. Hem etrafı görünce ne derdi? Üstelik ben de berbat görünüyordum. Ben bunları aklımdan geçirene kadar, kapı ikinci kez çalmıştı. Ağır adımlarla, kalbim güm güm çarpa çarpa ilerlemiştim. kapıya doğru. Ve kapıyı açtığımda...

Evet, gelmişti!

Devasa bir mutluluk dalgası gibi beni içine alarak...

Gelmişti işte, tertemiz, sade aşk!

# 10

Uyandığımda yanımda yoktu yine. Saat öğlene geliyordu. Ama ben kendime gelemiyordum. Ozan dönmüş müydü gerçekten, yoksa rüya mı görmüştüm? Gömleği orada asılı duruyordu işte! Peki, neredeydi o zaman? Yataktan kalktığımda aynanın üzerinde duran notu görmüştüm:

*Su perim, sana müthiş bir haberim var. Ama şimdi acil çıkmam gerek. Bir iki saate gelirim. Seni seviyorum...*

İçimi garip bir duygu kaplamıştı. Hüzün, korku, belirsizlik... Nereye gitmişti yine böyle. Birbirimize kavuşmuş olmamızdan daha önemli, daha acil ne olabilirdi? Yoksa Ayşe'ye mi gitmişti? Saçmalıyordum. Basit kıskançlıklara kapılacak zaman değildi şimdi. Ozan için mutlu olmalıydım. Kendim için de tabii. Onun mutluluğu benim mutluluğum demekti.

Ona hep destek olmalıyım. Bir daha asla uyuşturucuya başlamamalıydı. Bir iki saate kadar gelecekti nasılsa. O gelene kadar, dün yapamadığım her şeyi yapmaya karar vermiştim. Saçlarıma, makyajıma, kıyafetlerime özen gösterip harika görünmeliydim. Ondan sonra da en sevdiği balık yemeğinden yapacaktım.

İşlerim bittiğinde aradan tam beş saat geçmişti ama Ozan hâlâ dönmemişti. Cep telefonunu da yine burada bırakmıştı. Nerede olduğunu bilememek, hayatımı sürekli onu bekleyerek geçirmek sinirlerimi bozuyordu. Bir ay sonra, beraber geçirmemiz gereken ilk günümüzü ben yine yalnız başıma, merak ve tedirginlik içerisinde tüketmek zorunda kalıyordum

Ozan akşama doğru dönmüştü. Ona kızmama fırsat vermeden beni yine öpücüklere boğmaya başlamıştı. Bir yandan da, "Sana bir müjdem var Sade!" deyip duruyordu. "Şimdi iyi dinle beni! Ben Amerika'ya gitmeden bir gün önce Haluk Hoca'yla konuşmuştum. Haluk Hoca'yı biliyorsun değil mi? Piyano hocam... Ona okula geri dönmek istediğimi anlatmıştım. O da özel yeteneğimden dolayı bana bir ayrıcalık gösterebileceklerini, dönem sonu parçalarına iyi çalışırsam devamsızlıklarımı göz önünde bulundurmayacaklarını söylemişti. Zaten beş altı kez beni arayıp, dönmem gerektiği konusunda ısrar edip durmuştu. Amerika'dayken bir ay boyunca, parçalara hiç durmadan çalıştım. Haluk Hoca'nın dönem sonu konserleri için verdiği ekstra parçaları da hallettim. Bugün apar topar onu görmeye gittim işte. Bütün şarkıları en ufak bir hata bile yapmadan çaldım Sade ve okula dönmeye hak kazandım! Duydun mu beni? Artık her şey yoluna giriyor. Okula dönüyorum diyorum! Sen de çok mutlu oldun değil mi su perim?"

Bir şeyler olmuştum gerçekten ama mutlu mu başka bir şey mi bilemiyordum. Onun sıkıntılarını geçirmek adına verdiğim tüm çabalarıma rağmen, şu anda yaşadığı zevki benim dışımda bir şeylerden alıyor olmasına katlanamıyordum. Üstelik hâlâ bana Amerika'dan bahsetmesi yok muydu!

"Sana balık yaptım," demiştim mutlu görünmeye çalışarak. "Hem de en sevdiğinden... Bugünü kutlarız işte, bak isabet olmuş..."

Karnı aç değildi. Haluk Hoca'yla yemek yediklerini ve hemen çalışmaya koyulması gerektiğini söylemişti. O kadar coşkuluydu ki, yaşadığım hayal kırıklığını görmesine imkân yoktu. İçeri geçip çift kişilik yemeğimizi tek başıma yemiştim, ne yediğimden hiçbir şey anlamadan. Ozan dokundukça adi bir fahişe gibi zevk çığlıkları atan o iğrenç piyanoyu parçalamak istiyordum. Belki de, Ozan'ı incitmek istediğimi kendime itiraf edemediğimden, öfkemi piyanoya kusuyordum. Daha bir iki ay öncesine kadar acıları yüzünden beni kırarken, şimdi de mutluluğu yüzünden canımı yakıyordu. Elimde çatalım, balık parçalarını bilinçsizce ağzıma saplıyordum. Bugünküler yetmezmiş gibi, bir de geçmişte yaşadığım hüzünler takılıyordu aklıma. Bu muazzam ordunun başını da Ozan'ın, doğum gününde bana yaşattığı hayal kırıklığı çekiyordu.

O gün yine yoğun yoğun sıkıntılar yutmuştu Ozan. "Kesinlikle hiçbir kutlama yapmak istemiyorum," demişti. "Hele sürpriz parti falan hazırlamaya kalkışırsan son derece mutsuz olurum Sade. Bir damla bile eğleniyor numarası yapacak halim yok!" Ben yine de belki birazcık morali düzelir diye ona küçük bir hediye almıştım. Küçük bir İsa heykeli... İkimiz de çok severdik onu. Ben, peygamber ya da tanrı olanı değil, insan olanı, saf ve iyi yüreğiyle kendine bu dünyada yer bulamayan o hüzün gözlü hayal kahramanını severdim. Prens Myshkin'i sevdiğim gibi... Ozan'sa daha çok insanları günahlardan arındırmak adına kendini feda eden tanrı hikâyesindeki romantik tadı seviyordu. Belki de böyle bir tanrının var olmasını diliyordu, her ne kadar imkânsız olduğunu bilse de. Bizim için üzülen, kendini feda edebilecek kadar bizi seven, masumiyetine ve sadeliğine sığınabileceğimiz bir tanrı...

Bir an önce hediyesini vermek, gözlerinde parlayacağını umduğum mutluluğunu içime akıtmak istemiştim. Gülümsediğini görmeye ihtiyacım vardı. Saatlerce, bıkmadan usanmadan uyuyordu. Kalktığı zaman da tuvalete gidip hayatını kusuyordu. Bedenine demir atan zehir öyle çok yer kaplıyordu ki, kendime yer bulamıyordum artık kalbinde. Ama o gün farklı olacaktı. Doğum günüydü ya, yeniden doğacaktı işte, yeniden doğacaktık biz... Sanki bana duyduğu aşk sayesinde onu yeniden yaşama bağlayacak, onu yeniden bana bağlayacak gizli formül, o hediyenin içinde saklıydı. Her şeyi yoluna koyacaktı minik heykelim. Beklemiştim... Tam üç saat başında oturup uyanmasını beklemiştim. Elimde hediye paketi, içine koyduğum yeni bir hayat umudu ve tüm aşkımla beraber beklemiştik. Paketin üzerindeki kalpleri saymıştım, renklerini ezberlemiştim, fiyonkla oynamıştım... Uyanmıyordu. Odada mavi renkli ne varsa solup gidiyordu yavaş yavaş, çünkü kapalıydı gözleri. Mavinin kaynağını örtmüştü gözkapakları. Ve uyandığında bile geri gelmemişti maviler. Beni gördüğünde yüzünde beliren gülümseme, elimdeki paketi görmesiyle yere düşüp toza dumana karışmıştı. Doğrulup ayağa kalkmaya çalışmıştı ama başını tutamıyordu. Ardından gelen şiddetli öksürük nöbetiyle beraber soluğu tıkanmıştı. Yeniden yıkılıvermişti yatağa. Kendini nasıl hissettiğini sormuştum. Cevap vermemişti. Başını benden öte yana çevirip, "O paket ne?" diye sormuştu. "Doğum günü hediyen," dememe kalmadan, hediyeyi istemediğini söylemişti. Ciddiye almıyormuşum gibi yapmıştım, işi şakaya vurmuştum. Neşeli görünmeye çalışarak paketi açmasını istemiştim ondan. Sarıp sarmaladığım tüm yaralarımın dikişleri tutmamaya başlamıştı. "Açmayacağım, istemiyorum!" diyerek ikinci kez paketi geri ittirince yere düşmüştü İsa. Sesinin öfkesi, kalbimin bütün dikişlerini patlatmıştı...

Ben bunları hatırlarken, o her şeyden habersiz, piyanoyla aşk yapmayı sürdürüyordu. Parçaya her girişinde, açık yaralarıma asit dökmek geliyordu içimden. Böylece fiziksel acının altına gizlenip, ruhumdakini dindirebilirdim belki. Ama dinmezdi, biliyordum...

Masayı toplayıp uyumaktan başka yapacak bir şeyim yoktu. Son bir kez salona gidip, "Yemek istemediğinden emin misin?" diye sormaya niyetlenmiştim, ama onun kendinden geçmiş bir şekilde müziğe daldığını görünce, kelimeler ağzımdan içeri geri kaçmışlardı. Oradan da parmaklarımın ucuna düşmüşlerdi. Israrla bekliyorlardı. Çaresiz, uyumaktan vazgeçip, onları özgürlüğe kavuşturmak adına yeniden yazmaya başlamıştım. Aklıma ne gelirse yazıyordum. O anda duyduğum kızgınlığı, hayal kırıklığını, ikinci plana atılmaktan korktuğumu, piyanosuyla asla rekabet edemeyeceğimi, içimin kavrulduğunu...

Bilmem kaç saat sonra, yüzümü okşayan elleriyle uyanmıştım. Yine melek yüzünü takmış, gülümsüyordu bana:

"Uyuya mı kalmış benim su perim? Neler yazıyormuş bakayım böyle?"

"Hiç... hiçbir şey... Can sıkıntısından, oyalanmak için yani... Lütfen, yüzünü değdirir misin yüzüme? Lütfen, çok özledim yüzünü."

"Niye söylemiyorsun ne yazdığını?" diye fısıldıyordu kulağıma. "Roman gibi bir şey mi yoksa?"

Konuşacak halim yoktu. Dudaklarım yalnızca onun dudaklarına giriş izni veriyorlardı. Kelimelere değil. Ama o yılmadan soruyordu:

"Madem bu kadar seviyorsun yüzümü, bizim romanımızı yazsaydın, beni nasıl tarif ederdin?"

"Bilmiyorum," demiştim. "Belki de hiç tarif etmezdim."

"Ama okuyucular merak ederler..."

"Ederler mi?

"Ederler tabii. O yüzden, istemeyerek de olsa, yüzümü tarif etmek zorunda kalırdın."

Haklıydı... Bir yazar olsaydım ve daha eski zamanlarda yaşamış olsaydım, Ozan'ı istedikleri gibi hayal edebilmeleri için okuyucuları özgür bırakırdım belki. Herkes onda kendi Ozan'ını görsün; betimlemelerimle hayal dünyalarına tecavüz etmeyeyim diye. Ama artık bilemiyordum. Şimdiki zamanın "beni" olarak karar veremiyordum. İnsanlar hayal etmeye üşenir olmuşken, hazır üretilip önlerine konulan hayaller varken, kim kendi hayalini kurmakla uğraşmak isterdi ki. Hem Ozan'ı istedikleri gibi kurgulamaya hakları var mıydı sanki? Onu, benim istediğim şekilde, benim onlara anlattığım kadarıyla algılamaları gerekmez miydi? Biliyordum, gerekmezdi. Anlattıklarım okuyucuların algı kapısından içeri girdiklerinde, beni oracıkta satıverip onların bilinç rengine boyanırlardı zaten. Hatta böylesi daha iyiydi belki. Bu sayede, herkes kendi Ozan'ını yaratırken, gerçek Ozan yalnızca bana kalırdı.

"Ben roman yazsaydım, aşkımızdan hiç bahsetmezdim galiba," demiştim düşüncelerimin arasından sıyrılarak. Biraz bozularak sormuştu:

"Ne yani, bizim aşkımız romanlara konu olacak kadar iyi değil mi?"

"Öyle demek istemediğimi biliyorsun Ozan! Seni kimseyle paylaşmak istemediğimden yazmazdım aşkımızı. Hem söylesene, okuyucuların aramızda ne işi varmış?

Gülmeye başlamıştı. "Benim minik su perim!" diyerek dudaklarıma haylaz bir öpücük kondurduktan sonra da, piyanosunun başına dönmüştü. Bir daha kalkamamacasına, ben orada değilmişçesine... Haftalarca....

Bağımlıların çektiği yoksunluk sendromu böyle bir şeydi demek. Günlerce onunla beslenememek, tenimde ellerini hissedememek yavaş yavaş öldürmeye başlamıştı beni. En sevdiği içkisi gözünün önünde duran, ama ona asla dokunamayan bir alkolik gibi kıvranıyordum onu gördükçe. Hemen yanı başımdaydı. Ama müziğin oluşturduğu sihirli kalkanı aşıp, bir türlü ulaşamıyordum ona. Her gün bir öncekinden daha yoğun çalışıyordu ve ben yavaş yavaş siliniyordum onun kalbindeki bir numaralı yerimden.

Anlaşılan evime dönmenin vakti gelmişti artık. Bana tutkuyla bağlı olan Ozan'ın ipleri çözülmüştü işte. Hem de Ozan'dan önce hayatımın merkezine koyduğum, can dostum bildiğim müzik yapmıştı bunu.

Beni sevdiğini söylediği ilk gece, normalde yedi sekiz saat piyano çalışması gerektiğini, ama beni düşünmekten, artık değil yedi sekiz saat, bir saat bile çalışamadığını anlatmıştı bana. Artık çalışıyordu. Yedi, sekiz, dokuz saat... Belki de gerçek aşkıyla arasına giren bendim. İki sevgili yeniden kavuşmuşlardı işte. Şikâyet etmeye hakkım var mıydı? Eve dönme vaktim gelmiş miydi gerçekten de?

Annemler aradıklarında, kız arkadaşlarımla olduğum yalanını söylemekten yorulmuştum zaten. "Hiç evde durmuyorsun kızım!" diye söylenir olmuşlardı. Neyse ki, bir iki hafta Ozan bende kalmıştı da fazla bir sorun çıkmadan atlatmıştık bu krizi. Ama şimdi sorsam, benimle gelir misin desem, gelmezdi biliyordum. Piyanosuz evimde yalnızca benimle tatmin olduğu günler gerilerde kalmıştı artık. Ayrıca o böylesine haz ve hevesle soluk alırken, karşısına geçip şımarık sevgililer gibi, "Artık benimle hiç ilgilenmiyorsun, piyanonun başından kalkmıyorsun!" gibi sitemler yapamazdım ben. Kendimi bu cümleleri söylerken düşünemiyordum bile. O yüzden, eve döneceğim gece, sanki tek sorun annemlerin merak etmesiymiş gibi, "Bizimkiler işkillenmeye başladılar, iki haftadır hiç eve gitmedim. Artık dönmem lazım," demiştim. İçimdeki garip umudu da o anda fark etmiştim. "Ne olur Sade, gitme, sensiz yapamam," diyeceği umudunu. Hayır hayır, bu da değildi istediğim. Bensiz kalabilmesini, güçlü olmasını ama yine de, "Gitme!" demesini istiyordum ben. "Gitme çünkü seni korumak istiyorum. Gitme çünkü ne kadar güçlü görünsen de aslında kırılmak üzere düştüğünü görüyorum. Gitme çünkü seni seviyorum," diyemez miydi? Kurguladığım bir roman kahramanı değildi ki istediklerimi söylesin... Kendi kitabını kendi yazıyordu ve seçtiği cümle, "Peki su perisi, nasıl istersen," olmuştu. Su perisi ise susup kalmıştı. Önce dudakları sonra da tüm kalbi kurumuştu. Çöl kumları gibi fırtınayla kendi evine savrulmuştu.

Benle ben baş başa kalmıştık işte. Bu ânın gelmemesi için Ozan'ı ne güzel de kullanmıştım aslında. Onun sorunlarıyla uğraştıkça, kendiminkileri nasıl da saklamıştım. Şimdi hepsi karşıma dikilip, onları bastırdığım için benden intikam almaya gelmişlerdi. Bilim adamının faresi bile peyniri bulamadığı için beni suçlamaya hazırdı. Ne yapacaktı şimdi Sade? Bilmiyordu, bilmiyordu. Hayatım nereye gidiyordu böyle? Bestelerimi kimin yüreğinde çalacaktım? Ozan gibi müzisyenler varken, benim bestelerimin kaç yüreklik değeri vardı? Nasıl da geçiyordu kendinden, müzik yaparken... Sanki notaların üzerine binip her seferinde daha ötelere uçuyordu benim sığ dünyamdan. Doğaötesi varlıklara karışıyordu. Saçları sihre bulanıyordu. Mavi iksirler akıyordu gözlerinden. Bense hiçliğe kalkan son sise binip evime dönüyordum. Nasıl acıyordu canım, nasıl yalnızdım böyle. Tüm dünya neden sağır dilsiz kesilmişti bana karşı? Acı buydu; bundan öncekiler yalnızca gölgeleriydi demek... Kimsem yok muydu yani benim? Dostlarımı unutan bendim. Onlar da beni unutmuşlardı. Herkes yalnız... Kimse kimsenin umurunda değil. Evlerimizde yalnızlığımızı yiyip acımızı kusuyoruz. Ne olmuştu Dostluk Kulübü'ndekilere? Umurumda mıydı sanki? Gerçek miydiler? Yoksa yalnızca bir televizyon programı mı? Ama biz görmemiş miydik onları, dokunmamış mıydık ellerine? Neredeydiler şimdi? Ayşe ne yapıyordu? Okulun final konserleri için çalışmaya başladığından beri, Ozan uğramayı kesmişti rehabilitasyon merkezine... İki haftadır piyano dinlemeyi bekleyen hastalar ne yapıyordu peki? Başka bir piyanist mi bulmuşlardı? Ozan'ın olup olmaması umurlarında değildi belki... Ne çok insan giriyordu ne çok hayata, hızla çıkmak üzere... İz bırakmadan, yalnızlığımdan teğet geçerek... Ve ben, bir süre oldukları yerde koşup, ancak ondan sonra hareket eden çizgi film karakterleri gibi şaşkındım. Hatta onlardan beterdi durumum. Ben sadece olduğum yerde koşuyordum. Üstelik özgür iradenin var olduğuna inanarak... Belki de basit bir yazarın iki dudağının arasındaydı kaderim. Kendi seçimim sandığım şeyler, çoktan düşmüştü onun kaleminin rahmine. Bir kurgudan ibaret olmak... O yazmasaydı, Ozan yine sever miydi beni? Kendi yarattığı karaktere âşık olup, onu benden ayırmak için uğraşır mıydı yazar? Peki, yazarın kalemini kırıp savaşır mıydı Ozan, aşkımız için?

# 11

Günler geçiyordu. Piyano seslerinin işgal ettiği aşk hayatım, nota bombardımanı altında eziliyordu. Yoğun bakımsızlıkta can çekişiyordu yüreğim... En sadık düşmanım olmuştu yalnızlığım. Sağ olsun, beni hiç yalnız bırakmıyordu.

Mutluydum aslında, Ozan için. O mutlu olduğu için... Bütün yalnızlar benim gibi yalan mı söylerlerdi? Mutsuzdum. Çok mutsuzdum. Bencildim. Alışamamıştım ikinci plana atılmaya. Hazırlıksız yakalandığım bir savaştı bu... Ruhumu doyuracak yeni anlamlar bulmam gerektiğini biliyordum. Ama bunu yapabilmem için hareket etmem gerekirdi. "Sen hayata katıldığın sürece, dünya döner. Sen durursan o da durur," diyordu mantıklı, bilmiş Sade.

"Farkındayım, içinden hiçbir şey yapmak gelmediği zamanlar oluyor... Hem de bol bol... Ama yapmalısın! Zorla kendini! İlk adımı atmak öldürür insanı, ama sonra yaptığın işten zevk almaya başlarsın. Evde oturma, öbür zayıf Sade'yi dinleyip durma! Bugünlerde sana yanlış şeyler söylüyor. Yüreğini dolduracak gerçek emeller bulduğun zaman, ne Ozan ne de yalnızlık bu kadar umurunda olacak... Ve sakın düşlerini düşürme, yoksa başka biri onu yerden alıp gerçekleştirdiği zaman üzülürsün... Kimseye bırakma düşlerini. Gidip kendin gerçekleştir onları. Unutma, onlar senin düşlerin ve onları en güzel sen gerçekleştirirsin!"

Benim düşlerim mi? Neydi benim düşlerim? Hatırlayamıyordum. Bu dünyada olmam, dünyanın beni içinde görmek istediği anlamına mı geliyordu? Bir anlamı var mıydı varlığımın?

Özlüyordum onu. Müzik için harcadığı her dakikanın gölgesine sarılıp uyuyordum. Beni eskisinden de çok sevdiğini söylüyordu. Ama yalandı. Bir gün olsun yokluğuma dayanamazdı eskiden. Oysa şimdi tek düşündüğü, dönem sonu konseriydi. Önemli müzik insanları izleyecekti onu. Yıldızı parlayacaktı. Ne kadar üstün bir yetenek olduğunu tüm Türkiye görecekti. Haluk Hocası sonuna kadar destekliyordu onu. Bana ihtiyacı yoktu. Bundan da büyük zevk aldığını biliyordum. Her görüşelim dediğimde, çalışmasının olduğunu söylerken keyiflendiğini hissedebiliyordum. "Bak, ben kendi ayaklarımın üzerinde duruyorum artık! Ama sen hâlâ bağımlısın bana," der gibi gülümsüyordu sesi.

Son zamanlarda, piyanonun başına oturduğunda takındığı o birbirinin aynısı, önceden planlanmış, yapmacık tavırları yok muydu... Sanki o sahte Ozan, başkalarının ona diktiği bir kefen gibi üzerini örtüyordu benim Ozan'ımın. İçinde gerçekten Ozan'a ait ne kalmıştı? Yoksa hiçbir şey mi? Muhtaç mıydı onlara? Alkışları, övgüleri, pohpohlamaları duymadan yaşayamaz mıydı? Onun hayat kaynağı bunlar mıydı? Kendi gözündeki değeri, ancak başkalarının gözündeki değeri artarsa mı artacaktı? Onu öven insanların kim olduğunu bile umursamaz hale gelmişti. Yeter ki onu göklere çıkarsınlar, egosunu yüceltsinler... Onlar olmasa, kendi benliğine ne sevgisi ne de saygısı kalırdı.

Onu fazla tanımayan biri, okula döndüğü için sevinebilir, doğru kararı verdiğini düşünebilirdi belki ama ben acı çektiğini görebiliyordum. Daha dün, okulun, yaratıcılığını yok ettiğini söyleyen o değil miydi? Hocaların dayattığı köhne kalıplar yüzünden yavaş yavaş değiştiğini, özgünlükten uzaklaştığını, gereksiz bilgi akıntısı yüzünden doğru yönü kaybettiğini söyleyen o değil miydi? Müziğini yaparken, ruhunun en gizli tınılarını ortaya çıkarmak için verdiği çabaya ne olmuştu şimdi? Sırf insanlar onu alkışlasın diye, putlaştırılmış müzik formlarına teslim olarak kendini gün be gün öldürdüğünü görüyordum. Sorunları halletmek için yalnızca iki yol bilirdi o. Sorunu çözmek ya da soruna neden olan şeyi yok etmek. Yani kendisini... Tıpkı benim kendimi kesip yakmam gibi, o da ruhunu öldürüyordu yavaş yavaş. Asıl üzüldüğüm şeyse, aşkının sayesinde benim yaralarım iyileşirken, onun yaralarına benim çare olamayışımdı. Artık içki ya da uyuşturucu kullanmıyor diye sevinemiyordum bile, çünkü gözümün önünde yok etmeye devam ediyordu kendini. Değişense yalnızca kullandığı araçlardı. Ve ben, zavallı bir etkisiz eleman olarak onun geçebileceği her yere bakışlarımı serpiştiriyordum, yanımda olmadığı zamanlarda onu görebilmek için. O ise hangi perdeden çalmam gerektiğini bilemediğim kaygan bir şarkıya dönüşüyordu.

Birkaç kez provaları izlemeye gittiğimde, hocaların ve öğrencilerin onu hayranlıkla dinlediklerine şahit olmuştum. Ama hayran olunacak bir şey yoktu ortada, çünkü Ozan acı çekiyordu, biliyordum. Kendinden geçmiş numarası yaparak, başını, saçlarını çılgınca sallayarak, etrafı kendine hayran bırakmak için çalıyordu. İnsanlar bol bol alkışlıyorlardı onu. Onun ne kadar harika, müthiş, olağanüstü biri olduğunu sık sık yineliyorlardı. Bu sözlerin kendisini sadece bir süreliğine rahatlatacağını, ama içindeki ölümcül boşluğu doldurmaya asla yetmeyeceğini o da biliyordu ben de. Övgüler, ödüller, alkışlar birkaç saat iyi hissetmesini sağlasalar da, sonrasında o uçurum daha da sert çarpıyordu Ozan'a. Yine de bir bağımlı gibi, vazgeçemiyordu bu sahte övgülerden.

Her ne kadar istesem de, düşüncelerimi yüzüne söyleyemiyordum. Birbirimize sorularımızı açıkça soramaz hale gelmiştik. İmalarla bunalıyordu sözcüklerimiz. Aklım onunla konuşup konuşmamak arasında son hızla gidip gelirken, bedenim aynı oranda hareketsizleşiyordu. Evden çıkasım gelmiyordu. Hayatımı nasıl sürdürmem gerektiği konusunda kararsızdım. Otomatiğe bağlanmış gibi okula gidip finallere hazırlanıyordum. Sırf uğraşacak bir şeyler olsun, kendimi amaçsız hissetmeyeyim diye... Ozan dışındaki tek tutkum müzik olduğu için, ikisinin birden beni terk ettiklerini hissediyordum. Derdimi kimseye anlatamıyordum. Arada sırada Özgür'le konuşuyorduk telefonla. "Müzikten dışarı çıkamam," diyordum ona. "Ancak müzikte nefes almamı sağlayan solungaçlarım var... Söylesene Özgür, ben ne yapacağım şimdi? Kendi grubumu kurup barda çalmaya başlasam..."

"Ama yine başkalarının parçalarını çalmak zorunda kalacaksın. Nereye kadar?" diyordu o da.

"Haftada bir iki kez çıksak..."

"Grup kurmak hiç kolay değil Sade. Nasıl bir işe bulaştığının farkında mısın? Bu seni ne maddi ne de manevi açıdan doyurur."

Biliyordum kolay olmadığını. En az beş kişinin bir arada çalışabilmesi... Aynı parçaları çalıp durmak... İçimdeki narin ilham perileri buna ne kadar dayanırlardı bilemiyordum. Her seferinde tecavüze uğrayıp çıkıyorlardı barlardan. Oysa Ozan'ın yaptığı müzikte kutsal bir şey vardı. Ruhumun hiç farkında olmadığım katmanları birer birer açılıyordu onu dinlerken. Yalnızca onun müziğinin içinde yaşamak istiyordum. Hiçbir şey yapmadan. Her seferinde daha derine dalarak... Ta ki vurgun yiyip bilincimi kaybedene kadar.

"Hani beraber müzik yapacaktınız?" diye sormuştu Özgür.

"Ozan artık kendi yolunu çiziyor," demiştim ona. "Çizmeli de. Hak veriyorum ona. Öyle yoğun ki, benim varlığıma gereksinim duymuyor bile."

"Aşırı çalıştığının ben de farkındayım. Ama sana gereksinim duymadığı doğru değil Sade. Aslında endişeleniyorum onun için. İnanılmaz derecede sinirli bir tip olup çıktı."

"Hemen hemen hiç uyumadan çalışıyormuş bana anlattığına göre."

"Vallahi ben ne zaman okula gitsem, Haluk Hoca'nın ona ayırdığı küçük odada çalışır buluyorum onu. Ne yemek yemeğe kantine iniyor, ne de muhabbet etmeye geliyor. Sen endişelenmiyor musun?"

"Bilmem, endişelenmeli miyim? Belki de doğru olan budur. Yani kendini en sevdiği işe vermesi... Mutsuz olduğunu sanmıyorum. Olsa zaten yine bana koşardı. Ben onun sakinleştirici hapıyım ya!"

"Sen kırgınsın galiba Ozan'a. Ama yanlış düşünüyorsun. Onun en sevdiği iş sensin bence. Bu kadar kendini yıpratmasının sebebi de sana kendini daha çok beğendirmek, başka bir şey değil.

"İyi, yine ben suçlu oldum yani!"

"Ya, ne alâkası var? Bence onu fazla yalnız bırakma Sade. Bu kadar çalışması ve uykusuz kalması normal değil. Bazı uyarıcı maddeler alıyor olabilir."

Farkındaydım. Zinde ve canlı görünmesine rağmen, garip bir ruh hali içerisindeydi. Uykusuzluktan gözlerinin altı çökmüştü. Heyecanını bastıramıyordu. Artık ne yapacağımı bilemiyordum. Bir şey kullanıp kullanmadığını sormaktan kaçıyordum, duymak istemiyordum gerçeği. O ise, sık sık ona eskisi gibi ilgi göstermediğimden yakınıyordu. Beni bunca zaman yalnız bırakmış olmasının intikamını alıyordum belki de. Konser başarılı geçince yine beni unutmayacak mıydı?

"Evet, hastabakıcı Sade yine işbaşında!" diye çıkışmıştım Özgür'e. "Benim başka bir rolüm yok zaten, değil mi? Ancak böyle zamanlarda hatırlanırım ben! Şey... Özgür... Sen ciddi misin? Yine bir şeyler kullanmaya başlamış olabilir mi? Senin yanında bir şey aldı mı, gördün mü? Alo... Alo, orada mısın?"

"Evet, evet, buradayım. Ya, aslına bakarsan bilmiyorum. Sen yine de biraz daha vakit geçir onunla. Seni çok özlemiş."

"Çok mu özlemiş? Kendi niye söylemiyor bana?"

"..."

"Neyse, Özgür. Uğrarım ona bu akşam. Bu arada sen nasılsın? Yani şey açısından?"

"İyiyim ben, merak etme. İçki bile içmiyorum bu aralar, özellikle de Ozan'ın yanında. Zaten asıl merak ettiğin bu değil miydi? Neyse, başımın çaresine bakarım ben. Sen Ozan'la ilgilen..."

Ozan'la ilgilenmek... Birinin bana bunu öğütlemesi nasıl da sinir bozucuydu. Onunla ilgilenmekten başka ne yapıyordum ki zaten? "Ben" diye adlandırdığım varlık, dört tarafı Ozan'la çevrili minicik bir adaya dönmüştü. Ozanların arasında kayboluyordu "ben"cik.

O ise hâlâ şüphe içindeydi. Hem de konserden bir gün önce, hesap sormak için evime gelip, "Sen beni gerçekten seviyor musun Sade?" diyecek kadar şüphe içindeydi. "Yoksa zayıf olduğum günlerde beni bırakmak istediğini söyleyemediğin için mi yanımdaydın? Şimdi kendimi biraz olsun topar-ladığımı görür görmez evine döndün. Fırsat bu fırsat, terk edip gidecek misin beni? Bana eskisi gibi davranmıyorsun artık. Soğuduğunu hissediyorum. Bu düşünceler beni öldürecek. Lütfen, bunu yapma bana... Sandığın kadar güçlü değilim ben..."

Ne demeliydim ona? Nasıl yanıt vermeliydim? O değil miydi provalara giden, zamanını çalışarak geçirmek isteyen? Şimdi ben mi suçlu olmuştum? Ne çektiğimi bilmiyor muydu? Her gün kalbim pislik ve çamur içinde eve döndüğümde, onun ruhuyla yıkanmak, sıcak bir duş gibi bedenini içime almak istediğimi bilmiyordu?

"Hep bekledim Sade. Bana karşı çıkmanı, 'Provaya gitme, benimle kal,' demeni. Ama sen hep, 'Nasıl istersen öyle olsun,' dedin."

Onu özgür bırakmak için yapmıştım bunu. İstediği bu değil miydi? Her gittiğinde nasıl acı çektiğimi bilseydi... Üstelik evinden giderken, o beni durdurmuş muydu sanki?

"Benim yüzümden nefes alamıyorsun sanmıştım Sade. Gitmene izin vermiş olsaydım... Bilmiyorum, neyi neden yaptığımı bilemiyorum artık. Aklım gibi geceyle gündüzüm de karıştı. Sabahları tüm şehir uykudan kurtulmaya çalışırken, ben birazcık olsun uyuyabilmenin yollarını arıyorum. Ama uyumak da çözüm değil, çünkü eninde sonunda uyanıyorum ve benimle birlikte sensizlik de uykusundan kalkıp canımı yakmaya başlıyor. Her şeyi senin için yapıyorum. Neden bu kadar çalıştığımı sanıyorsun? Benimle gurur duy istiyorum. Bir şeyler başardığımı görmeni istiyorum. Beni daha çok seversen, beni terk etmezsin..."

Nasıl terk edebilirdim ki onu? Neden hâlâ güvenmiyordu bana? "Hiçbir şey yapmana gerek yok seni sevmem için," diyordum. "Ben zaten deli gibi tutkunum sana."

Hayır, delicesine falan değil, adım gibi tamamen sade ve katıksızca seviyordum onu. Her türlü yapay maddeden arınmış aşk cevheriyle.

"Bu konser yüzünden strese girmeni istemiyorum Ozan. Seni daha çok seveyim diye yapıyorsan boş ver gitsin. Seni sevmem için, mükemmelliğinin başkaları tarafından onaylandığını görmeme, büyük ustaların seni alkışladığını duymama gerek yok. Zaten gebereceğim aşkından. Tanrı aşkına, daha ne söylememi istiyorsun?"

Anlamış mıydı beni? Yanıt vermiyordu. En koyu mavisiyle, gözlerimin en kuytu noktalarına bakıyordu. Üstüm başım mavi olmuştu sanki. Damarımdaki kan ırmağı yatağını terk edip deli gibi akmaya başlamıştı.

"Sade, seni seviyorum, biliyorsun değil mi? Dur söyleme, bildiğini biliyorum. Bir gün benden ayrılırsan, sana bir sürü kişi âşık olacak. Bu düşünce midemi bulandırıyor. Benden başka birine âşık olmanı istemiyorum. Kimsenin yerimi almasını istemiyorum. Ama birileri gelip unutturacak beni sana. Dur lütfen, karşı çıkma hemen. Konuşmamı bitirmemi bekle. Ben her ne kadar istemesem de başkaları âşık olacaklar sana, biliyorum."

"Kim başarabilir bunu, kim senin kadar çok sevebilir beni?"

"İstediğin kadar sevgiye boğmuş olabilirim belki seni ama, hepsini de söke söke geri aldım senden. Seni hiç koruyamadım, biliyorum. Hep sen bakmak zorunda kaldın bana. Seni koruyup kollayacak, üzerine titreyecek birileri çıkınca karşına... Hiç olmazsa, o kişi çıkana kadar beni terk etme, olur mu? Senin güzelliğinin altında ezilir onlar, sevgini taşımayı bilemeyip devirirler. Ateşinin karşısında naylondan ruhları eriyip gider. Küçük yürekli insanlar tanımlayamazlar sana duydukları hisleri."

"Ozan bunu bana niye yapıyorsun? Niye sürekli seni terk edeceğimi söyleyip duruyorsun? Nasıl terk ederim seni? Ne zaman terk ettim, ne zaman bıraktım?

Sesim biraz fazla sert çıkmıştı galiba. Ama ona kızmayı bile beceremediğimden, yüzümdeki komik kızgınlık ifadesi güldürmüştü Ozan'ı. O gülünce ben de gülmeye başlamıştım. Gelip ellerimi tutmuştu. Sonra duvarla kendi bedeni arasına sıkıştırmıştı beni. Yine ateşinin sıcak dilleri okşamaya başlamıştı tenimi. Önce öpüşleri, sonra altı sıcak kelime deymişti kulağıma: "Sana inanmamı istiyorsan Londra'ya gel benimle..."

Öylece kalakalmıştım. Ben şaşırdıkça Ozan daha sıkı sarılmıştı bana. Sonra yeniden heyecana kapılıp, "Londra'ya gidelim Sade! Her şeye yeni baştan başlayalım," diye evin içinde dört dönmeye başlamıştı. Olur desem hemen çıkıp gitmeye hazırdı sanki. Daha önceleri aramızda konuşurken, bana en çok nerede yaşamak istediğimi sorduğunda, ona "Londra," demiştim. O da çok seviyordu Londra'yı. Aslında ikimizin de uzun süre kalmışlığı yoktu orada. On altı yaşlarımızdayken, birkaç hafta tatil için gitmiştik, tabii farklı arkadaşlarımızla, birbirimizden habersiz. Âşık olmuştuk şehre. Özellikle de ben... Hiç dönesim gelmemişti. Neydi tam olarak beni çeken, bilmiyorum. Tarihi binaların canlılığı, yüzyılların birbirine karıştığı imgelerin tertemiz akışkanlığı, şehrin başlı başına bir sanat eseri gibi duruşu, bir tablonun içinde dolaşıyormuşluk hissi... Bilmiyorum... Şehrin asil yüzünün altında var olduğu iddia edilen o kokuşmuşluk kendini göstermemişti bana. İstanbul'daysa, rüyayla kâbus birbirine karışırdı. Yine tarihi bir tablonun içindeydim ama aniden karşıma çıkan herhangi bir gecekondu, beni kollarımdan tutup çerçevenin dışına, gerçekliğin ortasına fırlatabilirdi. Sanatsallığı, imgeleri, düşselliği sahte bile olsa, Londra insanı kandırmayı iyi beceriyordu. Oysa İstanbul, tam hayal âlemine daldığım sırada, diğer yüzünü bir iğne gibi kalbime batırıyordu. Harika bir müziğin ortasında korna seslerinin çalmaya başlaması gibi... Belki Londra'da yaşıyor olsaydık, bir süre sonra o göz kamaştırıcı hediye paketinin altında boş bir kutunun tınlamasını duymaya başlayabilirdik, ama yine de Londra iyi beceriyordu boşluğunu saklamayı. Paketinin büyüsüyle uzun süre idare edebilirdi insan... İyi de nereye kadar? Nereden çıkmıştı şimdi bu Londra meselesi... Gerçekten Londra'ya mı gidecektik yani? Kaçmak istiyordu Ozan. "İki sene bekleriz, sen okulunu bitirene kadar," diyordu. "Sonra da basıp gideriz. Okuldaki hocalarla iyi geçinmeye başlamamın da tek nedeni bu Sade. Haluk Hoca'nın sağlam bağlantıları var. Burada biraz kendimi ispatladım mı, Londra'da daha özgür üretebilirim. Burslu yüksek lisans yapabilirim. Seninle beraber yine bestelerin üzerinde çalışırız. Her şey harika olur. Bütün tiyatrolara gideriz. Binlerce konser, müzeler, güzel insanlar... Bir şey söylesene Sade. Sevinmedin mi?"

Sevinmiştim sevinmesine ama nasıl olacaktı bütün bunlar? Londra'da gezmek güzeldi de, yaşamak nasıl olurdu? Hâlâ bir tatilden bahsedermiş gibi konuşuyordu Ozan. Müzeler, konserler, tiyatrolar... Peki, ya yaşam? Türklerle ilgili önyargılarla, aşağılamalarla, kendimi modern bir insan olarak ispat etme kaygılarıyla uğraşacak halim yoktu. Gerçi kendi ülkemizde de yabancıydık; tüm düşünce kalıplarından, saçmalıklardan, cahillikten, fakirlikten, televizyonlardaki şaklabanlıklardan, seviyesizlikten, sanatsızlıktan, kirli sokaklardan, çöplü denizden, ucuz milliyetçilikten bıkmıştım ama, oraya gidince de tüm bunların değişik versiyonlarıyla, usturuplu bir şekilde gizlenmiş benzerleriyle karşılaşmayacak mıydım? Nereye kaçacaktık? Bu dünyanın dışında bir yer olmalıydı.

İçimizdeki kraterler dolu olsaydı, başka bir dünyaya ihtiyaç duymazdık belki de. Duymaz mıydık? Çektiğimiz sıkıntıları, bu dünyayla iyi geçinemeyişimizin nedenini içimizdeki boşluklara bağlamam doğru muydu? Asıl boşluk dışımızda değil miydi? Tüm sorun, fazla dolu olmamız değil miydi?

Sıkıntımız, içimizdeki dolulukla dış dünyanın boşluğu arasındaki fark kadar büyüktü. Midenin genişliği arttıkça doymasının o derece zorlaşması gibi, bilincimiz genişledikçe tatmin olmamız zorlaşıyordu. Doğru olan kısır, dar, yavan bir bilince sahip olmak mıydı yani? Tatminsiz oluşumuz bizim suçumuz değil, yaşamın yeterince doyurucu olmayışındandı belki de.

Babam ve annem gibi düz bakabilmek isterdim hayata. Çamlık'a gitmekle tüm hayatımın değişeceğine inanabilmek. Babam hep kızardı bana, "Her şeyin var, Allaha şükür. Derdin ne, anlamıyorum ki!" diye homurdanırdı. Haklıydı adam. Arabamız, evimiz, paramız vardı. Üniversiteyi kazanmış şanslı gençlerdendim. Elim ayağım düzgündü. Erkekler bana âşık olurdu. Daha ne bekliyordum hayattan? Niye şükretmiyordum? Ozan'a gelince, onun da kendi evi, parası vardı. Özgürdü, aile baskısından uzaktı. Sokağa çıktı mı kadınları uzun uzun baktıracak bir fiziği vardı. Ama olmuyordu işte. Biz yine de huzursuzduk. İçimizdeki yaratma ihtiyacı, ağır bir yüktü göğsümüzde. Şükretmek, beklenti çıtasını düşürmek... Düşürmediğimiz için suçlu olan biz miydik? Kötü bir filmin yapımcısı, "Bizim filmimiz aslında iyiydi ama halkın beklentileri çok yükseldiği için yeterli tirajı elde edemedik," derken haklı mıydı yani? Tanrı da karşımıza geçip böyle mi diyecekti? Peki nasıl ilerleyecektik, çıtaya yükselmek için çabalamadıkça dünya? Ne yazık ki, biz indirmek zorundaydık çıtamızı yaşayabilmek için, iletişim kurabilmek için, katlanabilmek için. Ama nereye kadar, nereye kadar? Çıtanın gerçek yüksekliği ile indirilmiş yüksekliği arasındaki boşluktu işte bizi asıl öldüren. Ozan sıkıntıları yoğunlaştığı zamanlarda, annesi ve babasının belirli bir sorun aradıklarını, derdini söylemesi için ona ısrar ettiklerini anlatmıştı bana. Oysa bir nedene gerek yoktu ki. Boyunun uzun kaldığı bir yaşamda sürekli eğilerek dolaşmak başlı başına bir sorundu zaten. İngiltere'ye gidince tavan yükselecek miydi sanki? Etrafımızdaki yeni ve değişik görünümlü aynılıklara aldanıp, bir süreliğine eğildiğimizi unutabilirdik belki ama hepsi buydu işte. Doğrulmaya çalıştığımız anda, betonun sertliği kucaklardı bizi yine. Ya da eğilmeye öyle alışırdık ki, sonunda kamburlaşırdık. En çok da bundan korkuyorduk zaten. Çünkü o zaman, tavan üstünden kalksa bile doğrulamazdı insan.

Ozan, İngiltere'ye gitme fikrini duyunca havalara uçacağımı sanırken benim aklımdan bunlar geçiyordu. Beklediği sevinci göstermediğim için şaşırmıştı. "Bana güvenmediğinden mi cevap vermiyorsun?" diye bağırmaya başlamıştı. "Hastalıklı bir adamla ben oralarda ne yaparım diye mi düşünüyorsun? Öyle düşünüyorsun, değil mi? Haydi söylesene!"

O bağırdıkça benim sesim içeri kaçıyordu. Ama uzun süredir dışarı çıkmak isteyen birkaç gözyaşı, üzüntümü fırsat bilip atıvermişlerdi kendilerini dışarı. Hemen yüzündeki öfkeyi silip sarılmıştı bana. Sırtımda uzun parmaklarının izlerini bırakmıştı. "Sen yokken dudaklarım üşüyor Sade," diye fısıldamıştı kulağıma. Benim üşümüyor muydu sanki? Teni ağzımda yanmaya devam etmeliydi sonsuza kadar. Hiç soğumamalıydı öpücüğü. Ağzının aleviyle yıkayıp arındırmalıydı dilimi öfkeden. Tıpkı şimdi yaptığı gibi. Dudaklarındaki ateşe doğru çekiliyordu bedenim. Öylece uzanmıştık tek kişilik yatağıma. Kıpırtısız, dingin... Sessizliği örtmüştük üzerimize. Uzun uzun izliyordu yüzümü, ilk defa görüyormuş gibi yoğun bir dikkatle. "Kapa gözlerini bebeğim," demiştim sonunda. "Yarın konserin var. Uyu biraz." Susmaya devam etmişti, gözlerini yüzümden çekmeden... Bilmem ne kadar zaman sonra, daha fazla dayanamamıştı ağırlaşan gözkapaklarım. Onun bakışlarını yalnız bırakıp uykuya teslim olmuştum.

Sabah olduğunda yanımda yoktu. Belli ki erkenden çıkıp gitmişti. Böyle önemli bir zamanda nasıl olmuştu da uyuyabilmiştim? Geçireceğimiz değerli zamanı nasıl rüyalarla geçiştirmiştim? Üstelik sahneye çıkana kadar da hiç göremeyecektim Ozan'ı. O öyle istediği için... Dikkatinin dağılmaması gerektiğini ama beni görürse son derece heyecanlanıp performansının düşeceğini söylemişti. Akşama kadar nasıl sabredip oyalanacağımı bilemiyordum. Ozan'la tanıştığımdan beri arkadaşlarımı da arayıp sormaz olmuştum. Sıkılıyordum yanlarında. Eskiden ders çıkışlarında bir yerlere gider, sohbet ederdik. Ama uzun süredir tek yaptığım, okuldan çıkar çıkmaz Ozan'a koşmaktı. Birkaç kez sitem ettikten sonra onlar da vazgeçmişlerdi benden. Şimdi aniden arayıp buluşalım demeyi hem gururuma yediremiyordum hem de reddedilmekten korkuyordum. Buluşmayı kabul etseler bile, aralarında yabancı hissedecektim kendimi. Eski günlerdeki uyumun aynısını yakalayamayacaktık. Bu beni daha çok üzecekti. Bana yapacakları sitemleri kaldıracak gücüm de yoktu. "Ya, işte böyle; geç oldu ama anladın değerimizi. Sevgililer gelip geçer ama dostlar kalıcıdır!" gibi lafları çekecek durumda değildim. Ayrıca, Ozan'la sorunlar yaşadığımın anlaşılmasını istemiyordum. Büyük sözü dinlemeyip bir hata yapınca sürekli o hatanın başa kakılması gibi, onlar da benim başımda dırdır edip duracaklardı. Ama yalnızlıkla baş edecek kadar güçlü hissetmiyordum kendimi. Bütün mutluluğumu alıp sürgüne göndermişti Ozan'sız kalmak. Çaresiz, Aylin'e mesaj çekmiştim, "İşin yoksa bir yerlere gidip sohbet edelim mi?" diye. İçimdeki yangına dair hiçbir imada bulunmadan... Sanki her şey yolundaymış da öylesine bir buluşasım gelmiş gibi. "Çok isterdim tatlım ama Burak'la buluşacağım," diye bir yanıt atmıştı bana. Burak hangisiydi? Bir de Emre vardı galiba. Hatırlayamıyordum. Aylin'e kızmaya hakkım yoktu. Ben de kaç kez, "Ozan'la buluşacağım," diye reddetmiştim arkadaşlarımı. Anlaşılan, kendi kendime katlanmak zorundaydım akşama kadar. Ozan'dan önce nasıl oyalanırdım ben? Neler yapardım? Annemle babam yanımda olsalardı, belki sinemaya giderdik beraber. Gerçi öyle bir huyumuz yoktu ama bu seferlik yapardık belki. İçimden film seyretmek de gelmiyordu. Ne kitap okumak ne de müzik dinlemek.. Sonunda annemi aramıştım, o berbat "teklik" duygumu öldürmek için. Sesimi duyunca gerçekten mutlu olacak insanlara ihtiyacım vardı ve annem telefonu açar açmaz, onun o insanlardan biri olduğunu bir kez daha anlamıştım. İçime sevgi akıtmıştı sesi. O da babam da çok özlemişlerdi beni. "Burnumuzda tütüyorsun," diyordu annem. "Arkadaşlarını da al gel hemen!"

Arkadaşlarım kalmış mıydı ki? Zaten annem de Ozan'ı kastetmişti. Ozan kalmış mıydı peki? Aramızda bir şeyler olduğunun farkındaydı annem. Anneler hissederler... "Ağlamaklı geliyor sesin!" demişti. "Bir şey olduysa hemen atlayıp gelelim." Bunu söylemesine sevinmiştim tabii, ama gelmelerini istemiyordum. Kimseye hesap verip dertleşecek halim yoktu. Babam, "Dertli insanın yanında durmayı kimse sevmez," derdi hep. Haklıydı. Dertlerimi gösterip, kalan birkaç kişiyi de yanımdan uzaklaştırmak istemiyordum. "Sorun yok deyip kapatmıştım telefonu, annemi şüphe ve huzursuzluk içinde bırakarak... Sonrasında da, cilt cilt ruhuma basılan yalnızlıkla ve zamandan sıyrılmak için kapıldığım uykuya sığınma telaşıyla baş başa kalmıştım... Uyku ise bana yüz vermeyip başkalarına gitmişti... Kimi çağırsam her şeyi bırakıp yanıma gelir diye düşünmeye başlamıştım. Özgür gelirdi belki de. Eğer Ozan olmasaydı... İkisine de kızgındım. Ozan, benim yerime Özgür'ü çağırmıştı, bütün gün ona eşlik etmesi için. Yapacakları bir sürü iş vardı. Temizleyiciden konserde giyeceği kostüm alınacak, Haluk Hoca'ya uğranıp son bir prova yapılacak, üniversitenin verdiği resmi törene katılıp mini bir konser verilecek ve erkek erkeğe biraz vakit geçirilip eğlenilecek. Sonuçta da konsere gevşemiş ve rahatlamış bir şekilde çıkılacak... Bunları yaparken hep Özgür olacaktı yanında, ben değil. "Sen yanımdayken, senden başka bir şeye odaklanamıyorum!" diyordu.

Ben neye odaklanacaktım peki? Nasıl geçecekti bunca saat akşama kadar? Gerçekten benim yanımda heyecanlandığı için mi, yoksa kanına soktuğu zehirleri benden saklamak için mi yalnızlığa atmıştı beni? Esas korktuğum neydi? Ozan'ın başaramayıp yeni bir ruhsal çöküntü yaşamasından mı, yoksa son derece başarılı olup bana ihtiyacı kalmamasından mı korkuyordum? Hem başarılı olup hem de beni sevemez miydi? Bu akşamdan sonra her şey değişecekti belki. Ruhum havada kalmış gibiydi, mayası tutmamış cıvık bir halde, sallantıda... Tamamen düşüp ölmek, bu belirsizlikten daha iyiydi. Sonuçta, geçici bir ölümle idare edip, uzun zamandır hiç dokunmadığım uyku haplarından iki tane yutup yatmıştım. Dört beş saat süren hiç dilinde bir uykudan sonra da, alarmın sesinin keskin bir çığlık gibi beynimi sarsmasıyla uyanıp hazırlanmaya başlamıştım. Aynadaki ben, çok çirkin görünmüştü gözüme. Mavi gömleğimse inatla üzerime oturmak istememişti. Saç tellerim kavgalıydılar sanki. Bir araya gelmiyorlardı. Tokamın içine hapsolmamak için başkaldırıyorlardı. O ne yapıyordu acaba? Özgür iyi bakıyor muydu ona? Doğru düzgün yemek yemiş miydi? Dün gece uykusunu da alamamıştı. Halsiz hissediyor muydu kendini? Vitaminlerini yutmuş muydu?

Tekrar aynaya ilişmişti gözüm. Berbat görünüyordum.

Ozan'ın benden iyi durumda olduğu kesindi. Sonuçta o, kocaman bir sahnede piyanosunu çalarken, ben aşağıda, sıradan izleyicilerin arasında, koltuğuma gömülüp kaybolacaktım. Mutluluğunu, onurunu, heyecanını paylaşmama bile izin vermeyecekti. Normal zamanda, normal koltuklarda, onu sıradan biri gibi izlemeye mahkûm edecekti beni.

Ama hislerim sıradan değildi. Konser salonuna girer girmez, heyecan ve korkunun şiddetli bir saldırısına uğramıştım. "Kalp atışları" adı altında, makineli tüfekler ve toplar kalbimde konser vermeye başlamışlardı. Her notada yeni bir sarsıntıya uğruyordum. Kalbimin bu yoğun bombardımana daha fazla dayanamayıp kırılıp dökülmesine ramak kalmışken, Özgür gelmişti yanıma. Çarpık çurpuk simülasyon gülümsemeler vardı yüzünde. Bir şeylerin yolunda olmadığını hissediyordum. "Nerede o, görebildin mi?" diye sormuştum hemen. Salondaki derin ve karanlık uğultunun çağıltısı akıyordu kulağıma. Özgür, "Sorun falan yok, biraz gergin, o kadar," deyip geçiştirmeye çalışsa da, ciddi bir şeyler olduğu belliydi. Hemen beni onun yanına götürmesini istemiştim. Son derece kararlıydım buna. Ama kararlı olmak yetmiyordu bazen. Özgür, Haluk Hoca'nın şu andan itibaren kimseyi içeri sokmadığını, sakin olmam gerektiğini, zaten beş dakikaya kadar da Ozan'ın sahneye çıkmış olacağını anlatmaya başlamıştı. Kolumdan çekip, en ön sırada ayrılan yerime götürmüştü beni. Sonra da yanıma oturmuştu. Sıkı sıkı elimi tutuyordu. "Heyecanlanma!" deyip gülümsüyordu. "Bak, Haluk Hoca da geldi, tanışmış mıydınız?"

Uzun boylu bir adamdı gelen. Elimi sıkmıştı. Loş ışıkta yüzünü tam seçememiştim. Uzun süredir, Ozan'la geçirdiğim zamanın azalmasına neden olduğu için öfke duyduğum bu adam artık umurumda bile değildi, çünkü Ozan sahneye çıkmak üzereydi ve çevremdeki her şey gerçekliğini yitirmişti. Işıklar iyice kararmıştı. Çıt çıkmıyordu salonda. Ve sonrasında.... O sakin ve serin duruşuyla... Zelzelemi müziğiyle dindirmek üzere aydınlanıvermişti tüm bedeni. Müziğinin güneşinden kalbim kamaşıyordu. Saçları yüzüne dökülüp gözleri tek bir noktaya odaklanmaya başladığında apayrı bir dünyaya gittiğini biliyordum. Arkasından koşup oraya gitmek istemiyordum. Beni elimden tutup götürmek istese de, orası yalnızca Ozan'a aitti. Öyle olmalıydı. Onun müziğiydi bu. Ama yine de mutluydum ben, çünkü aramızdaki aşk, kapılardan sızıp, onun müziğinin tılsımlı melodilerini benim dünyama getiriyordu usulca. Sonra elleri kopuverdi aşkın. Melodileri taşıyamaz oldu. "Do" yerine "re"ler, "re" yerine "mi"ler uçmaya başladı salonda. Parmaklarının ona ihanet ettiklerini ilk ben gördüm. Gözlerinin donuklaştığını... Dudaklarını ısırdığını, boğazının kavrulduğunu ben gördüm ilk. Yüreğimin kapısını yumruklamaya başladı acı. Ben açmak istemesem de kapımı kırıp zorla içeri girecekti, biliyordum. Ozan'ınkini kırmıştı çoktan. Yüzündeki ifadeleri çalmıştı ondan. Siliniyordu yüzü. Mavisini yitirecekti evren, Ozan'ın gözleri kapanırsa. Tüm denizler, gökyüzü, rengini yitirme korkusu içindeydi... Bir tek ben duyuyordum. Etraftan garip sesler geliyordu. İnsan sesleri miydi bunlar? Özgür elimi sıkıyordu, neden? Sıcacık sıkıyordu... Bebeğimin dudakları soluyordu. Hava yerine ölümü soluyordu. Görüyorum seni, düşüyor musun? Ölümle mi kaçacaksın? Seni terk etmeyeyim diye, benden önce sen mi terk edeceksin beni? Size söylüyorum, çekilin, rahat bırakın onu! Bitti mi, tüm bu korku ve kötürüm günler, piyano tuşlarının üzerine düşüyor kan damlaları. Burnundan dudaklarına doğru ince, kızıl bir ırmak süzülüyor. Yükselen müziği duyuyorum. Felaketin bestesi, birbirine âşık notaların bitmez tükenmez soluğu akıp gidiyor kanınla. Kendilerini bırakıveriyorlar. Beyaz tozlar sızıyor burnundan içeri, beynine beni götür, onları değil. Ne kadar tutabilirim seni? Daha kaç zaman burdasın? Bir akşamlık, iki gecelik? Yarımınla bile yetinirim, ne olur kendinin tamamını alıp gitme. Yaşamın üzerinden atlayıp gidişin gibi, acının üzerinden atlamayı öğret bana. Ne kadar yükselmeye çalışsam da tam ortasına düşüveriyorum çamurun. İliklerime kadar işledi bataklığın kokusu. İmalat hatası bir varlığım artık ben. Herhangi bir süpermarketin herhangi bir reyonuna koysunlar beni. Çabucak tüketileyim. Elimi tut... Tuttun mu?

Çekilin dedim! Kaldır başını bebeğim. Bak, ben buradayım. Sus, konuşmaya çalışma. Gücünü harcama. Yardım edin lütfen! Öyle boş boş bakmayın, bir şeyler yapın, ne olursunuz! Elimi sık, sıkıca tut. Hayat enerjimi çek. Nefesimi al, kalp atışlarımı al ama kapatma gözlerini, sakın kapatma. Yardım etsenize! Gökyüzü üzerime devriliyor. Evrenin tüm acıları delip geçiyor hücrelerimi. Bunu bana yapmayacaktın. Kalbine inen darbenin soluğunu çekip almasına izin verme. Nereye götürüyorlar seni? Siren seslerinin içine düşüyor kalbim. Lütfen gözlerini açar mısın? Kara bulutlar parçalayıp kırıyorlar kirpiklerimi. Uçurumun elinden kalbimi geri almalıyım. Haydi kalk bebeğim, kalk ne olursun. İşte böyle... Piyano çalmak ister misin? Küçük sırlar var orada, tuşların arasında. Mutluyum ben, çok mutluyum. Avucumdaki yarayı saklamam lazım. Yalanlarımı ve sırlarımı. Elini sımsıkı tutmam lazım. Kayıp düşmemen için. Ama acıyor elim. Kalbimi dilimliyor annem. Niye herkes terk ediyor beni? İki dakika televizyon izlemesen olmaz mı baba? Alnımın ortasına bir çığ düşüyor. Aklım uçurumdan düşüyor. Ama sen buradasın. Her zaman yanımda. Piyano çalmak ister misin? Yoğun yoğun bakıyorlar şimdi sana. Kırmızı harfler yanıyor. Aramıza kapıları koyup yanına sokmuyorlar beni. Bırak öyle sansınlar. Oysa sen yanımdasın. Buradasın. Seruma dönüşüp içine akıyorum. Yüzüme bakıyor herkes. Bakıp bakıp ağlıyorlar. Neden? Biz çok mutluyuz. Beraber piyano çalıyoruz. Kırmızı bir çizgi de bizimle beraber dans ediyor, yükselip alçalıyor. Kendi ritmini tutturmuş dilediği gibi akıyor, yükselip alçalıyor, yükselip alçalıyor. Sonra yorulup bırakıyor kendini dümdüz, tiz bir sesle çığlık atarak... Biz duymuyoruz onu, kulaklarımızı tıkıyoruz. Sonsuza dek piyano çalıyoruz, piyano çalıyoruz, piyano çalıyoruz...

Bir iki saniye, nerede olduğumu, ne yaptığımı anımsayamadan, zamanın ve mekânın dışında asılı kalakalmıştım. Alkışların çıkardığı şiddetli gürültü boğazımı sıkan ipi kopartınca, kâbusumdan konser salonuna geri yuvarlanmıştım. Gözlerimi açıp tam anlamıyla kurtulmak istemiştim bu kâbustan ama gözlerim zaten açıktı. Alkış sesleri daha da çok artıyordu.

Yüzümde kâbusun dehşetiyle gerçeğin mutluluğu arasında kalmış ifadeler yüzüyordu. Saniyeler geçtikçe, aklımı toparlamaya başlamıştım. Ayağa kalkmış selam veriyordu Ozan. Onu yeniden bulmuş olmanın verdiği coşku oluk oluk akarak, kâbusun içimde bıraktığı cehennemi söndürmeye başlamıştı. Peki, ya gerçek olsaydı? Ya gerçek olsaydı?

Haluk Hoca büyük bir gururla gülümsüyordu. Ben hâlâ tam anlamıyla kendime gelememiştim. Deli gibi yaşlar boşalıyordu gözlerimden. Mutluluktan, aşktan, gururdan, şaşkınlıktan... Haluk Hoca bana bakıp gülümsüyordu.

"Çok duygulandın galiba Sade. Haydi toparla kendini!"

Koluma girip beni kulise götürmüştü Haluk Hoca. Koridorda ilerlerken içimdeki huzursuzluk az da olsa kendini hissettirmeye devam etmişti. Ozan'a dokunup canlı olduğundan emin olana kadar da geçmemişti. Kapıyı açar açmaz, adımı haykırarak belime sarılmıştı. Sonra da havaya kaldırıp döndürmeye başlamıştı beni. Mutluluktan havaya uçmak buydu demek. Beni yere indirdikten sonra bakışlarını gözlerime odaklamıştı. O anda beynimi kemiren tüm karanlık düşünceler ışığa kavuşmuştu. Gözbebeklerindeki harelere dalıp gitmiştim ve o anda gerçeği görmüştüm. Ozan'ın mutlu olduğu gerçeğini... Bana, Ozan'ın kendini kandırdığını, aslında hâlâ acı çektiğini söyleyen o kötücül iç sese, "Kapa çeneni!" diye bağırabilirdim artık. Niye bu kadar güvensizdim mutluluğa karşı? Kabul etmek niye bu kadar zordu? Basitçe, sadece mutluyduk işte! Onun gözlerinden girip ruhuna inerken, beni sevdiğini, yalnızca mutsuz olduğu zamanlarda yanında olacak birisine muhtaç olduğu için değil, sevdiği için sevdiğini görebiliyordum. Bu kadar basitti işte. Beni sevdiği için seviyordu... Nedenlerin içinde boğulup durmaya gerek yoktu. Uyuşturucuları bıraktı diye beni de bırakacak değildi ya. Bir an önce bu anlamsız korkulardan kurtulmalıydım. Oradan çıkar çıkmaz, Ozan'ın yeniden uyuşturucuya başlamış olabileceği fikrini aklıma sokan Özgür'ü de iyice bir paylayacaktım.

Bir sürü çiçek geliyordu odaya. Ozan telefonla konuşuyordu. Hem de babasıyla! İlk defa onu babasıyla konuşurken duyuyordum. Biraz soğuk, biraz şaşkın ama gururlu bir ses tonuyla, "İyi geçti baba," diyordu. Ardından annesi aramıştı. Bu sefer de aynı ses tonuyla sanki bir önceki konuşmasının İngilizce tercümesini yaparcasına konuşmuştu Ozan. Telefonu kapattıktan sonra buruklaşmıştı yine yüzü. Gidip Haluk Hoca'ya sarılmıştı sıkı sıkı, sanki babasına sarılır gibiydi. Annesiyle babası onu izleselerdi ne çok gurur duyarlardı kim bilir. Verdiği mücadeleleri bilseler... Ama yoklardı işte. Olsun, ben vardım, Haluk Hoca vardı, Özgür vardı...

"Özgür nerede su perisi?"

"Bilmem, nerede hakikaten? Konserde yanımda oturuyordu ama..."

"Neyse, gelir şimdi. Bak, ben bir yüzümü yıkayayım, sonra Özgür'ü de alıp bir yerlere kutlamaya gideriz, tamam mı?"

Ozan tuvaletin kapısını açıp içeri girmişti. Hayır, girmemişti. Öylece kalakalmıştı eşikte. Arkası bize dönük şekilde, kımıldamadan duruyordu. Haluk Hoca'yla birbirimize bakmıştık şaşkın şaşkın.

"Ne oldu Ozan, niye durdun öyle?"

"Ozan... Oğlum? Bir şey mi var?"

Yüzünü bize döndüğünde, teninin kireç gibi olduğunu görmüştüm. Tüm gövdesi titremeye başlamıştı. Konuşamıyor, ağlayamıyor, bağıramıyor, sadece acı çekiyordu. Şaşkınlıktan ne yapacağımı şaşırmış, öylece Ozan'a bakakalmıştım. Haluk Hoca, kendine gelmesi için bir tokat atmıştı yüzüne. Bir iki saniye durduktan sonra, duyum eşiklerini yıkıp geçecek bir şiddetle, "Özgüüüüür!" diye haykırmıştı Ozan. İçime cehennemden külçe külçe ateş düşmeye başlamıştı. Haluk Hoca'nın tuvalet kapısından kafasını uzattığını görmüştüm. Ardından, "Ambulans çağırın!" diye bağıran ağzına kitlenmişti gözlerim. Kâbusum gerçek olmuştu. Başrol oyuncusu farklıydı sadece... En korkunç rolünü oynuyor Özgür. Burnundan ağzına boşalan kanla yere yığılmış yatıyor. Masum ince bedeni hareketsiz, gözleri uzak bir hayal dünyasına kaymış... Kimse ulaşıp yanına gelemez mi? Özgür müsün orada? Bilinmezin gizeminden, tehlikeli olandan hep etkilenmişsindir sen. "Ben uzakta durup izlemeyi tercih ediyorum," dediğimde yüzüme bakıp, "Ben de içine girip yaşamayı tercih ediyorum," demiştin bana. "Tehlikenin bir parçası olup yok olma riski hep vardır Sade. Bunun farkında değilim sanma. Ama ölümle flört etmediğim sürece yaşam bana yüz vermiyor."

Umarım ölüm şıpsevdi bir kaltak çıkar ve seni başka biri için terk eder...

Yine siren sesi... Ambulans... Koşturup duran insanlar... Senin beni gördüğünü biliyorum. Canın yanıyor mu? Düşlerin zehir gibi kanında dolaşırken bir gün gerçeğe çarpıp düşecekler, demiş miydim sana? Yoksa tek düşündüğüm Ozan mıydı? Seni çok sevdiğimi söylemiş miydim Özgür? Nefesimle uyuşmayı bekleyen açık yaralarına dostluğumu süremediğim için beni affetmeyeceksin, ölerek cezalandıracaksın beni, değil mi? Ruhunun kanamasını durdurabilirim. Çok mu geç? Yine mutsuzluk kapıda demek... Bak, Ozan yere yığıldı, senin için ağlıyor hiç durmadan. Özür dilerim, yine Ozan'ı düşünüyorum... Beraber kafede buluştuğumuz o gün, "Zaten bütün derdin Ozan, ben geberip gitsem umurunda olmayacak!" diyerek masadan kalkıp gitmiştin, hatırlıyor musun? Yalan söyleyemem sana. Bunu söylediğim için kendimden iğreniyorum ama, tuvalette yatan Ozan değil sen olduğun için bir yanım şükrediyor. Ben gerçekten iğrenç bir insanım, biliyorum. Affet beni. Ozan'ın uyuşturucuya yeniden başlamış olabileceğini söylerken aslında, "Bana yardım et Sade!" diye haykırdığını duyamadığım için, tüm ilgisizliğim ve bencilliğim için affet. Ölümünle cezalandırma bizi. Aşırı dozda yaşama sevinci enjekte etmeliyiz sana. Nereden bulacağız? Nereden? "Dünya çok keyifli bir yer olsaydı, kimse keyif verici madde kullanmaya gerek duymazdı," demiştin bana. Keyfin yerinde mi peki şimdi? Sana yeterince bakamadığımız için yoğun bakımdasın belki de... Gözlerini aç ve bana bak! Bana bak Özgür!

Ve lütfen ölme olur mu?